—

MULTITUDES
numéro 28
mars 2007

—

légendes d'« Icônes » :
page 228.

prise de la politique

Frédéric Neyrat

1°) La politique n'a pas d'essence, pas de territoires ou d'objets attitrés, mais elle *prend*, comme un feu ou du ciment. Ainsi des domaines que l'on croyait apolitiques deviennent éminemment politiques, comme le « personnel » ou le vivant lui-même, on réclame de nouveaux droits, on refuse que la santé et les normes alimentaires soient régentées par de supposés experts, etc. À chaque fois, il s'agira de dire : « ceci est politique », ceci est une clameur, une *réclamation* politique, ceci est un tort qui exige d'être traité, immédiatement. Et à chaque fois cette déclaration rencontrera le refus de ceux qui tiennent à dénier cette émergence de la politique, ceux dont la fonction est uniquement d'éteindre les feux. Là où, en 2005, certains diront « soulèvements » ou « révoltes » des banlieues, d'autres répliqueront : de simples « émeutes » — terme sur lequel l'État et certaines pensées de l'émancipation furent hélas d'accord.

Avec l'élection présidentielle qui se profile, on pourrait se demander : en quoi est-elle, vraiment, politique ? De surprises, de nouveautés, de surgissements improbables, de potentialités créatrices, pour le moment, aucun. Après tout, dira-t-on, cela n'a rien de très étonnant, il s'agit d'élections, c'est-à-dire de pratiques réglées, prévues, normées. Mais quoi, la prévision ou même le formatage n'empêchent en rien le dérèglement, l'imprévisible et l'anormal ! Et l'on pourrait imaginer qu'un candidat décide de s'appuyer sur cette *forme établie* pour générer une *lame de fond*, une tentative consistant à prendre à bras le corps un ensemble de problèmes qu'il s'agirait de traiter, enfin, de façon politique, c'est-à-dire d'élever, de situer au niveau de cette dimension proprement dite : revenu universel, statut de résident venant se substituer à la citoyenneté nationale, établissement de formes de démocratie « directe » ou « participative », interdiction des O.G.M., énergies alternatives, lutte contre les changements climatiques, etc. Mais, non, rien. A la place, la même chose. Au final, pour nombre d'entre nous, et à tous les sens du terme : au niveau collectif, *ça ne prend plus*.

Après tout, c'est plutôt une bonne chose, cela signifie que le « piège à cons » ne fonctionne plus, et qu'il n'y a plus à déjouer, critiquer la « mystification » de la représentation politique. Croire que les gens croient encore au fait que la volonté « populaire » et « nationale » ne parvient pas à se représenter *comme il le faudrait*, et que ça pourrait s'arranger avec une bonne réforme et de bonnes intentions, c'est considérer que les gens sont idiots. Position très glissante, et très pauvre. Ontologiquement, on peut en effet soutenir qu'il est de toute façon impossible de représenter *effectivement* la multiplicité, sauf fiction de l'Un — national ou populaire — dont on connaît les méfaits historiques, toujours agissants. Et si nous préférons, sans en faire un fétiche conceptuel, le terme de multitudes à celui de peuple, c'est sans doute parce que nous pensons qu'il s'agit de *tenir sur le multiple*. S'il ne saurait donc plus y avoir de « piège à cons » électoral, c'est que celui-ci a subi son retournement politique : il s'agit désormais de savoir s'il est possible ou non de *ferrer la représentation*, et non pas de la détruire. Notre question pourrait se formuler ainsi : comment générer une capacité d'influence des mouvements et des minorités actives sur les mécanismes de la représentation, pour ce qui concerne en particulier les « sans- », et tous ceux qui voient combien leur puissance d'agir est bloquée par une économie politique de la mobilité et des droits sociaux et politiques à base exclusivement nationale, ainsi soumise aux critères toujours plus restrictifs et réactifs d'une « souveraineté nationale » ?

Cette question indique selon nous la trajectoire d'un déplacement politique rendant obsolète la fixation intellectuelle et pratique sur la question du vote à cette élection présidentielle. Ce que nous disons, c'est que la question n'est pas là. Ce qu'on voudrait nous faire croire, c'est que le traitement des questions politiques peut se faire dans le cadre national, là où il nous apparaît que les enjeux et les réalités sont profondément transnationales, là où nous soutenons qu'il est vital et urgent d'ouvrir un espace politique européen après la victoire du « non ». Ce qu'il y a encore à démystifier, ce n'est pas le processus électoral, c'est la *solution nationale* qui se profile à nouveau, sous la forme du « patriotisme économique » et de l'« immigration choisie », sous la forme d'une bulle nationale tentée par des processus immunologiques consistant à vouloir se protéger, en pure perte, des réalités transnationales — en ce sens, les derniers discours de Le Pen exhibent à ciel ouvert non pas l'extériorité du système politique français, mais son aspiration la plus crue. L'espace européen manque à se constituer sur un plan réellement démocratique, et se construit pourtant mais dans notre dos, en tant que « forteresse européenne » par exemple, avec les procédures abjectes d'« externalisation » du droit d'asile, etc.

2°) Voter ou ne pas voter, ce n'est pas la question, et l'on peut simplement refuser deux discours : celui de l'*impératif du vote*, que l'on nous a servi de façon grossièrement surmoïque au moment du second tour de la dernière présidentielle (Le Pen / Chirac), et celui de l'*antiparlementarisme*, lorsqu'il demeure, au fond, dans le cadre national-républicain établi. À tel point que la position antiparlementaire nous semble, comment dire, inutile désormais. Car être anti-parlementaire aujourd'hui, est-ce autre chose que désirer quelqu'un à qui s'opposer ? À la manière dont l'hystérique cherche un maître pour le démettre, on chercherait son parlementaire pour le déparlementer… Mais, aujourd'hui, chaque parlementaire sait qu'il est un « élu kleenex », qu'on peut jeter à la moindre occasion, quel que soit son parti — personne n'y croit plus — ou son bilan — toujours près du dépôt du même nom.

Mais nous ne sommes pas sur Sirius, et nous connaissons de nombreuses individualités impliquées dans des combats politiques exigeants qui vont voter, non par conviction profonde, simplement pour éviter la promotion de candidats profondément réactionnaires qui risquent, une fois élus, de faire un maximum de dégâts. Ce vote s'effectuera parfois comme une formalité, pour ne pas s'encombrer l'esprit de problèmes annexes, parfois avec un sentiment de honte — et l'on en vient à louer l'existence de l'isoloir, non pour respecter la confidentialité du vote, mais pour cacher la honte d'être réduit au fait de voter pour n'importe qui afin d'éviter le n'importe quoi… On votera aussi pour « faire barrage au pire », si tant est d'ailleurs qu'on puisse le localiser, ce « pire ». Certains seront tentés par un vote Ségolène Royal. Elle apporterait un sang neuf, nous dit-on. Sans doute, et l'on ne pleurera pas sur la dépouille de ses rivaux, masculins par tradition (française). Et sans doute également elle incarne la première candidate « postmoderne » du système français, en prenant ici ce prédicat en son acception la plus faible : DJ Royal change de disque et mixe ses discours en fonction de ce qu'elle capte et probabilise du flux des affects et des opinions de la population française, elle s'adapte en temps réel et rectifie le tir, machine cybernétique réellement molle. Soyons clairs, Ségolène Royal, c'est la version renversée et mutilée de ce qu'une saine rupture avec la modernité pourrait apporter de révolutionnaire, et c'est pour cela qu'on peut se faire flouer par elle, prendre un simulacre dévitalisé pour une puissance d'invention… Ségolène Royal semble avoir compris que nous ne sommes plus dans un régime de séparation stricte entre élus et électeurs, mais dans un régime de communication qui fait que les élus sont cognitivement, symboliquement, affectivement en *prise directe* avec ce que font, pensent et ressentent les individus, un régime de communication globale qui traverse les frontières entre les domaines privés et publics, nonétatiques et étatiques, naturels et techniques, etc. Elle tente de puiser son énergie à même cette source, mais ne sait pas comment synthétiser l'information, elle n'a pas de moteurs de traduction, elle ne sait pas dans quelle langue politique il faut répondre à cela — si ce n'est la langue du pouvoir, mais certainement pas celle de la transformation.

3°) C'est bien cette langue qu'il nous reste à inventer, son vocabulaire et ses images. Nous avons déjà affirmé qu'elle ne saurait parler la nation ni la République, mais quelque chose de plus grand, de plus vivant, hors du statut national-citoyen monocoloré — ce qu'on nous présente aujourd'hui en guise de collectif est tellement petit... Mais en dehors également de l'alternative infernale salariat/précariat, et nous affirmons ici encore la nécessité de garantir un revenu d'existence, un « biorevenu » dégageant un véritable espace de liberté, un espace pour la création individuelle et commune affranchi de tout contrôle étatique, de tout appel répressif à la « formation permanente », pendant que nos candidats déclarés ne jurent que par la « valeur travail », cette reterritorialisation désespérante, aussi régressive que la « valeur nation ».

À ces transformations des dimensions politiques et sociales, il nous faut ajouter celle de l'écologie : un biorevenu n'aurait littéralement aucun sens dans un monde dévasté, et ce sont bien les *conditions éco-politiques de l'existence* qu'il nous faut dès maintenant garantir. La question des changements climatiques prend sous nos yeux une ampleur considérable, au moment même où le GIEC confirme son sombre constat. Voilà une question par définition transnationale, et c'est d'ailleurs au niveau européen que les premières mesures ont été prises pour contrer l'effet de serre... Mais qui saura s'attaquer, en France, au lobby nucléaire et à la construction de l'EPR qui s'apprête à plomber l'économie française sur plusieurs générations sans pour autant permettre de diminuer les quantités de gaz à effet de serre, qui saura imposer les énergies alternatives, le solaire et l'isolation systématique des bâtiments, qui osera puiser dans la rente de la sphère militaire, et convertir une partie du budget de la défense en budget vital ?

Nous craignons de connaître la réponse. Il est certain que nos gouvernants sauront pervertir les « menaces », les « risques » économiques et écologiques en fonds de commerce électoral, en technique « contre-insurrectionnelle », en régulation inefficace. Et c'est bien pour cette raison que les motifs intellectuels et pratiques qui traversent *Multitudes* trouvent à cette occasion leur ampleur maximale : construire les domaines du commun n'a jamais été aussi urgent qu'au moment précis où les conditions de possibilité vitales de ces domaines sont mises en question. La peur n'y changera rien, de même qu'aucun vote. Tant qu'on ne considérera pas les destructions des formes de vie quelles qu'elles soient comme quelque chose d'intolérable, tant qu'on restera incapable d'ouvrir le *commun* à plus que soi, plus que son groupe, plus que sa nation — voire plus que son espèce —, l'enjeu de la politique demeurera une question strictement *privée*.

Un statut de résidence transnationale, un biorevenu, l'énergie solaire... Des réformes, Sire ? Non, non... Des révolutions.

l'extra-disciplinaire. pour une nouvelle critique institutionnelle

Brian Holmes

Quelle est la logique, le besoin ou le désir qui pousse de plus en plus d'artistes à s'aventurer en dehors de leur propre discipline, définie par la notion de réflexivité libre et d'esthétique pure, incarnée par le circuit école-galerie-magazine-musée, et hantée par le souvenir des deux genres normatifs, la peinture et la sculpture ?

Il y a eu, dès les années 1960 et 1970, le pop art, l'art conceptuel, l'art corporel, l'art de la performance et l'art vidéo, qui marquaient chacun une rupture dans le système traditionnel des genres. Mais on pourrait arguer que leurs débordements ne faisaient qu'*importer* des thématiques, des supports ou des techniques dans un espace préalablement « spécialisé », pour reprendre le mot d'Yves Klein : la salle blanche de la galerie ou du musée, qualifiée par le primat de l'esthétique, et gérée par les fonctionnaires de l'art. Ces arguments, lancés avec une violence anti-administrative inoubliable par Robert Smithson dès 1972, puis développés de façon plus synthétique par Brian O'Doherty avec ses thèses célèbres sur l'idéologie du « white cube », restent largement valables aujourd'hui [1]. Mais ils semblent perdre une partie de leur efficacité devant une nouvelle série de débordements, qui ont pour nom bio art, net.art, géographie visuelle, art spatial, *database art* et art thérapeutique — auxquels il faudrait ajouter un archi-art, ou art traitant de l'architecture, qui curieusement n'a jamais été baptisé comme tel, ainsi qu'un « art de la machine » qui remonte au constructivisme des années 1920, et même un « art de la finance » dont la naissance vient tout juste d'être annoncée.

Le caractère hétéroclite de cette liste fait voir son extension possible à toutes les disciplines théorico-pratiques. Or, dans les productions artistiques correspondantes, on trouvera toujours des restes du vieux tropisme moderniste selon lequel l'art se désigne lui-même, attirant l'attention sur ses propres opérations d'expression, de représentation, de métaphorisation ou de déconstruction, et faisant de cette auto-réflexivité son trait distinctif, voire sa raison d'être. Mais on trouvera également autre chose.

La nouveauté transparaît dans le mot par lequel le projet Nettime a résumé ses ambitions collectives. Pour les artistes, théoriciens, média-activistes et informaticiens qui peuplent cette liste de discussion — qui fut l'un des principaux vecteurs du net.art pendant les années 1990 —, il s'agissait de proposer une « critique immanente » d'Internet, c'est-à-dire de l'infrastructure technoscientifique alors en construction. Cette critique devait se faire à même le réseau, en utilisant ses langages et ses outils techniques et en se focalisant sur ses objets propres, dans le but d'influencer, voire de façonner directement le développement du Net —

mais sans s'interdire une diffusion en dehors de ce circuit [2]. Ainsi s'esquisse un mouvement d'aller-retour qui consiste à investir un champ à fort potentiel de bouleversement social (la télématique), puis à rayonner depuis le domaine investi, dans le but explicitement formulé de secouer les disciplines existantes de l'art (jugé trop formaliste et narcissique pour compter dans la société), de la critique culturelle (jugée trop académique et historiciste pour s'affronter aux transformations actuelles) et même de la « discipline » — si l'on peut dire — du militantisme de gauche (jugé trop doctrinaire, trop idéologique pour saisir les occasions du présent).

Ce que l'on voit à l'œuvre est un nouveau tropisme, mais aussi une nouvelle réflexivité, impliquant des artistes aussi bien que des théoriciens, des ingénieurs et des militants dans un passage au-delà des limites traditionnellement assignées à leur activité, dans le but exprès d'en venir aux prises avec les évolutions d'une société complexe. Si le mot de tropisme exprime bien le besoin ou le désir de se tourner vers quelque chose d'autre, vers une discipline extérieure, la notion de réflexivité indique le retour critique au point de départ, qui cherche à transformer la discipline initiale, à la désenclaver, à ouvrir de nouvelles possibilités d'expression, d'analyse, de coopération et d'engagement en son sein. C'est cette circulation à double sens, ou plutôt cette spirale transformatrice, que l'on peut appeler l'*extradisciplinaire*.

Le concept a été forgé dans la tentative d'aller au-delà d'une double dérive qui affaiblit les pratiques culturelles contemporaines, sans effectuer la moindre subversion de rouages désormais parfaitement huilés. D'un côté, il s'agit de l'inflation de discours *interdisciplinaires*, dans un combinatoire virtuose qui alimente le productivisme symbolique caractéristique du capitalisme cognitif. De l'autre côté, il s'agit de l'état d'*indiscipline* qui est l'effet non recherché des révoltes antiautoritaires des années 68, où le sujet se livre tout simplement aux sollicitations esthétiques du marché (ou, dans le cas des artistes, répète et remixe à l'infini le flux d'images commerciales) [3]. Ensemble, l'interdisciplinarité et l'indiscipline concourent à neutraliser toute recherche approfondie, alors même que les appels réactionnaires à un « retour à l'art » se succèdent. Mais il n'y a aucune raison d'accepter cet état de choses.

L'ambition des artistes extradisciplinaires est d'enquêter rigoureusement sur des terrains aussi éloignés de l'art que peuvent l'être la biotechnologie, l'urbanisme, la psychiatrie, le spectre électromagnétique, le voyage spatial et ainsi de suite, d'y faire éclore le « libre jeu des facultés » et l'expérimentation intersubjective qui caractérisent l'art moderne et contemporain, mais aussi d'identifier, sur chaque terrain d'enquête, les applications instrumentales ou spectaculaires de procédés ou d'inventions artistiques, afin de critiquer la discipline d'origine et de contribuer à sa transformation. EyalWeizman, architecte, accomplit très exactement cette traversée dans la contribution qu'il apporte à ce numéro : après avoir mis au défi l'armée israélienne en exposant des cartes des infrastructures militaires dans les Territoires occupés[4], il conduit des entretiens filmés avec des officiers-théoriciens, pour mettre au jour leur appropriation de stratégies architecturales à visée initialement subversive (inspirées de Deleuze et Guattari, entre autres). C'est dans cet aller-retour complexe, qui n'oublie jamais l'existence des différentes disciplines, mais ne se laisse pas piéger par elles non plus, que nous avons cherché le point de départ d'une nouvelle critique des institutions.

transversalités

Cette majeure a été réalisée en collaboration avec le projet *Transform* de l'Institut européen de politiques culturelles en devenir (eipcp), comme une prolongation de ses recherches autour d'une éventuelle « troisième phase » de la critique institutionnelle de l'art. La première génération d'artistes à qui l'on attribue cette étiquette comprend des figures désormais historiques, telles que Michael Asher, Robert Smithson, Daniel Buren, Hans Haacke ou Marcel Broodthaers. Parallèlement aux révoltes anti-institutionnelles des années 1960 et 1970[5], ces artistes examinent le conditionnement de leur activité par les cadres esthétiques, économiques et idéologiques du musée, afin de mettre au jour ses présupposées tacites et ses formes de coercition cachées. Une deuxième génération, marquée à partir de la fin des années 1980 par des artistes comme Renee Green, FredWilson, Christian Philipp Müller ou Andrea Fraser, poursuit cette investigation des conditions muséologiques de la représentation, mais avec une conscience accrue de l'implication de l'artiste dans les jeux symboliques du pouvoir, et une sensibilité nouvelle à la possibilité de recomposer les vecteurs de subjectivation à l'intérieur du musée (notamment par l'introduction critique d'artefacts et de pratiques culturelles non conformes à la norme bourgeoise, blanche et hétérosexuelle). Cependant, les recherches du projet *Transform* concluent à l'impasse de ces deux phases, non seulement par leur intégration complète à un système muséal toujours plus *corporate*, bureaucratique et élitaire, mais aussi par leur incapacité à éviter le retournement tautologique de leurs analyses et de leurs accusations sur les gestes des artistes critiques eux-mêmes (les déclarations récentes d'Andrea Fraser étant sur ce point définitives[6]). C'est ainsi qu'une tentative de remanier l'institution artistique depuis l'intérieur prend fin, avec des conséquences qui se répercutent sur l'ensemble du domaine (suffisance, immobilisme, perte d'autonomie, instrumentalisation...). Toute relance d'une pensée critique à partir de l'art, mais aussi tout effort de réinventer le rapport entre artistes et institutions, doit prendre en compte cet échec, en essayant de déplacer les termes du problème.

La notion de transversalité, développée par l'analyse institutionnelle, peut être renouvelée aujourd'hui, afin de fournir une théorisation souple et précise aux agencements hétéroclites qui relient des acteurs et des ressources du circuit artistique à des projets et des expérimentations qui ne s'achèvent pas en son sein, qui se prolongent ailleurs. Dans les textes de cette majeure, l'accent est mis sur la circulation entre les disciplines et les possibilités de critique réciproque qu'elle dégage, sur la résistance des pratiques instituantes à la structuralisation institutionnelle et sur le concept philosophique de destitution, ainsi que sur l'ouverture relationnelle qu'il permet d'indiquer. Or il ne sert à rien de replacer chaque article par rapport à l'une de ces trois focales, car l'intérêt est justement de voir comment les textes se croisent, se répondent, se critiquent mutuellement et ouvrent des chemins l'un à travers l'autre. Loin d'offrir une recette unique, nous avons cherché ici à poser à nouveaux frais les vieux problèmes de la clôture des domaines de spécialisation sur eux-mêmes, de la paralysie intellectuelle et affective qui s'ensuit, et de l'aliénation de la décision démocratique qui résulte inévitablement de telles conditions. Les formes d'expression, d'intervention publique, de représentation critique et de réflexivité, développées par ceux qui ont cessé d'être simplement « des artistes » — mais aussi d'être simplement « des chercheurs », « des philosophes », « des thérapeutes », « des militants », « des critiques », etc. — peuvent très bien s'appeler extradisciplinaires, sans fétichiser le mot aux dépens de l'horizon qu'il essaie d'indiquer.

Les textes qui suivent mobilisent une gamme assez large de références théoriques, avec quelques concentrations autour d'Agamben, Guattari, Castoriadis ou Negri. Certains se demanderont probablement, notamment par rapport aux articles traitant de questions technologiques, s'il n'aurait pas été judicieux d'évoquer le nom de Bruno Latour. Comme on le sait, l'ambition de ce dernier — réalisée il y a deux ans sous la forme d'une exposition quasi encyclopédique — est de « rendre les choses publiques », ou plus précisément de montrer la rencontre, chaque fois spécifique, entre des objets techniques complexes et des processus de décision. Pour cela, dit-il, il faut procéder sous la forme de « démonstrations » rigoureusement établies, mais nécessairement en même temps un peu « bordéliques », comme les choses elles-mêmes[7].

La machine à démontrer mise en marche par Bruno Latour est effectivement intéressante, et riche d'extradisciplinarités démocratiques (même si à travers son caractère foncièrement universitaire, elle crée parfois des effets d'inflation interdisciplinaire). Elle répond au désir de mieux connaître les processus qui donnent forme au présent, et au besoin d'y intervenir de manière constructive. Mais pour comprendre les différences d'approche, il suffit peut-être de regarder les images rassemblées dans ce numéro de *Multitudes*. Qu'on le veuille ou non, les 1750 kilomètres du pipeline Bakou-Tbilissi-Ceyhan — qui traverse l'Azerbaïdjan, la Géorgie et la Turquie pour déboucher dans la Méditerranée — ne se laissent réduire à aucune « démonstration » que ce soit, même si Ursula Biemann a pu les réunir dans les dix séquences d'une vidéo intitulée *Black Sea Files*. Le pipeline met en œuvre des techniques assez connues et fait l'objet de décisions politiques précises, qui peuvent être contestées, et devraient l'être davantage ; mais en même temps il déborde les limites de l'imagination comme celle de la raison, et enfonce la planète entière un peu plus dans l'incertitude géopolitique et écologique du présent.

De même, les nouveaux corridors de transport et de communication qui traversent l'ex-Yougoslavie, la Grèce et la Turquie, filmés par le groupe Timescapes [8], sont à la fois inextricablement mêlés aux souvenirs de leurs antécédents historiques et immédiatement disponibles pour des usages multiples qui excèdent toute histoire. Parmi ces usages, on trouve des expressions de résistance au processus même de planification par corridors. L'image insistante d'une pancarte, tenue par une manifestante anonyme devant les caméras des médias lors du sommet de l'Union Européenne en 2003 à Thessalonique, dit très bien les choses : TOUTE RESSEMBLANCE AVEC DES PERSONNES OU DES ÉVÉNEMENTS RÉELS EST INVOLONTAIRE. Ici, l'histoire de l'art parle au présent, et la critique des conditions de la représentation descend du musée dans la rue. Mais en même temps, c'est la rue qui fait irruption dans la critique et dans l'art. Dans les textes philosophiques présentés ici, *institution* et *constitution* riment toujours avec *destitution*. Aujourd'hui, toute investigation constructive qui veut échapper aux laminoirs de la neutralisation doit se mettre à l'enseigne de la résistance politique.

Merci à Stefan Nowotny et à Gerald Raunig, qui ont collaboré à la rédaction de ce texte.

---

(1) R. Smithson, « Cultural Confinement » (1972), in J. Flam (dir.), *Robert Smithson. The CollectedWritings*, Berkeley, U.C. Press, 1996 ; B. O'Doherty, *Inside the White Cube. The Ideology of the Gallery Space (expanded edition)*, Berkeley, U.C. Press, 1976 / 1986.

(2) Voir l'introduction à la publication collective *ReadMe !*, New York, Autonomedia, 1999. Pour l'un des meilleurs exemples de critique immanente, voir la discussion, p. 224-29, du projet « Name Space » de Paul Garrin, qui visait la refonte du système d'attribution des noms de domaine qui constitue le Web comme espace navigable.

(3) B. Holmes, « L'Extradisciplinaire », *Traversées*, cat. Musée d'art moderne de la Ville de Paris, 2001.

(4) E. Weizman et A. Franke, *Territories, Islands, Camps and Other States of Utopia*, cat., KW, Berlin, 2003 ; en 2004, l'exposition fut également montrée, entre autres, à la Galerie Bezalel, Tel-Aviv (Israël).

(5) Voir S. Nowotny, « Anti-Canonization. The Differential Knowledge of Institutional Critique », sur le site *Transversal*, *http://transform.eipcp.net/transversal/0106/nowotny/en/#_ftn6*.

(6) Voir A. Fraser, « From the Critique of Institutions to an Institution of Critique », in *Artforum*, septembre 2005 ; cité dans G. Raunig, « Instituent Practices. Fleeing, Instituting, Transforming », *http://transform.eipcp.net/transversal/0106/raunig/en*. Voir également l'introduction par G. Raunig à son article dans ce numéro.

(7) « Messy » est le mot anglais utilisé dans le catalogue. Voir. B. Latour, P. Weibel (dirs.), *Making Things Public. Atmospheres of Democracy*, Karlsruhe, ZKM, 2005.

(8) Pour de plus amples informations sur les œuvres d'Ursula Biemann et du groupe Timescapes, réunis dans l'exposition *B-Zone*, voir le texte qui accompagne le cahier central de la présente rubrique Icônes.

quand l'art c'est la vie

artistes-chercheurs et biotech

Claire Pentecost

En 2000, l'artiste Eduardo Kac a créé un événement télévisuel en déclarant qu'il avait commandité la « création » d'un lapin transgénique dénommé « Alba ». Cette opération de relations publiques mettait en avant l'image d'un lapin colorié en vert, puisque la protéine verte fluorescente (PVF) exprimée par l'ADN extrait de la méduse *Aequorea Victoria* et greffé dans le zygote d'un des aïeux d'Alba n'apparaît que sous un certain spectre de lumière. Selon Kac, tous les débats qui surgissaient à partir de cet acte à controverse garantie font partie de l'œuvre *Lapin PVF*, qui devait comprendre également la socialisation du lapin *via* son intégration à la famille de l'artiste. La controverse et les débats furent documentés, sélectivement, dans des œuvres ultérieures, le tout avec force publicité. La socialisation proposée s'est transmuée en une campagne pour « libérer Alba », puisque l'Institut national de la recherche agronomique (INRA) en France, où le lapin a été produit, a refusé de laisser l'animal partir du laboratoire, les termes de l'accord avec l'artiste faisant l'objet d'une contestation judiciaire[1]. Les détails de cette dernière controverse ne semblent figurer ni dans le livre réalisé par l'artiste, ni dans ses photos glamour qui montrent des gens en train de lire les journaux dont Alba occupe la manchette, ni dans son œuvre interactive qui permet au public de combiner ces manchettes à la gloire de la biotech[2].

Pour la majorité du public, le *Lapin PVF* aura marqué un premier contact avec ce type de travail. Mais dans le monde de l'art, où les commissaires, les institutions et les critiques plantent rapidement leur drapeau sur toute île nouvelle qui affleure à la surface, il a déjà un nom : « bio art ». Le sous-genre technologique était attesté sous des formes plus ou moins médiaphiles avant l'an 2000. Le premier exode d'artistes hors de la toile paysagère et vers l'environnement naturel eut lieu au moment où les habitants prenaient conscience d'être sur la « navette spatiale Terre », un vaisseau-mère qui avait lui-même besoin de soins. Dans les années soixante, des artistes comme Robert Smithson et Michael Heizer avaient quitter le musée pour appliquer les principes de l'art minimal et conceptuel sur le terrain ; et bientôt un véritable genre allait éclore, intégrant les apports du mouvement écologiste, du féminisme et des perspectives utopistes des années soixante-dix. Aujourd'hui, l'art contemporain qui correspondrait au land art de la première génération n'est jamais éloigné des nouvelles technologies, sachant pertinemment que la technique dicte les termes du rapport humain au monde naturel. Comme le démontre amplement la biotechnologie, fleuron commercial des « sciences de la vie » qui ont connu une progression fulgurante depuis le premier Jour de la Terre en 1970.

Au mois de mai 2004, je me suis trouvée dans l'obligation d'expliquer à des agents fédéraux la légitimité de l'utilisation, par un artiste, de techniques biologiques de pointe. J'avais pris l'avion de Chicago à Buffalo, dans l'État de New York, afin de rejoindre mon ami Steve Kurtz du groupe Critical Art Ensemble (CAE), un jour seulement après la mort soudaine de sa femme au cours de son sommeil. La police, venue constater le décès, a trouvé une table jonchée d'équipements de laboratoire ; sceptiques à l'idée que Kurtz puisse se servir de tout cela pour son art, ils ont appelé la Brigade antiterroriste. Quand je suis arrivée le lendemain, le FBI était sur place pour embarquer Kurtz et lui interdire l'accès à son domicile, en l'attente de fouilles qui ont mené à la confiscation de ses matériaux de recherche, y compris un ordinateur et de nombreux documents personnels. On m'a soumise avec lui à l'interrogatoire. Ce n'était pas la première fois que j'avais tenté de rendre compte de ce type d'art mais la circonstance — un ami accusé de bioterrorisme — ajoutait une urgence toute nouvelle.

Cette détention provisoire s'est avérée illégale, et après une attente de 22 heures — dès que Kurtz a pu contacter un avocat —, on nous a relâchés. Tout ce que le CAE a produit au cours de ses dix-huit années d'existence est public, souvent relayé et appuyé par des institutions établies ; le travail est documenté sur le site web du groupe et dans une série de livres édités par Autonomedia, ainsi que dans de nombreux articles[3]. Pourtant, alors que le Département de la justice américain poursuivait son enquête sur Kurtz, plusieurs de ses associés ont été appelés à expliquer la nature et la légitimité de ce type d'art à la presse et au public.

Nous nous sommes vite aperçu que le procès de Kurtz nous offrait l'occasion de parler en public des problématiques que les activités artistiques de CAE cherchaient à mettre en lumière. Pendant une décennie, leur travail avait porté sur les conséquences de différentes applications du génie génétique. L'équipement confisqué par les agents fédéraux provenait d'un laboratoire mobile destiné à détecter la présence d'ingrédients génétiquement modifiés dans les aliments manufacturés ; la recherche en cours, saisie elle aussi, concernait le transfert de ressources du domaine de la santé publique vers celui de la biodéfense. Peu après le début du cauchemar de Steve Kurtz (qui continue ; j'y reviendrai), j'ai cherché à justifier la participation d'artistes à la recherche scientifique, mais également à établir des critères pour de telles collaborations. À une époque où les sciences de la vie font l'objet de spéculations financières sans précédent, fondées sur des avancées technologiques qui bénéficient à une fraction infime de la population mondiale, l'intérêt principal de ces critères serait de distinguer entre les projets artistiques qui cherchent à perturber ces tendances de fond, et ceux qui servent en dernière analyse à les renforcer.

le bio de la biologie est-il le bio du biopouvoir ?

L'explosion de filières spécialisées en génie génétique, bioinformatique et biotechnologie, qui trouvent facilement des financements, est fonction de la manière dont la biologie s'est adaptée aux mécanismes de la *doxa* de notre temps, le néolibéralisme. La théorie économique et politique du néolibéralisme soutient que les individus, aussi bien que la société tout entière, se portent d'autant mieux que le gouvernement se limite à garantir et à protéger la propriété privée, le marché et le libre-échange. Cette idéologie a acquis une influence extraordinaire parce qu'elle est parvenue à s'identifier à des notions morales de liberté individuelle et de dignité humaine, surtout vis-à-vis de ce qui a été défini comme leur contraire : les régimes communistes totalitaires et, depuis la fin de la guerre froide, le fondamentalisme islamique. L'humanité tout entière est censée désirer de vivre dans ce système.

À travers cette idéologie, tout ce qui est valorisé par les êtres humains sera conçu légalement comme un objet appropriable par un sujet, au détriment d'un autre. Non seulement la terre mais jusqu'aux bases mêmes de la vie : les savoirs, la capacité créatrice, l'alimentation, la santé, la médecine, l'eau. Ce qui s'ensuit (et pas seulement dans les sciences), c'est la transformation du monde vivant en une série illimitée d'occasions pour s'emparer de telle ou telle propriété, acquérant ainsi le droit inaliénable d'en profiter. Ajoutez à cela une jurisprudence qui accorde aux grandes sociétés les droits et protections d'un individu, et qui les privilégie par rapport à des individus en chair et en os. Placez le tout en rapport avec un système d'institutions éducatives et de recherche publique qui, selon les principes néolibéraux encore une fois, a été peu à peu coupé de subventions publiques et qui dépend toujours davantage de partenariats avec les entreprises et de la commercialisation de connaissances brevetées [4]. Puis répandez ce système autour du monde *via* des accords de libre-échange brutaux, et les régimes de propriété intellectuelle seront garantis par la superpuissance économique et militaire du monde [5]. Voilà aujourd'hui le contexte des sciences de la vie.

Sous le néolibéralisme, le gouvernement de la vie et de la fécondité de populations entières — ce que Foucault désigne comme le biopouvoir — est repris par les forces du marché. Aux États-Unis, la gestion des pensions et des retraites, de l'alimentation et de la santé, des vaccinations et des antibiotiques, des naissances et de la durée de vie, est confiée de plus en plus au domaine de l'intérêt privé, régi par le droit de la propriété. L'appareil publicitaire de la recherche en biotechnologie, comme celui de l'économie de marché, promet l'accès à une norme idéalisée d'existence humaine toujours améliorée. Appliquée au niveau du corps individuel, cette norme est pourtant vendue à tous par les médias de masse, et des décisions concernant la population entière se font sur le présupposé d'une égalité d'accès à celle-ci. Cependant, si elle est bien disponible, c'est seulement pour ceux qui ont les moyens de l'acheter sur le marché.

Évidemment, un artiste pourrait aborder le panorama que je viens d'esquisser de mille manières différentes. Pour élaborer mes critères, je vais supposer d'abord que l'artiste entende traiter du monde commun tel qu'il est vécu par le plus grand nombre. Mise au service du néolibéralisme, la science aliène le non-spécialiste, tout en affectant profondément sa vie par des applications commerciales. Je ne condamne pas le savoir spécialisé en tant que tel ; son hermétisme et son autorité semblent destinés à perdurer dans bien des circonstances. C'est la reconfiguration récente de la science — encore auréolée de prétentions traditionnelles à la vérité et au service public, alors même qu'elle se plie au diktats du marché — qui exige de nouveaux droits de participation du public aux décisions. Les mécanismes courants d'aliénation qui font obstacle à toute contestation publique peuvent être classés en trois catégories principales : 1°) l'abstraction et la mystification ; 2°) la nature ambiguë du financement, public ou privé, qui dissimule les intérêts en jeu ; 3°) les instruments légaux qui servent à protéger les connaissances sous la forme du secret commercial ou de la propriété intellectuelle. Ces derniers comprennent les brevets et les accords de transfert matériel (ATM), qui régissent dans le contexte américain l'utilisation de matériaux biologiques de recherche, assimilés à de la propriété privée. Selon mon schéma, l'artiste-chercheur est celui qui interrompt le fonctionnement de ces mécanismes, à titre personnel et pour susciter le débat public. (figure 1)

J'ai énuméré différentes stratégies possibles pour l'artiste dans des catégories qui correspondent plus ou moins aux aliénations : 1°) la mise en scène de procédures scientifiques, afin d'offrir une expérience directe de la matérialité de la science ; 2°) l'initiation à des champs de savoir spécialisés permettant au non-spécialiste de produire des récits nouveaux, selon la perspective qu'il adopte par rapport à ces enjeux ; l'adoption par l'artiste du rôle de l'« amateur » qui cherche des colla-

SCIENCE NÉOLIBÉRALE
OBSTACLES À L'ACCÈS ET MÉCANISMES D'ALIÉNATION
SERVANT À PROTÉGER LE *STATU QUO*

abstraction fétichisme mystification	financement : intérêts privés cachés ; dimension publique toujours plus ambiguë	propriété intellectuelle : ATM, brevets secret commercial

ARTISTE-CHERCHEUR
STRATÉGIES D'INTERRUPTION
FORMES DE CONTACT / EXPÉRIENCE

matérialité de la science : mise-en-scène de procédures scientifiques dans les lieux publics	inititiation vs. division du travail et division du savoir : compréhension des enjeux	défi de l'amateur : le citoyen comme collaborateur apprécié ou voleur malgré lui

PUBLIC
VISITEURS DE MUSÉES ET LIEUX DE PASSAGE
ÉTUDIANTS, CONSOMMATEURS, SCIENTIFIQUES, ARTISTES

I

ART NÉOLIBÉRAL
OBSTACLES À L'ACCÈS ET MÉCANISMES D'ALIÉNATION
SERVANT À PROTÉGER LE *STATU QUO*

opacité, fétichisme, mystification, déni de la fonction ou de la visée	financement : gouvernement, grandes sociétés, secteur privé, mécénat exclusivement pour professionnels	droits de propriété maintenus par des institutions élitaires et par la spéculation financière

ARTISTE-CHERCHEUR
STRATÉGIES D'INTERRUPTION
FORMES DE CONTACT / EXPÉRIENCE

communicabilité de l'art : collaboration implication d'associations travail politique	projets inclusifs vs. division du travail et du savoir : enjeux démocratiques	défi de l'amateur : le non-professionnel comme collaborateur apprécié ou intrus

PUBLIC
VISITEURS SANS ACCÈS HABITUEL À LA CULTURE ;
ÉTUDIANTS, CONSOMMATEURS, SCIENTIFIQUES, ASSOCIATIONS, ACTIVISTES

2

borateurs à l'intérieur du champ scientifique et / ou accepte de devenir un « voleur » de savoir privatisé, afin de politiser, ou du moins de problématiser, cette séquestration du savoir.

le bio de bio art est-il le bio de biopolitique ?

Steve Kurtz avait trouvé un collaborateur ; mais on l'a pourtant accusé d'être un voleur. Kurtz et son collaborateur de longue date, le Dr. Robert Ferrell, professeur de génétique à l'université de Pittsburgh, ont été inculpés de fraude postale et de fraude téléphonique. Les lois qu'ils auraient enfreintes n'ont rien à voir avec le bioterrorisme ; elles concernent la propriété privée.

Selon différentes allégations, Ferrell aurait aidé Kurtz à obtenir, pour un montant de 256 $, trois espèces de bactéries non nocives, couramment utilisées dans les laboratoires de biologie. Certains échantillons de matières biologiques font l'objet d'une régulation pour des questions de risques sanitaires ; mais tout échantillon commercial est traité comme de la propriété privée. Ils sont régis par les Accords de transfert matériel (ATM), signés par l'investigateur principal du laboratoire, qui s'engage à ne pas partager, reproduire, vendre ou donner une quelconque quantité de la matière acquise. La reproduction de cette matière ne peut pourtant pas être limitée, une fois dans les mains de l'acheteur (elle est vivante !). Dans la recherche biologique, le partage d'échantillons et d'autres matières est à peu près aussi courant que le partage de fichiers musicaux chez toute une génération d'auditeurs adepte des technologies numériques.

Le cas de Kurtz et Ferrell pourrait passer pour un nouvel abus du pouvoir étatique, en cette époque d'« exception ». Mais ce n'est qu'un cas parmi d'autres, qui montre à quelles conséquences on s'expose lorsque l'on interrompt le « cours normal des affaires » dans les sciences. Il permet de voir à quel point les champs d'expertise sont protégés, non seulement par les mécanismes traditionnels de la professionnalisation, mais aussi par des exclusions légales érigées au nom de la propriété (sinon de la sécurité nationale). Ces lois s'appliquent le plus souvent au cas par cas, et la question de savoir qui sera poursuivi pour leur transgression dépend de la quantité de produits détournée, ou du degré de politisation des usages qui en sont faits.

Pendant une décennie environ, le travail de CAE a soulevé très précisément le type de questionnement que j'ai esquissé ci-dessus, à propos des applications de la biotechnologie. La plupart de leurs projets prennent la forme d'expériences théâtralisées ouvertes à la participation, mises en scène dans des musées, des centres culturels, des universités et d'autres lieux de passage qui vont de l'hôpital au marché de campagne, où le public a la possibilité de manipuler directement un outillage scientifique et de s'interroger sur les bénéficiaires des intérêts dégagés par le marketing et la régulation des techniques nouvelles. Les projets visent à permettre cet accès à un public large, quelles que soient les perspectives idéologiques qui puissent s'y trouver représentées, mais les textes accompagnant ces projets n'évitent jamais les dimensions politiques du sujet — que ce soient les tendances eugéniques de la fécondation artificielle ou l'impossibilité d'une régulation adéquate d'aliments transgéniques qui n'ont pas encore été examinées par des scientifiques indépendants.

Quand je réfléchissais aux critères permettant d'évaluer le bio art, je me suis demandé d'abord comment les artistes pouvaient aider les non-scientifiques à influer sur les décisions qui fixent les priorités de la recherche. Ce faisant, j'ai dû reconnaître que l'artiste a également besoin de traverser les barrières qui entourent un autre champ bien emmuré : l'art lui-même. Les enjeux peuvent ici paraître moins urgents, mais si les artistes veulent renforcer l'autonomie de leur public face aux bulldozers économiques et politiques de notre temps, ils doivent également développer des stratégies intelligentes pour surmonter l'héritage historique qui aliène la plupart des non-spécialistes du travail des artistes professionnels.

La réorganisation des valeurs qui a accompagné les bouleversements psychiques et sociaux du XXᵉ siècle a habitué le public à la migration constante de l'art vers des territoires inattendus. Mais cela ne signifie pas que le public comprenne ce que font les artistes, ni qu'il s'en soucie. Tout au long du siècle dernier, le besoin constant de se distinguer des médias de masse et des divertissements populaires a enfermé le langage et la logique des beaux-arts dans une marginalité absconse (mais encore élitaire), où le prestige aussi bien que le commerce semblent obéir à des règles bien particulières. La plupart des interventions discursives et pratiques qui ont transformé les formules standardisées des beaux-arts et qui sont entrées dans l'histoire en tant que mouvements ont nécessité des stratégies nouvelles de diffusion. On pense aux impressionnistes et à leur Salon des refusés, aux artistes dada et surréalistes qui exposaient dans des cafés et des cabarets et qui faisaient circuler des affiches et des publications expérimentales ; puis il y a eu les artistes Fluxus, l'Artist Placement Group, les inserts que les artistes conceptuels pratiquaient dans les magazines, la performance, l'art postal, la vidéo câblée ou activiste, l'art communautaire, le net.art, etc. Mais les œuvres retenues comme canoniques sont purgées de ces subversions des formes autorisées et de la diffusion centralisée et unidirectionnelle. Le problème n'est pas seulement que des changements dans cet état de choses auraient pour effet de déstabiliser des investissements monétaires énormes, mais aussi que ces changements entraîneraient la validation d'autres formes d'art, d'autres artistes et d'autres pratiques. Cela déstabiliserait à son tour une des fonctions du système de diffusion, qui est de produire une distinction nette entre artiste et amateur. Dans une société bâtie sur des principes démocratiques, le maintien de cette distinction demande une très grande énergie ; et c'est peut-être une des raisons pour lesquelles les beaux-arts sont marginalisés alors que les « industries créatives » occupent le devant de la scène.

La tradition artistique connue sous le nom de « critique institutionnelle » se définit par des œuvres qui critiquent la perpétuation des beaux-arts en tant que spécialisation. Un regard rétrospectif permet de voir que, sans un souci éthique allant bien au-delà des préoccupations strictement artistiques, une telle critique se réduit aisément à une nouvelle vague de savoirs spécialisés qui favorise l'autosatisfaction des initiés. Elle ne pourra pas faire grand-chose alors pour redessiner des frontières disciplinaires qui menacent de déformer toutes les priorités de l'écologie humaine, quand elles sont renforcées par une spéculation économique exagérée. La spécialisation des savoirs est évidemment la source de grands progrès, mais leur retranchement derrière des barrières commerciales et légales entraîne une ignorance systématique, une aliénation généralisée, un rétrécissement du potentiel individuel et des dégâts sociaux à long terme. Mon schéma, dès lors, doit se dédoubler pour prendre en compte la deuxième discipline impliquée dans le bio art. (figure 2)

écologie de la réception

Ce que je propose n'est pas un barème ou une grille de notation, mais plutôt un ensemble d'indicateurs pour mettre en évidence les sources et les résultats de tentatives artistiques qui, de par leur nature, nous amènent sur le territoire de l'inquantifiable.

Eduardo Kac prétend qu'à l'époque de la biotech, le rôle de l'artiste comme créateur s'est étendu à la vie elle-même. La presse a exploité son œuvre pour ses qualités spectaculaires, mais elle semblait également satisfaite de mettre l'image de l'artiste audacieux en parallèle avec celle d'une industrie résolument tournée vers l'avenir. On peut imaginer que c'est très exactement la mise en parallèle — et l'impression d'irresponsabilité qui s'en dégage — que les scientifiques de l'INRA voulaient

éviter, dans le sillage des scandales de la vache folle et de la fièvre aph-
teuse qui venaient de ternir l'image de la science en Europe. Le *Lapin
PVF* a beau être accessible au grand public, il reste un objet fétiche parfaitement adapté à la mystification de l'artiste-créateur, à l'opacité des
partenariats, des rapports de propriété, des savoirs cloisonnés, et à l'intégration complexe de la biotechnologie dans les structures oligarchiques des grandes sociétés.

Le travail de CAE en fournit un contre-exemple. On en trouverait
un autre chez l'artiste Brandon Ballengée, dont les projets traitent
aussi de possibilités d'accès, non pas tant au laboratoire, qu'aux méthodes de recherche sur le terrain. Pendant plus d'une décennie, il a
mené des recherches dans des marécages et d'autres écosystèmes, en
contribuant au travail d'institutions scientifiques, à des programmes de
remise en état écologique et à l'éducation environnementale à travers
des formes originales de documentation de son travail. Parmi les sujets qu'il a traités, on trouve des floraisons d'algues toxiques, la diminution et la mutation de populations d'amphibies, et les conséquences
de la pollution atomique et chimique. Il expose son travail pour le public de l'art dans les institutions consacrées, mais il intègre également
le contact avec d'autres publics pendant les différentes phases de recherche et de production de ses projets. À cette fin, il développe des
ateliers d'écologie, de biologie de terrain, de génétique et de visualisation numérique pour des écoles et pour des publics généralistes qu'il
accueille dans des parcs ruraux et urbains, des musées, des zoos, des
magasins d'animaux domestiques et des marchés aux poissons, aussi
bien que des résidences d'artistes [6].

Parce qu'il a suivi un cursus artistique et non pas scientifique, il reprend la tradition du naturaliste amateur, qui aurait beaucoup à apporter aujourd'hui. Cette figure est particulièrement pertinente dans
la discipline jeune, complexe et peu subventionnée de l'écologie, où
chaque étude suppose des centaines d'heures d'observation et de col-
lecte de données sur le terrain. Peu après sa montée en importance pendant les années 1970, avec la nouvelle conscience des effets de la pollution, l'écologie a commencé à perdre du terrain dans les départements
de biologie, avec le boom de la biotech et le changement des lois ré-
gissant la production d'inventions brevetées à l'université, qui a fait de
la recherche génétique une source inégalée de financement.

Il est significatif que Ballengée ait développé son travail à travers des
partenariats avec des chercheurs et des institutions scientifiques, et que
le domaine où il s'est introduit sans accréditation traditionnelle le prenne au sérieux [7]. Il est également significatif qu'il ne soit pas chercheur

professionnel et qu'il apporte quelque chose d'autre, hors des cadres de la profession, à savoir la compétence visuelle, symbolique et communicative de l'artiste. Rappelant une autre tradition artistique qui n'est pas très favorisée par le « marché des idées », Ballangée crée et renégocie des échelles de valeur pertinentes pour la société. Le modèle qu'il nous offre est celui d'une acquisition autonome de savoirs, rattachée à des valeurs que la science accélérée par le marché tend de plus en plus à oublier. Cela, en soi, est politique.

Il est étonnant d'observer le degré de refus du politique dans une société qui se veut démocratique. Car la démocratie, dont le concept et la structure sont censés légitimer le pouvoir des gouvernements sur notre vie (et notre mort), n'en est pas une si les citoyens qui la composent sont rendus allergiques à toutes les formes de vie politique. Dans les sciences — et aux États-Unis, même dans les sciences sociales —, on considère que le fait de se positionner politiquement réduit l'aptitude du chercheur à abandonner son identité quotidienne et à adopter une position objective, un déplacement qui est à la base de la crédibilité de la profession. Dans les arts — où la prise de décisions responsables ne fait pas forcément partie des attentes —, c'est un énorme plus si l'on est passionné et si l'on regorge d'opinions personnelles ; mais le fait d'avoir une position politique est considéré comme la mort de toute créativité. Cela reviendrait à avoir une opinion qui pourrait être collective, qui ne serait peut-être pas tout à fait individuelle, qui ne serait pas privée, qui ne serait pas libre. Car à l'égal de toutes les autres valeurs, dans notre variante libérale de la démocratie, la liberté est conçue comme quelque chose de privé, et l'un des impératifs de l'artiste est la performance de cette liberté — mais seulement dans les formes sous lesquelles notre société nous encourage à la reconnaître.

En tant qu'artistes, on peut commencer par s'efforcer de formuler le méconnaissable, d'abord en refusant de mettre en scène une liberté définie sous des conditions qui légitiment le primat du privé : expression privée, sentiments privés, expériences privées, propriété intellectuelle privée, nostalgies privées, générosité privée, destins privés. Surtout quand une telle garantie de liberté « privée » se révèle au grand jour comme un privilège de rang accordé à de moins en moins de personnes, celles qui jouissent déjà de la part du lion quand il s'agit de la sécurité de la vie et de son amélioration esthétique. Dans la psychologie néolibérale de la vie publique, la rhétorique de la privatisation a opposé, de façon totalement erronée, la liberté et la diversité fonctionnelle des individus à toute forme d'entreprise collective. Si l'artiste veut avoir un impact sur l'instrumentalisation de la science et des biotechnologies au service de la concentration des richesses aux mains de quelques-uns, il doit reconfigurer à la fois la pratique scientifique et la pratique artistique.

———

Traduit de l'anglais par Brian Holmes

———

(1) Christopher Dickey, « I Love My Glow Bunny », *Wired*, 9 avril 2004.

(2) Voir *www.ekac.org/gfpbunny.html*

(3) Voir *www.critical-art.net*. Pour plus d'informations sur le cas, *www.caedefensefund.org*.

(4) Pour une excellente synthèse de l'influence des grandes sociétés sur les universités américaines, voir Jennifer Washburn, *University Inc. : The Corporate Corruption of Higher Education*, New York, Basic Books, 2005.

(5) Pour une source constamment actualisée d'informations sur les accords de libre-échange bilatéraux négociés sans débat public, voir *www.bilaterals.org*.

(6) Voir *www.greenmuseum.org/content/artist_index/artist_id-19.html*

(7) Ballengée a fourni des spécimens à l'American Natural History Museum, au New York State Museum, au Peabody Museum de l'Université de Yale et au Museum of Vertebrate Zoology de l'Université de Californie à Berkeley. Il a collaboré avec le Dr. James Barron, Ohio University Lancaster, et le Dr. Stanley Sessions, Hartwick College, avec des chercheurs au Natural History Museum de Londres, à la Woods Hole Oceanographic Institution, et beaucoup d'autres. En 2001, on l'a nommé membre de Sigma Xi, The Scientific Research Society.

passer
à travers
les murs

Eyal
Weizman

La manœuvre conduite par des unités de l'armée israélienne au cours de l'attaque visant la ville de Naplouse, en avril 2002, a été décrite par son commandant, le général Aviv Kochavi, comme relevant d'une « géométrie inverse » qu'il présentait comme une réorganisation de la syntaxe urbaine au moyen d'une série d'actions micro-tactiques. Pendant l'attaque, les soldats se déplaçaient à l'intérieur de la ville à travers des « tunnels en surface » découpés dans un tissu urbain très dense. Plusieurs milliers de soldats israéliens et des centaines de guérilleros palestiniens manœuvraient simultanément dans la ville, mais ils se fondaient dans ce tissu urbain au point qu'ils n'auraient pour la plupart pas été visibles, fût-ce un court instant, depuis une perspective aérienne. En outre, les soldats n'utilisaient pas souvent les rues, les routes et les ruelles ou les cours qui constituent la syntaxe de la ville, et pas non plus les portes extérieures, les cages d'escalier intérieures, ni les fenêtres qui constituent l'ordonnancement des bâtiments ; ils se déplaçaient plutôt horizontalement à travers les murs mitoyens, et verticalement à travers des trous, en faisant sauter plafonds et planchers. Cette forme de mouvement relève d'une tactique que l'armée désigne, selon des métaphores empruntées aux comportements collectifs du monde animal, comme l'essaimage ou l'« infestation ». Parce qu'elle consiste à se déplacer à travers des bâtiments privés, cette manœuvre transforme l'intérieur en extérieur et les espaces privés en voies de communication. Les combats se sont déroulés dans les salons à moitié démolis, les chambres à coucher et les couloirs des habitats précaires des réfugiés, où la télévision pouvait très bien continuer d'émettre et la casserole demeurer sur le feu. Au lieu d'obéir aux démarcations spatiales conventionnelles, le mouvement des troupes devenait constructeur d'espace et l'espace se constituait comme un événement. Ce n'était pas l'ordre spatial qui commandait les motifs du mouvement mais le mouvement qui produisait et pratiquait l'espace autour de lui. Le mouvement à trois dimensions, à travers les murs, les plafonds et les planchers, à travers le volume urbain, réinterprétait, court-circuitait et recomposait à la fois les syntaxes architecturales et urbaines. La tactique consistant à « passer à travers les murs » impliquait une conception de la ville non seulement en tant que site, mais à proprement parler en tant que *médium* de la guerre — une matière flexible, quasi liquide, constamment contingente, en état de flux permanent.

Selon le géographe Stephen Graham, un vaste « champ intellectuel » international, ce qu'il a appelé un « monde fantôme d'instituts et de centres de formation en recherche militaire urbaine », s'est mis en place depuis la fin de la guerre froide afin de repenser les opérations militaires en territoire urbain [1]. Le réseau en expansion de ces « mondes fantômes » compte des écoles, des instituts de recherche urbaine, des centres de formation, ainsi que des procédés pour l'échange de savoir interarmées tels que des congrès, des ateliers et des exercices d'entraînement interalliés. Afin de comprendre la vie urbaine, les soldats — les praticiens urbains d'aujourd'hui — suivent des cours intensifs pour maîtriser des matières telles que l'infrastructure urbaine, l'analyse des systèmes complexes, la stabilité structurelle, les techniques de construction, et ils recourent pour ce faire à une grande variété de théories et de méthodes élaborées dans les sphères universitaires civiles contemporaines. Une nouvelle relation a ainsi vu le jour dans un triangle de trois composantes étroitement liées : les conflits armés, le bâti et le langage théorique conçu pour les conceptualiser.

En suivant les tendances mondiales, au cours de la dernière décennie, l'armée israélienne a établi plusieurs instituts et comités d'experts, à différents niveaux de son commandement, et elle leur a demandé de re-conceptualiser des réponses organisationnelles, tactiques et stratégiques, aux opérations policières brutales qui ont pris le nom de guerres « sales » ou de « basse intensité ». Ils comprenaient en particulier l'Operational Theory Research Institute (OTRI), établi en 1996, et l'« Alternative Team » [2], établi en 2003. Ces instituts étaient composés non seulement d'officiers mais aussi d'universitaires civils et d'experts en technologie. Deux des principales figures affiliées à ces instituts — le général de réserve Shimon Naveh, directeur de l'OTRI, et le général Aviv Kochavi — sont longuement cités dans les pages qui suivent.

géométrie urbaine inverse

La tactique qui consiste à « passer à travers les murs » a été développée, non pas en réponse à des influences théoriques, mais comme une manière de pénétrer des camps de réfugiés impénétrables jusqu'alors. Aviv Kochavi, qui commandait alors la brigade de parachutistes, expliquait le principe qui avait guidé l'attaque du camp de réfugiés de Balata et la casbah (vieille ville) adjacente de Naplouse.

« L'espace que vous regardez, cette pièce que vous regardez, n'est rien d'autre que l'interprétation que vous vous en faites. Vous pouvez repousser les frontières de votre interprétation, mais pas sans limites ; après tout, elle est forcément contrainte par des éléments physiques, étant donné qu'elle contient des bâtiments et des ruelles. La question est alors : comment interprétez-vous la ruelle ? Interprétez-vous la ruelle comme un lieu à traverser, comme le fait tout architecte et tout urbaniste, ou interprétez-vous la ruelle comme un lieu qui interdit la traversée ? Tout dépend de l'interprétation. Nous avons interprété la ruelle comme un lieu qui interdit la traversée, la porte comme un lieu qui interdit le passage, et la fenêtre comme un lieu qui interdit le regard vers l'extérieur, parce que nous savons qu'une arme nous attend dans la ruelle et qu'un engin piégé nous attend derrière la porte. Ceci parce que l'ennemi a de l'espace une interprétation traditionnelle, classique, et je ne veux pas obéir à cette interprétation et me laisser avoir par ses pièges. Je veux le prendre par surprise ! C'est l'essence de la guerre. Il faut que je gagne. Il faut que je surgisse d'un endroit inattendu. Et c'est ce que nous avons essayé de faire.

« C'est pourquoi nous avons adopté la méthode qui consiste à *passer à travers les murs*... Comme un ver qui mange pour avancer, surgissant à certains points pour disparaître à nouveau. Nous nous déplacions ainsi depuis l'intérieur des habitations vers leur extérieur d'une manière surprenante et dans des endroits où nous n'étions pas attendus, arrivant par-derrière et frappant l'ennemi qui nous attendait au tournant... J'ai dit à mes hommes : "Les amis, peu importe ce que vous en pensez, il n'est pas question de choix. Il n'y a pas d'autre moyen de se déplacer. Vous avez été habitués jusqu'ici à suivre des routes et des trottoirs. À partir de maintenant, on marche à travers les murs !" » [3]

Si le fait de se déplacer à travers les murs est perçu par l'armée comme une réponse « humaine » à la destruction gratuite de la guerre urbaine traditionnelle, et comme une alternative « élégante » à la destruction urbaine du type de celle qui a été pratiquée à Jénine, c'est parce que les dégâts qu'elle provoque restent souvent cachés à l'intérieur des habitations. La pénétration inattendue de la guerre dans le domaine privé du domicile a été vécue par les civils en Palestine, et en Irak, comme une forme très profonde de traumatisme et d'humiliation. Comme les guérilleros palestiniens manœuvraient eux aussi à travers les murs et *via* des ouvertures planifiées au préalable, la plupart des combats se sont déroulés chez des particuliers. Certains bâtiments étaient de véritables gâteaux fourrés, des soldats israéliens se retrouvant parfois au-dessus et en dessous d'un étage où des Palestiniens étaient pris au piège.

La guerre en milieu urbain dépend de plus en plus de technologies mises au point dans le but de « démurer le mur », selon l'expression de Gordon Matta-Clark. En complément des tactiques militaires qui supposent de casser physiquement et de passer à travers les murs, de nouvelles méthodes ont été élaborées qui permettent aux soldats non seulement de voir, mais aussi de tirer à travers les murs. L'entreprise israélienne Camero a mis au point un imageur portable qui combine l'imageur pour caméra thermique avec un radar à très large bande, qui, à la manière des équipements à ultra-sons que l'on trouve dans les maternités, permet d'observer en trois dimensions des traces de vie dissimulées[4]. Aux armes qui fonctionnent avec des munitions au standard 5,56 mm de l'OTAN s'ajoutent d'autres armes, qui fonctionnent avec des balles 7,62 mm, qui permettent de pénétrer la pierre, le bois et la brique, sans beaucoup dévier la balle. Les instruments de « transparence littérale » sont les principaux composants de la recherche qui vise à produire un monde militaire imaginaire et fantomatique (ou de jeu vidéo), de fluidité sans bornes, au sein duquel l'espace de la ville devient navigable tout autant qu'un océan. En s'efforçant de voir ce qui est caché derrière des murs, de se déplacer et de propulser des munitions à travers eux, l'armée paraît avoir porté les technologies contemporaines — justifiées selon des théories (presque) contemporaines — à un niveau métaphysique, parce qu'elle cherche à se déplacer au-delà de l'ici et maintenant de la réalité physique, en fusionnant le temps et l'espace.

l'académie du combat de rue

Le général de réserve Shimon Naveh occupait jusqu'en mai 2006 le poste de co-directeur de l'Operational Theory Resarch Institute. Dans un entretien qu'il m'a accordé, Naveh revenait sur les visées de l'institut. « L'[opération] de Jénine a été un échec total pour l'armée israélienne. Les dégâts que cette destruction a provoqués dans l'armée israélienne sont plus importants que ceux qu'elle a provoqués chez les Palestiniens [sic]. Elle était placée sous le commandement d'officiers extrêmement inexpérimentés qui ont été pris de panique, c'est tout. Ils ont tout simplement arrêté de réfléchir. » Il laissait entendre que l'armée israélienne avait tout intérêt à développer le type d'approche employé à Naplouse et à Balata. Il voyait son travail comme une manière de « rendre les actions de l'armée israélienne plus efficaces, plus intelligentes... et donc plus humaines. » En ce qui concerne les références théoriques auxquelles recourt l'institut, il répond : « On lit Christopher Alexander... Vous vous rendez compte ! On lit John Forester... On lit Gregory Bateson, on lit Clifford Geertz. Je ne parle pas que de moi, mais de tous nos soldats, tous nos officiers, ils planchent tous sur ce genre de livres. Nous avons fondé une école et mis au point un programme destiné à former des "architectes opérationnels". »

Au cours d'une conférence à laquelle j'ai assisté, Shimon Naveh a présenté un diagramme qui ressemblait à un « carré logique » et qui traçait un dispositif de relations entre certaines propositions relatives à l'armée et aux opérations de guérilla. On y trouvait des indications em-

pruntées au vocabulaire de Gilles Deleuze et Félix Guattari, telles que
« Différence et répétition. La dialectique de la structuration et de la structure » ; « Opposants amorphes » ; « Manœuvre fractale. Raids par
frappes » ; « Vitesse vs. rythme » ; « Machine de guerre wahhabite » ;
« Anarchistes postmodernes » ; « Terroristes nomades », etc.

« Pourquoi Deleuze et Guattari ? » J'ai posé la question à Shimon
Naveh : « On s'est beaucoup servi de plusieurs concepts qu'on a trouvés dans *Mille Plateaux*... Ils nous ont permis de rendre compte de situations contemporaines dont nous n'aurions pas pu rendre compte
autrement. Ça nous a permis de problématiser nos conceptions... Le
plus important était la distinction qu'ils opèrent entre les concepts
d'espace "lisse" et "strié"... qui renvoient également aux concepts or-
ganisationnels de "machine de guerre" et d'"appareil d'État"... Nous
utilisons souvent aujourd'hui l'expression "lisser l'espace" dans l'armée
israélienne pour évoquer la manière d'opérer dans un espace comme
s'il était dépourvu de frontières. Nous essayons de produire l'espace
organisationnel de telle manière que les frontières ne nous affectent pas.
On pourrait très bien concevoir les zones palestiniennes comme "striées",
dans la mesure où elles sont entourées de clôtures : des murs, des fos-
sés, des barrages routiers, etc. Nous voulons affronter l'espace "strié"
de la pratique militaire traditionnelle, aujourd'hui périmé, à partir de
cette dimension "lisse" qui autorise un déplacement dans l'espace, qui
traverse tout type de barrière et de frontière. Au lieu de circonscrire et
d'organiser nos forces en fonction des frontières existantes, nous voulons nous déplacer, les traverser. »

Shimon Naveh a récemment achevé la traduction en hébreu de
quelques articles de Bernard Tschumi tirés du recueil américain
Architecture and Disjunction. À ces perspectives théoriques, Naveh ajoute
des éléments aujourd'hui classiques en urbanisme comme les pratiques
situationnistes de la *dérive* et du *détournement*. Ces idées ont été conçues
dans le cadre d'une approche générale destinée à remettre en cause la
construction hiérarchisée de la ville capitaliste. Elles visaient à casser
les distinctions entre public et privé, intérieur et extérieur, usage et fonction, à remplacer l'espace privé par une surface publique « sans frontières ». Shimon Naveh s'est référé également aux travaux de Georges
Bataille, animé lui aussi du désir d'attaquer l'architecture : son appel
aux armes visait à mettre en pièces le rationalisme rigide qui prédo-
minait après-guerre, à échapper à la « camisole architecturale » et à libérer les désirs opprimés.

Ces idées et tactiques témoignaient d'une crise de confiance généralisée dans la capacité des structures étatiques à protéger ou à étendre

la démocratie. La micropolitique non étatiste de l'époque représentait sous bien des aspects une tentative pour constituer une guérilla mentale et affective aux niveaux intimes du corps, de la sexualité et de l'intersubjectivité. Il s'agissait de créer un individu chez qui les questions d'ordre personnel devenaient politiques et subversives. Ces positions théoriques offraient une stratégie de retrait vis-à-vis de l'appareil d'État formel dans le domaine privé. Alors que ces tactiques étaient conçues pour transgresser l'« ordre bourgeois » établi de la ville, avec l'élément architectural que constitue le mur — domestique, urbain ou politique — projeté comme l'incarnation de la répression sociale ou politique, dans les mains de l'armée israélienne, les tactiques inspirées par ces penseurs ont été projetées comme base de l'attaque d'une ville « ennemie ». L'étude des sciences humaines — que l'on prend souvent pour une arme puissante *contre* l'impérialisme — a été appropriée ici en tant qu'outil puissant du pouvoir colonial lui-même.

Tout ceci n'est pas indiqué ici pour mettre ce corpus théorique en accusation, pas plus que ses auteurs ou la pureté de leurs intentions, ou pour promouvoir une approche anti-théorique, mais dans le souci d'attirer l'attention sur la possibilité, comme le suggérait Herbert Marcuse, qu'à mesure que s'accroît l'intégration entre divers aspects de la société, « la contradiction et la critique » puissent se trouver également subsumées, et devenir des instruments au service du pouvoir hégémonique — ce qui revient ici à mettre la théorie post-structuraliste et même postcoloniale au service de l'État colonial [5].

essaimage

Si l'on en croit Naveh, « l'essaimage » a compté parmi les catégories centrales dans la conception des dernières opérations urbaines de l'armée israélienne. Cela renvoie à une action coordonnée entreprise par une forme d'organisation en réseau dont les unités séparées opèrent de manière semi autonome mais en synergie générale avec toutes les autres. Les théoriciens de la RAND corporation, à qui l'on attribue la popularisation des implications militaires du terme, David Ronfelt et John Arquilla, soutiennent que l'essaimage a vu le jour dans les guerres entre tribus nomades, avant d'être repris aujourd'hui par différentes organisations qui couvrent tout le spectre des conflits politiques et sociaux — terroristes et organisations de guérilla, mafias et activistes sociaux non violents [6].

Au cours de notre entretien, Kochavi revenait sur la manière dont l'armée israélienne percevait et employait le concept : « Une armée d'État qui affronte un ennemi disséminé, des bandes en réseau, sans organisation rigide (...) doit se déprendre des vieilles conceptions de lignes droites, d'alignement des unités, des régiments et des bataillons, (...) et devenir elle-même beaucoup plus diffuse et disséminée, flexible comme un essaim. (...) Elle doit se régler sur l'aptitude à la furtivité de l'ennemi. (...) L'essaimage, tel que je le comprends, correspond à l'arrivée simultanée vers une cible d'un grand nombre de nœuds — dans un rayon si possible de 360 degrés — (...) qui se rassemblent alors et se dispersent à nouveau. » D'après Gal Hil, l'essaimage crée un « "bourdonnement" bruyant » qui rend très difficile pour l'ennemi de savoir où se trouve l'armée et dans quel sens elle se déplace. »[7]

L'hypothèse du conflit de basse intensité, telle que la formulent Arquilla et Ronfeld, est « que seul un réseau peut combattre un réseau »[8]. Un combat en milieu urbain n'est donc pas l'action d'une force vive sur une masse morte, mais la collision de deux réseaux[9]. À mesure qu'elles s'adaptent, s'imitent et apprennent l'une de l'autre, l'armée et la guérilla entrent dans un cycle de « co-évolution ». Les capacités militaires évoluent en relation avec la résistance, qui évolue elle-même en relation avec les transformations de la pratique de l'armée. Les déclarations relatives à une crise des relations hiérarchiques dans les armées contemporaines sont pourtant très largement exagérées. Au-delà du discours de l'« auto-organisation » et de l'aplanissement de la hiérarchie, les réseaux militaires reposent largement sur les hiérarchies institutionnelles traditionnelles. L'essaimage non linéaire s'inscrit dans les visées très tactiques d'un système fondamentalement hiérarchique[10]. S'il est possible de mettre en œuvre la non-linéarité dans l'espace, c'est parce qu'Israël garde le contrôle sur l'ensemble des lignes de ravitaillement — les routes à l'intérieur de la Cisjordanie et celles qui la relient à ses larges bases à l'intérieur du territoire israélien proprement dit, mais aussi sur la multiplicité de barrières linéaires qu'il a construites tout autour de lui. En outre, l'« essaimage » et le « passage à travers les murs » réussissent quand l'ennemi est relativement faible et désorganisé, sans capacité de coordonner la résistance, et particulièrement quand l'équilibre entre la technologie, la formation et la puissance militaire penche incontestablement du côté de l'armée.

Les années passées à combattre avec succès les fragiles organisations palestiniennes permettent sans doute de comprendre l'incompétence dont les soldats israéliens ont fait preuve lorsqu'ils se sont retrouvés confrontés au Liban, en 2006, aux combattants plus forts, mieux équipés et mieux préparés du Hezbollah. Il se trouve que les deux officiers les plus impliqués dans les événements à Gaza et au Liban durant l'été 2006, Aviv Kochavi (commandant de la division de Gaza) et Gal Hirsch (commandant de la 91ᵉ division Galilée) étaient l'un et l'autre diplômés de l'OTRI de l'armée israélienne et qu'ils avaient pris part à l'attaque de Naplouse et Balata en 2002. Kochavi, qui a dirigé l'attaque de Gaza durant l'été 2006, ne démord pas de son langage obscur : « nous visons à créer le chaos chez les Palestiniens, à sauter d'un endroit à l'autre, à quitter la zone et à y retourner. (…) Nous allons utiliser tous les atouts que procure le "raid" par rapport à l'"occupation". » [11] Au Liban, Hirsch réclamait « des raids plutôt qu'une occupation », et il ordonnait aux bataillons nouvellement rattachés à son commandement, et peu habitués au langage qu'il avait acquis à l'OTRI, d'« essaimer » et d'« infester » telle ou telle zone. Les officiers placés sous ses ordres ne paraissaient pas bien comprendre ce que cela pouvait signifier. Hirsch a été critiqué par la suite pour son arrogance, son intellectualisme et son décalage. En revenant sur les résultats, Naveh a bien voulu le reconnaître dans les médias grand public : « La guerre au Liban a été un échec et j'y ai largement contribué. Ce que j'ai apporté à l'armée israélienne s'est soldé par un échec. » [12]

Le chaos était en effet du côté israélien. Le feu continu et le bombardement par une armée israélienne de plus en plus frustrée se sont traduits progressivement, dans un nombre croissant de villages et de quartiers, par une topographie hérissée de verre et de béton cassé, d'un foisonnement de barres métalliques tordues. Dans ce paysage lunaire, les collines de décombres étaient criblées de creux, de chambres enfouies, qui offraient paradoxalement davantage de caches pour la guérilla. Les combattants du Hezbollah, qui pour leur part essaimaient réellement entre et à travers les décombres et les détritus des guerres, utilisant parfois un système invisible de tunnels, étudiaient la manœuvre des soldats israéliens, et les attaquaient avec des armes anti-chars au moment même où ils entraient, s'organisaient et se déplaçaient à l'intérieur des habitations libanaises comme ils avaient pris l'habitude de le faire dans les villes et les camps de réfugiés de la Cisjordanie.

théorie meurtrière

Les origines de la terminologie du non-linéaire et du réseau se trouvent dans un discours militaire qui a vu le jour au lendemain de la seconde guerre mondiale, et elle a contribué à la conception en 1982 de la doctrine militaire américaine de l'AirLand Battle (le combat air-sol), qui plaçait l'accent sur la coopération inter-services et l'attaque de l'ennemi dans ses goulets d'étranglement — ponts, quartiers généraux et lignes de ravitaillement —, en vue de le déstabiliser. Il s'agissait au départ de contrôler l'invasion soviétique en Europe de l'Est, et elle a trouvé sa première application, en 1991, dans la guerre du Golfe. Ce fil mène droit à la Network Centric Doctrine (doctrine centrée sur le réseau) qui représente le champ des opérations militaires comme des systèmes en réseau disséminés, reliés par la technologie de l'information qui parcourt tout le spectre opérationnel. Ce type de transformation, promu par des néoconservateurs comme Donald Rumsfeld, a rencontré de vives oppositions au sein de l'armée américaine. Cette opposition s'est récemment cristallisée dans le contexte des échecs militaires américains en Irak. De la même manière, depuis le début des années 1990, l'armée israélienne est traversée de conflits institutionnels dans le cadre de ces transformations. Dans cette situation conflictuelle, un langage inattendu, fondé sur la théorie post-structuraliste, a été utilisé pour formuler la critique du système en place, pour plaider en faveur de transformations et pour appeler à poursuivre la réorganisation. Comme l'explique Naveh : « Nous utilisons la théorie critique avant tout pour critiquer l'institution militaire elle-même — ses fondations conceptuelles lourdes et figées. »

L'un des conflits internes au sein de l'armée israélienne, qui portait autant sur les concepts que sur le fonctionnement hiérarchique, a trouvé une formulation dans le cadre du débat qui a suivi la fermeture de l'OTRI au printemps 2006 et la suspension controversée de Naveh et du co-directeur Dov Tamari. Cela s'est produit dans le contexte du renouvellement des postes et du remplacement du chef d'état-major Moshe Ya'alon par son rival Dan Halutz [13]. Après le démantèlement de l'OTRI, Halutz a mis en place un institut alternatif pour la « pensée opérationnelle » qui s'inspirait d'un département analogue que Halutz avait mis en place au sein de l'armée de l'air. Naveh a vu dans son renvoi « un coup porté à l'OTRI et à la théorie. »

Le débat dans l'armée a eu d'importantes répercussions politiques. Naveh et la plupart de sens anciens collègues de l'OTRI ont soutenu le retrait israélien de la bande de Gaza, ainsi que le retrait du Liban sud avant sa mise en œuvre effective en 2000. Il est également favorable au retrait de la Cisjordanie. Il se situe, sur l'échiquier politique, du côté de ce que l'on appelle en Israël la « gauche sioniste ». Il a voté tour à tour pour le Parti travailliste et le Meretz. De la même manière, Kochavi a accepté avec enthousiasme de prendre le commandement des opérations militaires destinées à l'évacuation et à la destruction des colonies de Gaza et, mis à part les atrocités dont on l'accuse à Gaza, il reste considéré comme un officier « de gauche ». Selon Naveh, le paradigme opérationnel d'Israël devrait chercher à remplacer la *présence dans* les zones occupées par la capacité de *se déplacer à travers* elles, et d'y produire ce qu'il a appelé des « effets », qui sont « des opérations militaires telles que des attaques aériennes ou des raids (...) qui affectent l'ennemi sur les plans psychologique et organisationnel ». Les nouvelles tactiques visent le maintien absolu de la sécurité dans les zones palestiniennes évacuées, et leur développement a été vu comme une condition préalable au retrait. Pour l'armée israélienne, le retrait dépend de la capacité d'Israël à l'annuler dans des situations d'urgence qu'il peut lui-même définir. Cela détruit sans aucun doute une bonne part de ce qui est perçu comme la nature symétrique des frontières, telle que l'incarne l'iconographie du Mur en Cisjordanie, et toute la rhétorique diplomatique récente qui voudrait voir, dans ce qui reste de l'administration politique de l'autre côté du Mur (toute fragmentaire et lacunaire qu'elle puisse être), un État palestinien. Dans la même logique, Naveh soutenait que « quelle que soit la ligne sur laquelle ils [les décideurs politiques] puissent s'accorder, la clôture [le Mur] doit y figurer. D'accord là-dessus, mais à condition que je garde la possibilité de traverser cette clôture. Nous n'avons pas besoin d'être là-bas, nous avons besoin (...) d'y agir. (...) Le retrait n'est pas le dernier mot de l'histoire. » Sous cet aspect, le grand « Mur de l'État » est envisagé dans les mêmes termes que le mur du domicile privé — comme un médium transparent et perméable qui pourrait permettre à l'armée israélienne de le traverser de manière « lisse ».

Une comparaison entre les attaques de 2002 sur Jénine et Naplouse permettrait de faire ressortir le paradoxe qui rend la stratégie des officiers de gauche encore plus destructrice. Un trou dans le mur a beau ne pas être aussi dévastateur que la destruction totale d'un domicile privé, vu l'intensité de l'opposition locale et internationale, il est clair que si les forces d'occupation étaient incapables d'entrer dans les camps de réfugiés sans avoir à les détruire comme ils l'ont fait à Jénine, ils ne les attaqueraient sans doute pas, pas aussi souvent en tout cas qu'ils le font à présent, maintenant qu'ils ont trouvé l'outil pour le faire. Au lieu d'entrer dans un processus politique de négociation avec le Hamas, l'armée est en train de trouver une solution qui permet au gouvernement d'éviter la politique.

murs et lois

Dans la guerre de siège, l'ouverture d'une brèche dans le mur d'enceinte marquait la destruction de la souveraineté de la ville-État. L'« art » de la guerre de siège a toujours été lié à la géométrie des murs de la cité et au développement de technologies complexes pour s'en approcher et pour y percer des brèches. Aujourd'hui, les combats en milieu urbain tendent à se rapprocher des méthodes qui permettent de transgresser les murs, les limitations incarnées par le mur du domicile privé. À cet égard, il pourrait être utile de penser aux murs (domestiques) de la ville dans les mêmes termes que l'on pense la muraille (civique) — comme les bords fonctionnels de la loi et comme la condition d'une vie urbaine démocratique.

Pour Hannah Arendt, la sphère politique de la cité grecque était garantie par ces deux types de murs (ou des « lois-murailles ») : le mur qui entoure la ville, qui définissait la zone du politique ; et le mur séparant l'espace privé de l'espace public, qui garantissait l'autonomie de la sphère domestique. « Sans elle [la loi-muraille], un domaine public ne pouvait pas davantage exister qu'un terrain sans palissade ; l'une abritait, entourait la vie politique comme l'autre hébergeait, protégeait la vie biologique de la famille. »[14] L'ordre même de la ville repose ainsi sur le fantasme d'un mur stable, solide et fixé. En effet, le discours architectural tend pour sa part à voir dans les murs les données irréductibles de l'architecture. La pratique militaire consistant à « passer à travers les murs » — à l'échelle de la maison, de la ville ou de l'« État » — lie les propriétés physiques de la construction à cette syntaxe des ordres architecturaux, sociaux et politiques. De nouvelles technologies ont permis aux soldats de détecter des organismes vivants à travers les murs, de faciliter leur capacité à passer et à ouvrir le feu à travers eux, et ainsi d'interroger non seulement la matérialité du mur, mais bel et bien son concept. Si le mur n'est plus physiquement ou conceptuellement solide, si la loi ne garantit plus l'impénétrabilité du mur, alors la syntaxe fonctionnelle de l'espace qu'il avait créée — la séparation de l'intérieur et de l'extérieur, du privé et du public — s'effondre. Sans ces murs, si l'on suit toujours Arendt : « On aurait pu avoir une agglomération, une ville (*asty*) mais non pas une cité, une communauté politique. »[15] La distinction entre une *cité*, en tant que domaine politique, et une ville (ici, l'antithèse de la cité correspondrait au camp de réfugiés) est fondée sur la solidité conceptuelle des éléments qui protègent à la fois le domaine privé et le domaine public. L'observation bien connue d'Agamben s'inscrit dans le droit fil d'Arendt : dans les camps, « la cité et la maison sont devenues indistinctes ». [16] L'ouverture d'une brèche dans la frontière conceptuelle, visuelle et physique du mur expose de nouveaux domaines au pouvoir politique, et offre ainsi un diagramme physique au concept d'« état d'exception ».

Quand Kochavi soutient que « l'espace n'est rien d'autre qu'une interprétation », et que son mouvement à travers le tissu de la ville réinterprète les éléments architecturaux (murs, fenêtres et portes) ; quand

Naveh soutient qu'il est prêt à accepter n'importe quel type de frontière du moment qu'il peut passer au travers, ils utilisent une approche théorique transgressive pour suggérer que la guerre et le combat ne portent plus sur la destruction de l'espace mais d'abord sur sa « réorganisation ». Si un mur n'est rien d'autre que le signifiant d'un « mur », représentant des échelles d'ordres politiques, le fait de « démurer le mur » devient aussi une forme de réécriture — un processus constant de dissolution — nourrie par de la théorie. Si le déplacement à travers les murs devient la méthode pour « réinterpréter l'espace », et si la nature de l'espace est « relative » à cette forme d'interprétation, est-ce que cette « réinterprétation » peut tuer?

Si la réponse est « oui », alors la « géométrie inverse » qui retourne la ville sens dessus dessous, qui mélange ses espaces publics et privés, et qui retourne l'idée d'un État palestinien sens dessus dessous, apparaît lourde de conséquences pour les opérations militaires qui vont au-delà de la destruction physique et sociale. Elle nous obligent à réfléchir à la « destruction conceptuelle » des catégories politiques qu'elle implique.

Traduit de l'anglais par Christophe Degoutin

(1) Sur une conférence militaire de ce type, organisée en 2002 par la Faculté de géographie à l'université de Haïfa, voir Stephen Graham, « Remember Falluja : Demonizing Place, Constructing Atrocity », *Society and Space*, Vol. 23., 2005, p. 1-10 ; et Stephen Graham, « Cities and the "War on Terror" », *International Journal of Urban and Regional Research*, Vol. 30(2), juin 2006, p. 255-276.

(2) Yedidia Ya'ari et Haim Assa, *Diffused Warfare, War in the 21st Century*, Tel Aviv, Miskal, Yediot Aharonot Books / Chemed Books, 2005 [texte en hébreu], p. 9-13, 146.

(3) Eyal Weizman et Nadav Harel, entretien avec Aviv Kochavi, 24 Septembre 2004, sur une base militaire israélienne des environs de Tel Aviv [texte en hébreu] ; documentation vidéo par Nadav Harel et Zohar Kaniel.

(4) Zuri Dar et Oded Hermoni, « Israeli Start-Up Develops Technology to See Through Walls », *Ha'aretz*, 1er juillet 2004 ; Amir Golan, « The Components of the Ability to Fight in Urban Areas », *Ma'arachot*, n° 384, juillet 2002, p. 97 ; voir aussi Ross Stapleton-Gray, « Mobile Mapping : Looking through Walls for On-Site Reconnaissance », *The Journal for Net Centric Warfare*, C4ISR, 11 septembre 2006.

(5) « En présence des grandes réalisations de la société industrielle avancée, il semble que la théorie critique ne puisse plus justifier rationnellement la nécessité de transcender cette société. Le vide atteint la structure même de la théorie parce que les catégories de la théorie sociale se sont développées à l'époque où le besoin de refus et de subversion faisait corps avec des forces sociales effectives et agissantes. (...) Dans la société industrielle qui pratique une politique d'intégration croissante, ces contenus sont en train de perdre leur contenu critique pour devenir des termes descriptifs, décevants, opérationnels. » Herbert Marcuse, *L'Homme unidimensionnel. Essai sur l'idéologie de la société industrielle avancée*, Minuit, 1968, p. 22.

(6) David Ronfeldt, John Arquilla, Graham Fuller et Melissa Fuller, *The Zapatista « Social Netwar » in Mexico*, Santa Monica, Ca., RAND, 1998.

(7) Gal Hirsch, « On Dinosaurs and Hornets : A Critical View on Operational Moulds in Asymmetric Conflicts », in *RUSI Journal*, août 2003, p. 63.

(8) Arquilla et Ronfeldt, *Networks and Netwars*, p. 15.

(9) « La guerre n'est pas l'action d'une force vive sur une masse morte mais (...) est toujours la collision de forces vives. » Carl von Clausewitz, *De la guerre*, Minuit, 1955, p. 54.

(10) Voir sur ce point Ryan Bishop, « "The Vertical Order Has Come to an End" : The Insignia of the Military C3I and Urbanism in Global Networks », in Ryan Bishop, John Phillips et Wei-Wei Yeo, (dirs.), *Beyond Description : Space Historicity Singapore, Architext Series*, Londres, New York, Routledge, 2004.

(11) Hannan Greenberg, « The Commander of the Gaza Division : The Palestinians Are in Shock », sur le site d'information Ynet, 7 juillet 2006, *www.ynet.co.il*

(12) Amir Rapaport, « Dan Halutz Is a Bluff, Interview with Shimon Naveh », in *Ma'ariv*, supplément de Yom Kippur, 1er octobre 2006.

(13) Halutz ne s'est pas opposé directement aux théories de l'OTRI. Le concept opérationnel de l'état-major général de l'armée israélienne reste dans le fil de la doctrine théorique du design opérationnel systémique de l'OTRI. Voir Caroline Glick, « Halutz's Stalinist Moment : Why Were Dovik Tamari and Shimon Naveh Fired ? », in *Jerusalem Post*, 17 juin 2006 et Rapaport, « Dan Halutz Is a Bluff ». Naveh travaille aujourd'hui pour l'US Marine Corps Development Command en tant que conseiller à l'expérimentation opérationnelle « Expeditionary Warrior » (combattant expéditionnaire).

(14) Hannah Arendt, *Condition de l'homme moderne* (1958), Calmann-Lévy, 1994, p. 105.

(15) *Ibidem.*

(16) Giorgio Agamben, *Homo sacer. 1. Le pouvoir sacré et la vie nue*, Seuil, 1997, p. 214.

la performance spéculative

art et économie financière

Brian Holmes

Depuis la *tulipomanie* hollandaise, on spécule sur des valeurs esthétiques. Dans ce trait de folie datant des années 1620, il y a une confirmation de la remarque de Cornelius Castoriadis sur le caractère non fonctionnel et pourtant déterminant de la Bourse par rapport à la production industrielle. La spéculation financière serait au cœur de « l'imaginaire institué » des sociétés occidentales [1].

Cependant, on n'avait jamais songé, avant notre époque, à faire des informations boursières un matériau artistique. Le pas est franchi avec l'exposition « Derivados, Nuevas visiones financieras », organisée pendant l'été 2006 à la Casa Encendida de Madrid. Le groupe organisateur, Derivart, présente une sorte de florilège du nouveau genre de *finance art*, tout en prétendant réaliser « une exploration artistique et une analyse critique des Bourses et des agents financiers [2] ».

Il s'agit surtout d'une esthétique de l'information : la transformation de flux de données en représentations visuelles ou sonores, au moyen d'algorithmes informatiques [3]. La réalisation la plus impressionnante est l'œuvre *Black Shoals*. Elle donne à voir un planétarium où le clignotement des étoiles traduit les fluctuations de la valeur des actions de quelque dix mille entreprises. Comme le font remarquer les commissaires : « La visualisation caractérise aujourd'hui l'expérience des professionnels de la Bourse. Une représentation originale permet d'interpréter les données de manière différente et de voir des opportunités d'affaires que les autres ignorent. »

Quelques mois plus tard, les membres de Derivart s'y sont essayés eux-mêmes, avec la performance « Tickerman ». Un artiste muni de pinceaux et de pots de couleurs réalise une peinture rappelant l'expressionnisme abstrait, où les coups de brosse traduisent les rythmes saccadés d'une « mélodie boursière », fabriquée à partir de cotes d'entreprises. Transcodées en sons par le compositeur, les données financières redeviennent tangibles dans la peinture, dont le caractère dérisoire ouvre la véritable question : qu'est-ce qui offre le plus d'opportunités, la musique, le geste éphémère de sa transcription visuelle, l'objet pictural qui en résulte, le côté parodique qui s'en dégage, ou la rediffusion de la performance sur YouTube ? C'est un arbitrage classique : cela dépend des aspects de l'œuvre dans lesquels on veut bien investir.

Avides de profits, mais réfractaires aux risques, les arbitragistes modernes savent dédoubler leur mise, en jouant sur plusieurs tableaux. L'économiste de Derivart, Daniel Buenza, décrit bien leur stratégie : « Toujours plus abstractionnistes, ils cherchent à isoler des qualités telles que la volatilité d'un titre, sa liquidité, sa convertibilité, son indexibilité, etc. (...) Les produits dérivés, tels que swaps, options, et d'autres instruments financiers jouent un rôle important. (...) Les courtiers en Bourse les utilisent pour découper leur exposition au risque en petits dés. » [4]

Derivart veut produire non seulement une exploration artistique, mais une analyse critique. Si on comprend la critique comme une opération purement déconstructive, alors la performance de « Tickerman » sera critique, tout comme les opérations d'arbitrage deviennent un « art » dans le texte précité. Si on comprend la critique, selon son étymologie, comme la tentative d'intervenir au moment d'une crise vitale, alors il faudra chercher un art critique très loin de la simple permutation de données qui caractérise l'esthétique de l'information.

Quel est l'imaginaire de la finance ? Comment s'est-il autonomisé de ce que Castoriadis appelle la « fonctionnalité sociale », pour devenir l'institution dominante du capitalisme contemporain ? L'art peut-il nous aider à comprendre l'emprise de cette institution ? Et, surtout, peut-il nous aider à instituer *un autre imaginaire* ? Depuis les cours de Foucault sur le néoliberalisme, on sait à quel point la spéculation sur le capital humain est devenue un vecteur majeur de la subjectivation [5]. Le besoin d'y intervenir est critique, à la suite du grand krach boursier de l'an 2000, puis du 11 septembre, qui ont mené le modèle néolibéral à la crise, ouvrant un nouveau régime de guerre [6].

Cet article examinera deux performances, qui impliquent à chaque fois leurs auteurs, corps et âme, dans une réflexion sur les marchés financiers. L'anthropologue Victor Turner fait entrevoir ce qu'on peut attendre de ce type de performance : « La réflexivité performative est une condition où un groupe socioculturel, ou ses membres les plus avertis, agissant de manière représentative, se tournent, se penchent ou font retour sur eux-mêmes, sur les relations, les actions, les symboles, les significations, les codes, les rôles, les statuts sociaux, les responsabilités éthiques et légales et toutes les autres composantes socioculturelles qui constituent leurs identités publiques. » [7]

jeu à double tranchant

En octobre 2002, l'artiste australien Michael Goldberg a pris une série de décisions qui lui permettaient de « se comporter comme un *day trader* » tout en analysant le dispositif général des marchés financiers. Avec un capital de 50 000 dollars, prêté par un « consortium » de trois boursicoteurs expérimentés qu'il a ralliés à son projet *via* un salon de discussions sur Internet, il s'est mis à spéculer artistiquement sur des produits dérivés d'une seule action : News Corp., l'empire médiatique de Rupert Murdoch.

La performance s'est déroulée pendant trois semaines, à l'Artspace Gallery de Sydney. Elle s'est élargie à Internet *via* un site qui diffusait des informations sur l'art et la finance, un bilan constamment actualisé et un salon de discussions virtuelles ; il y avait également une ligne téléphonique permettant à tout un chacun de joindre l'artiste. Le titre en était *Catching a Falling Knife* (saisir un couteau qui tombe) — qui désigne une affaire à risques dans le jargon de la finance. C'était l'époque où les marchés accusaient la chute de géants comme WorldCom, Vivendi-Universal ou Enron. Les produits dérivés permettaient de parier sur une valeur qui monte ou qui descend, dans le climat fortement baissier de 2002. Voici une description du dispositif :

Le spectateur entre dans une salle dépourvue de lumière naturelle. Des projections numériques scintillent sur les murs — des prix d'actions affichés en temps réel, des courbes montrant des cours moyens, des nouvelles financières. Les valeurs changent et les graphiques bougent, évoluant de minute en minute et de seconde en seconde dans une séquence d'arabesques et de pas parallèles. Elles répondent instantanément aux algorithmes mobiles acheminés en direct des Bourses mondiales. (...) Sur un échafaudage placé en vis-à-vis, au sommet d'un plate-forme, une lampe de bureau illumine le visage de l'artiste qui fixe les écrans de ses ordinateurs. Il parle au téléphone, engage ou clôt une affaire. En-dessous, le téléscripteur à diode électroluminescente énonce les pertes et les profits. La bande audio résonne en bruit de fond. La voix du spécialiste en motivation vous exhorte « à créer une image mentale claire de la quantité exacte d'argent dont vous souhaitez disposer — et à décider comment vous allez gagner cet argent, jusqu'à ce que vous soyez aussi riche que vous désirez l'être[8].

Avec les projections numériques sur les murs, Goldberg cherchait à immerger le spectateur dans le monde clignotant d'informations auquel le courtier est constamment confronté sur ses écrans. L'utilisation d'un service de courtage téléphonique permettait de donner une expression vocale aux affects de peur et d'avarice qui animent les marchés. Les rapports quotidiens rédigés pour le consortium de prêteurs — qui assumaient les risques, mais avaient droit aux profits — ajoutaient la pression d'une surveillance personnelle, analogue aux contraintes qui pèsent sur le courtier professionnel. En rejouant tout cela, mais avec de l'argent réel, Goldberg transformait en événement public l'interaction intime entre l'individu spéculateur et le marché, tel que ce dernier se cristallise sur les écrans des ordinateurs.

Que se passe-t-il quand on joue à la Bourse électronique ? Urs Bruegger et Karin Knorr Cetina définissent les marchés financiers mondiaux comme des « artefacts de connaissance » qui se constituent à l'intérieur de cadres technologiques et institutionnels soigneusement articulés, et qui restent toujours processuels — constamment reformulés, à jamais incomplets. La variabilité infinie de ces « objets epistémiques » les fait ressembler à une « forme de vie » qui apparaît uniquement sur les écrans du courtier. Selon les deux sociologues, « l'écran est un chantier de construction où tout un monde économique et épistémologique s'édifie ». Et on peut plonger dans ce monde, on peut le manipuler, on peut en sortir victorieux. Le flux réactif qui apparaît sur les écrans rend possible « des relations postsociales » [9].

Le terme « postsocial » est une provocation — mais il fait signe vers l'actualité, étant donné la multiplication d'écrans dans les espaces domestiques, commerciaux et publics. Bruegger et Knorr Cetina, qui connaissent parfaitement l'anthropologie économique de Karl Polanyi, ne négligent pas les rapports de hiérarchie, de synchronisation et de réciprocité qui assurent l'« encastrement » des opérateurs financiers dans une structure sociale, en l'occurrence ce qu'ils appellent une « microstructure globale ». Néanmoins, ils soutiennent que la relation primordiale du courtier est celle qui le lie au flux lui-même, ou à ce que la théorie cyberpunk a appelé « l'hallucination consensuelle ». C'est cela qu'ils appellent une relation postsociale : « des engagements avec des autres non humains ». Le fait existentiel de base, dans le contexte financier, est celui de « prendre une position », c'est-à-dire de mettre de l'argent dans un actif dont la valeur oscille au gré du marché. Une fois que la position est prise, vous êtes *dedans* : et désormais, ce sont les mouvements du marché qui comptent par-dessus tout.

La performance de Goldberg met en relief cette relation angoissée à un objet intangible, quelque chose comme une foule d'informations en ébullition, dont les tourbillons se résolvent parfois en opportunités chiffrées, avant de se dissoudre dans un éclat de panique. Dans un entretien, Goldberg explique que les *day traders* n'ont que faire de la rentabilité potentielle des entreprises, qu'ils cherchent seulement à évaluer les déplacements de leurs semblables : « Ils préfèrent regarder ce que les graphiques leur disent des mouvements des boursicoteurs sur les marchés chaque jour, chaque minute, chaque seconde. Se faire une image précise de la direction que prend la foule, et se mettre en route avec elle — pour monter ou descendre, peu importe. » Il évoque l'expérience qui consiste à se plonger dans une position, puis à revendre à profit ou à perte :

Cela me fait penser à une scène dans le film Blow Up *d'Antonioni, où le personnage joué par David Hemmings se mêle à des fans de rock alors qu'ils se battent autour des restes d'un guitare, détruite sur scène à la fin d'un concert*

et lancée dans le public. Il en sort victorieux, mais il jette la relique convoitée
quelques moments plus tard, comme un simple déchet — la montée d'adréna-
line pendant la poursuite ayant été la seule satisfaction véritable à en retirer. [10]

De la même manière, les sociologues réfléchissent aux intensités d'un
désir vide, en postulant que « ce que les courtiers rencontrent sur leurs
écrans tient lieu du manque d'un objet plus fondamental ». Ils rappel-
lent le concept. lacanien du stade du miroir, où l'enfant sans langage
est fasciné par la vision de son corps comme un tout, alors même que
ses sensations proprioceptives sont celles d'un corps morcelé, sans totalisation possible. Selon eux, « le lien (l'être-en-relation, la mutualité)
résulte de la jonction entre un sujet qui manifeste une série d'envies et
un objet en cours de déroulement qui pourvoit à ces envies par les
manques qu'il affiche ». Le rythme du marché sur les écrans est l'un
de ces objets en évolution, qui servent à capter et à moduler le désir.
Mais les deux sociologues ne parlent jamais d'aliénation. Ils emprun-
tent un mot de l'anthropologue Clifford Geertz, qui décrit le « jeu profond » (*deep play*) des habitants de l'île de Bali, quand ils parient des
sommes déraisonnables sur les combats de coqs traditionnels. À travers
cette notion, l'indétermination esthétique fait son entrée dans la finance.

Faut-il voir la performance de Goldberg comme une célébration du
« jeu profond » — un aperçu esthétisé des faits et gestes d'une microstructure globale, indifférent à la macrostructure qui la conditionne ?
La présence maléfique du portrait agrandi de Rupert Murdoch à l'entrée de la galerie milite contre cette lecture. Le travail antérieur de
Goldberg tournait autour des institutions de l'empire britannique en
Australie. Cette fois, en spéculant exclusivement sur News Corp., il situe
les relations d'un petit boursicoteur local à l'intérieur d'un arc de pouvoir qui s'étend de l'Australie — lieu de naissance de Murdoch — jusqu'aux États-Unis, *via* des intérêts en Italie et en Angleterre. Murdoch
est un soutien direct de la coalition de guerre anglo-américaine, capable
d'influer sur le cours des actions — et sur les actes politiques — par
les informations que ses médias diffusent. Acteur-clé dans le domaine
des télévisions par satellite, il fournit une infrastructure importante pour
la nouvelle politique impériale. Le magnat milliardaire maîtrise une relation postsociale à l'échelle de la planète : le rapport de populations
entières aux écrans proliférants qui structurent l'affect public. La référence à Murdoch situe la microstructure financière à l'intérieur d'une
macrostructure du pouvoir impérial, et ajoute ainsi un sens profond au
vocabulaire militaire que l'artiste utilise quand il parle des boursicoteurs. Sa critique a beau être tacite, elle est palpable. Ainsi, la performance révèle à quel point le marché électronique, avec ses relations entre

visage et écran, entre corps désirant et information fluctuante, est devenu un dispositif fondamental de contrôle dans l'économie guerrière du néolibéralisme en crise.

La performance de Goldberg n'est pas une simple célébration du « jeu profond » des marchés. Mais une autre question se pose. Cette critique tacite était-elle aussi un arbitrage, une manière de parier pour et contre en même temps ? Car un travail critique pouvait toujours chercher un succès d'estime dans les milieux universitaires de gauche, quel que soit le bilan monétaire ; alors qu'une série de coups mirobolants sur les marchés aurait attiré une foule de visiteurs et beaucoup de couverture médiatique, créant un succès de scandale en plus. Dans le meilleur des cas, l'artiste aurait pu gagner sur les deux tableaux. Un critique australien a décrit *Catching a Falling Knife* comme une proposition « à double tranchant », à cause de la contradiction éthique qu'elle met en scène entre les mondes de l'art et de la finance. Mais elle pourrait également représenter une tentative d'occuper deux positions fortes, et de trancher dans deux mondes. La question qui se pose est celle du rôle politique de l'artiste, et de la manière dont sa production oriente le désir collectif. Comment engager une relation de critique, de rivalité et d'exode depuis l'intérieur de l'appareil de capture le plus fascinant du capitalisme contemporain ?

C'est là que la performance devient muette et se retire dans sa dimension analytique. Goldberg aurait peut-être voulu relever ce défi. Il est également possible qu'il ne l'ait pas envisagé. On ne le saura jamais, car la réalité ne l'a pas mis à l'épreuve. Au lieu de « réussir » magnifiquement, il a perdu de l'argent — et cela parce que, au lieu de baisser comme prévu, l'action de News Corp. est montée. Ce n'est donc pas d'après ses actes, mais seulement d'après son dernier mot que l'on pourra juger de ses intentions premières. Mais il faut mettre à son crédit le fait qu'il a prononcé ce mot *avant* que sa performance ne commence : « Je crois que la valeur réelle du projet émergera sous la forme d'interrogations sorties des recoins obscurs de ses invraisemblances, et non pas du spectacle d'un accomplissement de ses attentes. »

cartographie hors les rails

Castoriadis parle d'un imaginaire *institué*. Mais comment s'institue-t-il au point de définir la vérité même d'une société ? Et où retrouver l'invraisemblance (c'est-à-dire la fiction) de cette institution ? La possibilité d'une intervention artistique dépend des réponses que l'on apporte à ces questions. Mais elles ne peuvent pas se formuler en dehors des conditions actuelles.

C'est ce que Castoriadis ne semble pas avoir pris en compte quand, à la fin de son texte « Pouvoir, politique, autonomie », il définit l'acte du pouvoir instituant : « Créer les institutions qui, intériorisées par les individus, facilitent le plus possible leur accession à leur autonomie individuelle et leur possibilité de participation effective à tout pouvoir explicite existant dans la société. » [11] Mais on peut se demander *qui* créera de telles institutions, si c'est l'intériorisation elle-même qui ne fonctionne plus. Dans un texte qui prolonge sa réflexion sur la relation postsociale, Knorr Cetina va jusqu'à parler d'une éclipse de « l'imagination sociale », entendue comme la capacité d'intérioriser une figure de l'autre en tant que censeur intime, idéalisé comme norme à atteindre, ou rejeté comme une limite à transgresser [12]. Le rapport à une complétude interne est remplacé par une quête infinie de figures partielles, aspects extérieurs d'une identité à soi toujours différée. La sociologue élargit la notion d'objet en déroulement à toutes sortes d'images et de produits de consommation en série, qui prolongent dans les environnements quotidiens la fonction du miroir où l'enfant se désire sans jamais s'atteindre. Le concept lacanien du « manque à être » s'avère étrangement pertinent quand il s'agit de dessiner une cartographie structurale des relations de subjectivation dans les sociétés capitalistes fortement médiatisées. Mais, dans une telle société, l'imaginaire instituant, susceptible de bouleverser la cartographie en place, ne serait-il pas également processuel, également extériorisé ?

Au lieu de fixer la loi des relations de subjectivation, pour arriver à des énoncés vrais (du type, « les noms du père / les non-dupes errent », pour citer encore Lacan), les cartographies schizoanalytiques de Félix Guattari cherchent à modéliser des processus aux paramètres variables, qui peuvent être altérés par ceux qui y prennent part [13]. Les quatre registres de ces cartographies (les Territoires existentiels, les Univers de référence incorporels, les Phylum de propositions abstraites, les Flux sensibles et signalétiques) n'ont aucun contenu propre ni interaction préétablie, mais servent à pointer les composantes et les vecteurs d'agencements complexes, véritables machines de subjectivation, qui vous clouent à un territoire donné ou au contraire vous déportent, vous déterritorialisent. L'intérêt de la modélisation est d'accroître la conscience de tout ce qui fait évoluer un milieu complexe et mobile, constitué d'interactions entre des corps, des lieux, des images, des idées, des énergies, des outils… Intervenir, depuis cette optique, c'est créer le miroir déroulant, à multiples facettes, où une subjectivité se réfléchit en mouvement — mais en même temps, c'est s'exposer aux risques de la machine, qui sont les risques de l'être-en-société. Se préfigurent ainsi des collectifs de recherche, ou plutôt des véhicules d'investigation de la crise, où l'imaginaire se fabrique comme des pièces jointes, à même l'extériorité machinique, dans la tentative de reconfigurer une possibilité d'institution.

Un projet spéculatif peut montrer la voie. Il s'agit de l'invitation faite, durant l'été 2005, à des artistes, chercheurs en sciences humaines, philosophes, militants et bricoleurs des médias alternatifs, de mettre leurs discours et leurs pratiques à l'épreuve de la mobilité, au-delà des frontières habituelles, en se joignant à une rencontre-conférence sur les rails du chemin de fer transsibérien. L'événement, organisé par un collectif du webzine *ephemera*, avait pour titre *Capturing the Moving Mind : Management and Movement in an Age of Permanently Temporary War*. L'appel à participation commence ainsi :

En Septembre 2005 une rencontre aura lieu dans le train transsibérien allant de Moscou via Novossibirsk à Pékin. Le but de cette rencontre est « cosmologique ». Nous voudrions réunir un groupe de philosophes, chercheurs, artistes et autres, qui s'intéressent aux changements de la société, et qui pratiquent ce changement comme celui de leur propre image en mouvement, une image du temps [14].

Cette « expérience organisationnelle » commence dans l'état d'inquiétude ontologique qui survient lorsque les impératifs de production qui canalisent l'hypermobilité des individus flexibles sont suspendus. Qu'est-ce qui arriverait à l'esprit démultiplié d'un groupe en mouvement, à l'intérieur de l'espace étroit, étiré, compartimenté, d'un train qui serpente à travers les steppes sibériennes ? C'est la question que les organisateurs du voyage voulaient poser, comme contrepoint à la « nouvelle forme de contrôle et d'organisation » qui, selon eux, pèse sur les travailleurs cognitifs du présent : « Elle opère sans légitimité institutionnelle, ou plutôt sa logique et ses fondements paraissent changer de jour en jour : c'est un pouvoir sans *logos*, c'est-à-dire un pouvoir arbitraire, à l'état pur, sans relation permanente à la loi, à la norme, ou à aucune tâche particulière. » Cette figure contemporaine du pouvoir est conçue en lien direct avec la fluctuation de la monnaie : « Alors que la discipline était toujours liée à des monnaies moulées, avec l'or comme étalon numérique, le contrôle se base sur des taux flottants, des modulations, des organisations de la mobilité des monnaies. Bref, il cherche à suivre ou à initier des mouvements et des échanges en tant que tels, sans souci de leurs contenus particuliers. L'économie de la connaissance est la poursuite du capitalisme sans fondements, et le pouvoir arbitraire est sa forme d'organisation logique. » [15] La « capture de l'esprit en mouvement » se fait dans le contexte d'une « guerre temporaire permanente », où la doctrine néoconservatrice de la frappe préventive apparaît comme une tentative extrême de se prémunir contre tout risque humain.

Face au caractère inexorablement *logique* de cette doctrine, le voyage devient une spéculation en chair et en os, relayée et réfléchie par les gestes, les images et les concepts qui s'inventent en cours de route, parmi une quarantaine de participants. On donne des conférences dans le wagon-restaurant ; une micro-radio émet entre les voitures ; des œuvres sont crées par divers procédés participatifs ; une plate-forme télématique « Mobicasting » se déploie pour renvoyer textes et images à un serveur web en Finlande ; des rencontres avec des universitaires russes et chinois ont lieu à Moscou, Novossibirsk et Pékin. Le caractère invraisemblable de la recherche donne lieu à quelques performances spontanées, où les participants essaient d'incorporer un sens qui fuit de toutes parts : une manifestation silencieuse à la frontière russo-mongolienne ; un psychodrame collectif dans une galerie en Chine. Le martèlement des roues métalliques sur les rails devait tenir lieu de relations machiniques incommensurablement plus vastes, celles qui constituent l'inconscient de la mondialisation.

Il est difficile d'évaluer les résultats d'une telle expérience [16]. Elle ressemble à une tentative de modéliser et de rejouer les stratégies de convergence ponctuelles sur un lieu X, qui, lors du cycle des contre-sommets, ont permis à des réseaux très éclatés de devenir le mouvement altermondialiste. On aurait ici quelque chose comme une recherche pure dans le domaine éthico-pratique de la mobilisation politique. Ce qui transparaît clairement, c'est le désir de mettre à l'épreuve les éléments extériorisés d'un imaginaire en évolution.

Y aura-t-il des conséquences institutionnelles ? Le noyau finlandais du projet vient de monter un collectif sous le nom de Research Station General Intellect, dans le but de mener des investigations à partir du département d'économie de l'Université d'Helsinki. Les travaux de la maison d'édition Polemos se poursuivent dans la même mouvance, ainsi que des cycles de conférences et une expérimentation multimédia, en lien avec des débuts d'organisation politique. Dans ce cas, les ruses de l'arbitrage paraissent impossibles : personne ne sait ce que cela va donner. Cartographies encore invisibles de territoires jamais arpentés.

---

(1) C. Castoriadis, *L'Institution imaginaire de la société*, Seuil, 1975, p. 172. Même si Castoriadis ne fait que mentionner la Bourse en passant, le sens de sa remarque s'éclaire à la page 179 : « Mais pourquoi est-ce dans *l'imaginaire* qu'une société doit chercher le complément nécessaire à son ordre ? Pourquoi rencontre-t-on chaque fois, au noyau de cet imaginaire et à travers toutes ses expressions, quelque chose d'irréductible au fonctionnel, qui est comme un investissement initial du monde et de soi-même par la société avec un sens qui

n'est pas "dicté" par les facteurs réels puisque c'est lui plutôt qui confère à ces facteurs réels telle importance et telle place dans l'univers que se constitue cette société (...) ? ».

(2) Voir le catalogue : *www.derivart.info/material/derivados/DERIVADOS_final.pdf*. Le projet « Tickerman » est également présenté sur le site.

(3) Pour un très grand nombre d'exemples, voir *http://infosthetics.com*.

(4) D. Buenza et D. Stark, « Tools of the Trade : The Socio-Technology of Arbitrage in a Wall Street Trading Room », in *Industrial and Corporate Change*, 13 / 2, 2004, p. 369-400. Version web : *www.stern.nyu.edu/mgt/seminars/downloads/tools_of_the_trade.pdf*

(5) M. Foucault, *Naissance de la biopolitique. Cours au Collège de France, 1978-79*, Seuil / Gallimard, 2004.

(6) P. Zarifian, « Pourquoi ce nouveau régime de guerre ? », *Multitudes*, n° 11, hiver 2003.

(7) V. Turner, *The Anthropology of Performance*, Johns Hopkins University Press, 1987, p. 24.

(8) M. Goldberg, « Catching a Falling Knife : a Study in Greed, Fear and Irrational Exuberance », conférence à l'Art Gallery of New South Wales, 20 septembre 2003, disponible à l'adresse : *www.michael-goldberg.com/read_more/04_greed_and_fear.pdf*. Des images de l'installation se trouvent sous la rubrique « Projects » du même site.

(9) K. Knorr Cetina et U. Bruegger, « Traders' Engagement with Markets : A Postsocial Relationship », in *Theory, Culture & Society*, 19 / 5-6, 2002.

(10) M. Goldberg, entretien avec Geert Lovink, « Catching a Falling Knife : The Art of Day Trading », disponible à l'adresse : *www.michael-goldberg.com/read_more/01_fibre_culture.pdf*. La citation suivante de Goldberg provient du même entretien.

(11) C. Castoriadis, *Le Monde morcelé. Les carrefours du labyrinthe.3*, Seuil, 1990, p. 170.

(12) K. Knorr Cetina, « Postsocial Relations », in G. Ritzer et B. Smart (dirs.), *Handbook of Social Theory*, Sage, 2001, p. 525 et sq.

(13) F. Guattari, *Cartographies schizoanalytiques*, Galilée, 1989.

(14) Appel disponible à l'adresse : *www.ephemeraweb.org/conference/call.htm*.

(15) A. Virtanen et J. Vähämäki, « The Structure of Change : An Introduction », in *ephemera : theory & politics in organisation* 5 / X, disponible à l'adresse : *www.ephemeraweb.org/journal/5-X/5-Xindex.htm* ; le numéro sert de bilan général du projet.

(16) J'ai essayé de le faire dans un texte plus long, qui recoupe en partie celui-ci : « The Artistic Device, or the Articulation of Public Speech », à paraître dans *ephemera 6 / 4, www.ephemeraweb.org*, ou dans mon archive sur *www.u-tangente.org*.

la critique institutionnelle

**le pouvoir constituant et le long souffle
de la pratique instituante**

Gerald Raunig

(...) l'insurrection nous mène à ne plus nous laisser régir, mais à nous régir nous-mêmes, et elle ne fonde pas de brillantes espérances sur les institutions à venir. Elle est une lutte contre ce qui est établi en ce sens que lorsqu'elle réussit ce qui est établi s'écroule tout seul. Elle est un effort pour me dégager du présent qui m'opprime. Et dès que je l'ai abandonné, ce présent est mort et tombe en décomposition. [1]

Max Stirner

---

institution et critique

L'entreprise de déconstruction, problématisation et reformulation de la critique institutionnelle que tente par différents biais l'édition de *transversal* parue début 2006, « Do You Remember Institutional Critique ? » [2], ne peut se dispenser d'interroger aussi bien la compréhension de l'institution que la compréhension de la critique des deux premières phases de la critique institutionnelle artistique, et les figures analogues de l'histoire des mouvements de gauche. Un premier pôle problématique de la critique institutionnelle serait cette approche d'une critique fondamentale qui construit un extérieur absolu de l'institution, fût-ce sous forme d'une caricature du pathos de l'avant-garde artistique (dans les années 1970, encore) ou du fantasme des anarchismes radicaux. Cette approche ignore les techniques de l'autogouvernement ainsi que les modes de subjectivation qui, au-delà de l'assujettissement institutionnel rigide, contribuent à fabriquer des formes machiniques d'asservissement [3] — et elle ignore parallèlement le rêve d'espaces affranchis du pouvoir et de l'institution.

L'autre pôle — que l'on rencontre souvent depuis les années 1990 dans les pratiques artistiques critiquant l'institution — serait l'autocritique amoureuse d'elle-même, qui substantialise sa propre implication dans l'institution et refoule l'horizon du changement de son spectre de perceptions. On peut également y inclure la mécompréhension volontaire des approches théoriques de Foucault (l'interprétation de sa théorie du pouvoir comme une impasse sans issue et sans résistance aux dispositifs universels du pouvoir) et de Bourdieu (l'interprétation hermétique de sa théorie du champ), qui confirme ce qui est établi, institué, consolidé, strié, quadrillé comme étant apparemment la seule chose possible et immuable.

L'évitement de ces deux polarisations suggère un mouvement d'exode, de reniement, de fuite, mais de fuite au cours de laquelle on cherche une arme. Un fil rouge relie la remarque de Max Stirner sur « l'abandon de ce qui est établi », qui entre en décomposition à travers cet acte d'abandon, au concept deleuzien des lignes de fuite et à la conceptualisation plus récente de l'exode par Paolo Virno et Antonio Negri : c'est la construction différenciée d'une issue non dialectique par rapport à la pure négation *et* à l'affirmation de l'institution. Rechercher de telles échappatoires pour sortir de l'impasse de la critique institutionnelle implique aussi avant tout — et c'est l'enjeu de ce texte — un mouvement *conceptuel* de fuite, l'abandon du concept vicieux de critique institutionnelle, la dissolution de ses composantes conceptuelles et leur recomposition dans une autre généalogie conceptuelle.

contre la fermeture de (dans) l'institution

L'actualisation du concept de critique [4] permet de considérer plus précisément la question de l'institution. En l'occurrence, il ne s'agit pas de l'institution en tant que structure et appareil d'État immuables, en tant que simple élément d'un système de domination et de répression. Le problème, dans sa forme processuelle, dépasse largement le champ de la critique de l'État et du capitalisme : même — et justement — les mouvements sociaux et les machines révolutionnaires ne s'en sortent pas sans les institutions, de même qu'ils ne sont absolument pas à l'abri des phénomènes de structuralisation, de figement et d'institutionnalisation.

Max Stirner, anarchiste individualiste et contradicteur du premier Marx [5], écrit en 1844 son ouvrage post-hégélien et proto-poststructuraliste, *L'Unique et sa propriété*. Nous y rencontrons un concept molaire de la révolution à travers lequel Stirner envisage surtout la structuralisation et la Terreur de la Révolution française, et auquel il oppose le concept d'« insurrection » : « La révolution ordonne d'*instituer*, d'instaurer, l'insurrection veut qu'on *se soulève* ou qu'on *s'élève*. » [6] Une telle élévation, une telle insurrection, ne veut pas se laisser instituer, ne veut pas accepter les institutions comme telles, même celles de la Révolution, dans la mesure où elles se referment d'elles-mêmes. L'insurrection ne fonde pas de « brillantes espérances » sur les institutions ; un nouvel État, un nouveau peuple, un nouveau parti, une nouvelle société ne sont pas des options pour Stirner. Le mode de subjectivation de la fermeture de (dans) l'institution signifie en même temps que l'on s'institue soi-même dans l'institution et que l'on s'ajuste soi-même, comme tous les institués.

Félix Guattari, dans ses travaux sur l'analyse institutionnelle, a mis en lumière la tendance à la « structuralisation », comme il désigne la fermeture de (dans) l'institution. Ce qui importait à Guattari, c'était les traductions institutionnelles de la révolution dans sa forme non molaire : « Le projet révolutionnaire, comme machination d'une subversion institutionnelle, aurait à révéler de telles potentialités subjectives et, à chaque étape des luttes, à les prémunir contre leur "structuralisation" ». [7]

Comme le souligne Guattari, il ne suffit pas de penser théoriquement les modèles de cette subversion institutionnelle, mais il s'agit justement d'expérimenter en pratique et d'inventer en tâtonnant des machines qui échappent tendanciellement à la structuralisation. « La question de l'organisation révolutionnaire, c'est celle de la mise en place d'une machine institutionnelle dont les traits distinctifs seraient une axiomatique et une pratique lui garantissant de ne pas se replier sur les différentes structures sociales et tout spécialement sur la structure étatique (...). »[8]

C'est précisément cette façon élémentaire de traiter les formes d'organisation, cette ouverture permanente des structures sociales et cette protection contre leur fermeture qui ont été et sont encore l'objectif des pratiques offensives de l'insurrection et de la révolution moléculaire, lesquelles engendrent autre chose que des copies et des variantes de ce qui est établi. Chaque fois que les appareils d'État tendent vers l'orgique alors qu'en même temps des machines révolutionnaires expérimentent de nouvelles formes d'organisation[9], il se produit une insurrection pour lutter contre la structuralisation : ce fut le cas pendant la Commune de Paris, dans les Soviets et dans toutes les formes d'organisation de type conseil qui ont suivi, c'est-à-dire pendant la révolution espagnole et en mai 1968, pendant la révolte zapatiste et au sein du mouvement altermondialiste. Or en fuyant ce qui est établi, on ne résout absolument pas la question de l'institution. Un premier point de vue consiste à considérer les tendances à la fermeture et au quadrillage des institutions ; l'autre point de vue, qui est complémentaire, consiste à fuir la structuralisation en inventant d'autres formes d'institution.

pouvoir constituant et institution

Le verbe latin *statuo* signifie déjà, même sans préfixe, quelque chose comme établir, disposer, décider. Il s'agit d'un côté du procédé consistant à disposer des choses, à édifier des bâtiments, à disposer des objets ou des hommes dans un certain ordre, mais il s'agit aussi d'actes performatifs de parole ou de position tels que la prononciation de jugements ou même la fondation d'empires. Le substantif *status* (posture, position, état) est aussi statique, au sens littéral, que le verbe correspondant est dynamique.

Le préfixe *con-* modifie surtout le rapport entre le sujet et l'objet de cette *position*, qui devient com-position : il s'y ajoute un aspect collectif, une dimension du commun. S'agissant de la disposition des troupes, cela peut simplement signifier la multiplication des objets disposés, l'assemblage de plusieurs composantes. Pour l'aspect performatif de la décision, de la fixation, de la fondation, le composé *constituo* comporte le sens d'une subjectivation collective et d'une position commune. Une convention et une prise de décision commune fondent donc une « constitution ». Il semble que soient inhérents à tout cet agencement conceptuel mais surtout au mot *constituo* à la fois l'aspect dynamique de l'établissement, de la disposition, de la fondation et l'aspect fermant de la détermination, de la fixation et de la décision.

Ces deux trames de la constitution se retrouvent également dans les concepts de pouvoir constituant et constitué. À l'origine de ce couple conceptuel se trouve l'histoire du processus constitutionnel pendant la Révolution française. Dès 1789, dans son texte « Qu'est-ce que le tiers-état ? », Emmanuel Joseph Sieyès, protagoniste de la Constitution de 1791, établit une distinction entre le pouvoir constitué et le pouvoir constituant. Chez Sieyès, le pouvoir constitué correspond à la constitution écrite en tant que loi fondamentale et le pouvoir constituant à l'Assemblée constituante.

L'aspect généralement problématique du pouvoir constituant en tant qu'assemblée constituante réside dans la question cruciale de savoir comment on arrive à une telle assemblée et quelles sont les circonstances de sa légitimation. Dans son *Essai sur la révolution*, Hannah Arendt soulève ce « problème de la légitimité de l'appareil du pouvoir nouvellement établi, de ce pouvoir constitué dont l'Assemblée constituante, ou pouvoir constituant, ne pouvait garantir l'autorité étant donné qu'elle-même n'était pas constitutionnelle et ne pouvait pas le devenir, s'étant "constituée" avant la Constitution. »[10] Donc une constitution *avant* la constitution qu'il vaudrait peut-être mieux qualifier d'*institution* et qui implique, selon les contextes, différentes façons d'in-stituer, mais aussi différents niveaux de participation.

Hannah Arendt met surtout en évidence la distinction entre la Révolution française et la Révolution américaine : en France, c'était l'Assemblée nationale qui, par le pouvoir constituant qu'elle s'était donné à elle-même, avait élaboré la première Constitution pour la nation en suivant un principe déterminé de la représentation ainsi que l'idée d'une « division du travail ». Aux États-Unis, la Constitution de 1787 fut discutée paragraphe par paragraphe lors des *townhall meetings* et par les parlements des États, et ensuite complétée par des *amendments* ; elle émanait donc d'une infinité de corps constitués et d'un processus en plusieurs étapes.

Ce qui est particulièrement important pour Hannah Arendt, c'est la participation à la Constitution dans le système fédéral des États-Unis, car cet aspect a induit aux États-Unis et en Europe des relations complètement différentes entre la Constitution et la population. À vrai dire, si on y regarde de plus près, la différence du processus constitutionnel en France et en Amérique du Nord n'est pas de nature à ce point principielle qu'elle nous permette de comprendre cette emphase sur le déroulement parfaitement légaliste de la révolution américaine. Abstraction faite de l'exclusion réitérée des femmes, des indigènes et des esclaves, le processus constituant des États-Unis était également porté par des assemblées constituées et dominé par le principe de la représentation.

Les mêmes problèmes sont naturellement valables aussi pour certains exemples actuels du rapport entre assemblée constituante et constitution. Même dans le cas de la Constitution bolivarienne, c'est le président Chavez qui a convoqué l'Assemblée constituante après son élection en 1999, et, malgré tous les efforts déployés, la question de la participation est restée limitée en raison de l'écart séparant le vote de l'assemblée (juin 2000) et le référendum (décembre 2000). La procédure *top-down* de la Constitution européenne s'est avérée encore moins participative dans la mesure où il n'y a pas eu de diffusion de débats auto-organisés à l'échelon européen ; et quoi qu'on pense du « non » au référendum voté par la France et les Pays-Bas en 2005, la forme creuse de la « démocratie directe » ne remplace absolument pas le fait de consulter la population. Il faudrait donc interpréter le « non » comme une rupture dirigée contre la forme du référendum pour la question de la Constitution européenne ou, plus généralement, contre la restriction caricaturale du pouvoir constituant à un mécanisme dualiste de oui / non à l'institution ou à la non-institution d'un nouveau pouvoir constitué.

« Le choix d'une constitution, tel était le problème qui préoccupait les cerveaux révolutionnaires ; toute l'histoire politique de la Révolution est remplie par des luttes constitutionnelles et des questions constitutionnelles, de même que les talents sociaux se sont montrés étonnamment féconds en institutions sociales (phalanstères, etc.). C'est au contraire à devenir sans-constitution que tend l'insurgé. »[11] La pointe anarchiste de Stirner va bien au-delà des reliquats du pouvoir constituant dans la démocratie libérale et représentative, mais il ne revendique pas pour autant la possibilité d'une absence totale de constitution ; il décrit le désir de l'insurgé de s'opposer au striage infini de la production des désirs que provoque l'établissement d'une constitution. Antonio Negri recourt à une tournure semblable, dans son livre sur le pouvoir constituant[12], pour essayer de déplacer le discours sur le caractère abstrait-général de la constitution et sur les processus constituants vers un discours sur le caractère concret-général d'un « processus absolu ».

Ainsi, « (...) une fois passé le moment constituant, le caractère fixe de la constitution prend une allure réactionnaire dans une société fondée sur le développement de l'économie et des libertés » [13]. Negri commente ainsi la différenciation de la constitution en pouvoir constituant et pouvoir constitué non plus seulement en rapport avec le processus constitutionnel, mais à l'appui de la distinction opérée par Spinoza entre *potentia* et *potestas*.

Quand Negri développe ensuite le concept de pouvoir constituant en tant que processus absolu de l'organisation sociale, il part également du discours sur la constitution, plus précisément de la formule de Jean Antoine Condorcet : « À chaque génération sa constitution. » Avant même que ce principe soit fixé dans la Constitution française de 1793, Condorcet avait dit qu'une génération ne devait pas assujettir les générations futures à ses lois. Negri prend cette injonction au pied de la lettre et va bien au-delà de l'ancienne signification du pouvoir constituant. Il part du principe que le pouvoir constituant non seulement ne peut pas émaner du pouvoir constitué, mais qu'il n'entraîne pas non plus l'institution du pouvoir constitué. [14] Cela veut d'abord dire que même s'il y avait une constitution incessante au sens où l'entend Condorcet, à savoir une adaptation indéfiniment renouvelée du caractère abstrait-général de la constitution au concret-général, le problème fondamental de la représentation, de la division du travail entre les représentants et les représentés, de la séparation entre pouvoir constituant et constitué resterait d'actualité.

Negri pose par conséquent la question de savoir à quoi ressemblerait un pouvoir constituant qui, au lieu de produire des constitutions séparées de lui-même, se *constituerait lui-même* : un pouvoir con-stituant en tant que com-position qui se constitue elle-même au cours d'un processus collectif. L'anarchisme individuel de Stirner formule l'enchaînement des singularités avec les concepts d'« association » (*Verein*) et de « relation » (*Verkehr*), tandis que Negri essaie, avec une auto-constitution pensée collectivement, de placer au cœur de ses réflexions immanentes et transgressives le commun, la collectivité, un nouveau concept de communisme. Le pouvoir constituant se constitue lui-même, mais non plus comme dans la Constituante française en tant qu'unité dans la multiplicité, non plus en tant qu'unité qui représente le nombre. Au lieu d'être la constitution d'une nation en tant que *corps unique* qui « ébauche lui-même » sa constitution, le pouvoir constituant est une multiplicité sans unité, sans unification. Stirner et Negri aboutissent ainsi à une pensée qui pousse continuellement au-delà de la constitution : de même que l'insurgé de Stirner vise l'absence de constitution, la *repubblica costituente* de Negri est « une République qui vient avant l'État, qui vient du dehors de l'État. Le paradoxe constitutionnel de la République constituante réside dans le fait que le processus constitutionnel est sans fin, que la Révolution ne s'achève jamais. » [15]

C'est exactement dans ce sens qu'il faut comprendre la phrase de Stirner sur le « devenir sans-constitution » : comme un processus non clos et une révolution / insurrection non molaire [16]. Elle renvoie à la possibilité d'un agencement de singularités sans constitution, mais non pas sans pouvoir constituant ni *in*stitution. Cette institution ne doit pas instaurer un pouvoir constitué mais elle aboutit à une auto-instauration, à une auto-institution : Stirner dit que « l'insurrection nous amène à ne plus nous *laisser* régir, mais à nous régir nous-mêmes ». [17] Si on analyse le pouvoir constituant dans son rapport à l'institution, c'est surtout la *modalité* de cette institution qui s'impose à la vue, c'est-à-dire la question de savoir où se situe l'événement instituant par rapport au processus du pouvoir constituant, quelle proportion de *com*position, quelle forme prend dans l'institution le commun, le *con-* de constitution. La modalité de l'institution n'agit pas seulement sur un plan symbolique, sa tendance à un positionnement autoritaire *ou* à une com-position du singulier est décisive.

le long souffle de la pratique instituante

L'étude de la généalogie du pouvoir constituant nous apprend que la question de l'institution a été résolue de manières très diverses. J'aimerais approfondir cette question à l'appui de certaines pratiques artistiques et politiques des années 1930, 1950 et 1990, qui ont développé diverses formes d'institution et différentes qualités de participation. Ce passage de la théorie constitutionnelle à des micropolitiques spécifiques me semble indiqué pour étudier dans ce qu'il a d'apparemment simple le déploiement du pouvoir constituant et de la pratique instituante — non pas en tant que réplique au phénomène macropolitique des grandes transformations, mais en tant que processus transversaux qui par leurs corrélations cassent le dualisme micro / macro.

Dix ans après que le Proletcult soviétique eut commencé à ouvrir le théâtre à tout le monde, Bertolt Brecht, qui s'inscrivait dans cette ligne de désintégration du théâtre bourgeois de l'empathie, répondit à la question de la participation et de l'activation du public théâtral par un geste paradoxal de *fermeture* radicale : il élabora à la fin des années 1920, à partir de ses divers essais de théâtre épique, une forme rigoureuse de pièce didactique où les publics précisément déterminés deviennent des « actifs » : « la pièce didactique enseigne par le fait qu'elle est jouée et non par le fait qu'elle est vue ». [18] Brecht s'est distancié du théâtre en tant que lieu de démonstration, du public en tant que figure réceptive et du texte en tant que forme close, et il a conçu un théâtre pour exécutants seulement, en reconnaissance de ceux qui y participent activement. L'enseignement de la pièce didactique consistait dans le fait de jouer jusqu'au bout toutes les positions et tous les rôles possibles, en changeant constamment de perspective. Ainsi, Brecht refusait résolument d'imposer au public des représentations de la *Décision*, pièce qu'il qualifiait d'« outil de travail pédagogique avec des étudiants de l'école marxiste et des collectifs prolétariens » [19], avec des chœurs d'ouvriers, des groupes d'amateurs, des chœurs et orchestres d'élèves. Mais il est certain que l'institution brechtienne de ce *publicum* activé n'a duré qu'un temps et supposait comme condition préalable une production solitaire du texte.

L'Internationale situationniste s'est au contraire présentée comme un collectif qui se servait du texte plutôt comme un medium discursif et politisant à travers les manifestes et les revues, mais sans le poser comme une condition de sa pratique de construction des situations. Dès le début, dans les années 1950, il ne devait s'agir ni d'instituer quelque chose de façon autoritaire et solitaire, ni de se laisser passivement porter dans des situations quasi naturelles. La question qui se posait pour l'IS était la suivante : « Quel mélange, quelles interactions, doivent survenir entre l'écoulement (et les résurgences) du "moment naturel", au sens d'Henri Lefebvre, et certains éléments artificiellement *construits* ; donc introduits dans cet écoulement et le perturbant, quantitativement et, surtout, qualitativement ? » [20] Le fait qu'on eût besoin, au-delà des « moments naturels », d'une intervention consciente et directe pour construire une situation est déjà induit par les termes *créer* et *construire*, qui sont toujours employés en rapport avec la situation situationniste. En conséquence, une situation construite est, selon la définition situationniste, « un moment de la vie, concrètement et délibérément construit par l'organisation collective d'une ambiance unitaire et d'un jeu d'événements » [21]. Un aspect important de la construction de situations consistait en particulier, en lien avec la tradition brechtienne, à contrecarrer la mise en place des relations entre la scène et le public, entre les acteurs et les spectateurs. Le rôle du public devait toujours se réduire tandis qu'augmentait la participation de ceux qui ne seraient plus des acteurs mais des « viveurs », du moins dans l'idéal.

S'agissant de la pratique situationniste concrète, l'IS, dès 1958, fait preuve de pragmatisme en limitant en réalité la collectivité des « viveurs » à une hiérarchie à trois niveaux. Prééminence est accordée au metteur en scène en tant que coordinateur en chef à qui il revient aussi d'intervenir dans les événements ; le deuxième niveau, de ceux qui vivent consciemment la situation, coopère directement ; dans le troisième niveau, il conviendrait de *réduire* à l'action un public passif, entraîné par hasard dans la situation [22]. Malgré la forme collective de cette institution, le problème de la participation n'était manifestement pas du tout résolu, notamment dans le troisième niveau du public passif. C'est seulement autour de Mai 1968 que l'IS a réussi, en tant qu'agencement discursif, une *ouverture* dans l'espace confus et imprévisible de la machine révolutionnaire, mais pour se dissoudre peu après [23].

Un grand nombre de pratiques politico-artistiques ont vu le jour dans les années 1990 et se sont développées en corrélation avec divers mouvements sociaux à la fois locaux et mondiaux. Les rapports quelque peu durcis et hiérarchisés de l'art et de la politique se sont ainsi assouplis sur certains points particulièrement brûlants. Au début des années 1990, une initiative d'urbanisation par le bas est née à Hambourg dans le contexte social du mouvement autonome des squatteurs de la Hafenstraße, de la population alternative du quartier chaud de Sankt-Pauli et de ses initiatives sociales, et en lien également avec les pratiques artistiques collectives des arts plastiques politisés et le milieu pop de gauche gravitant autour du Golden Pudel Club. Au début, vers 1994, il s'agissait simplement d'empêcher les constructions prévues sur les rives de l'Elbe, avec la fausse allégation qu'il allait y avoir un parc. Puis s'est développée à partir de là la fiction d'un parc d'une autre sorte : *Park Fiction*. La formation auto-organisée d'un foyer de *gentrification* n'était pas seulement censée attaquer l'appareil d'État de la politique urbaine traditionnelle, mais aussi la participation limitée des citoyens qui suscite des formes contrôlées d'activation et l'apaisement gouvernemental. Le but de *Park Fiction* n'était pas tant de favoriser un processus ordonné d'aménagement urbain alternatif que d'inaugurer un processus sauvage de production de désir.

L'idée de stimuler la production collective de désir a été à la base d'une série de manifestations (Park Fiction 0-5) dans les années 1995 et 1996. « Il s'agissait moins pour nous, d'abord, d'analyser les désirs. Ou, pour le dire autrement, nous considérions comme une partie de notre travail le fait d'apprendre à formuler des désirs. » [24] Toutes sortes de conférences sur le parc et la politique, des expositions, des *rave-parties*, des soirées vidéo montrant des formes inhabituelles de parcs ont accéléré la production de désir et de savoir en posant la question de tout ce que pourrait être un parc. Ces diverses impulsions étaient censées aider les désirs à devenir plus grandioses.

En octobre 1997, une réalisation importante fut celle du « container de l'aménagement » : pendant six mois, une agence d'urbanisme fut ouverte au moins deux jours par semaine dans un container installé sur place. Les étranges outils de l'institution des désirs comprenaient un « bureau de pétrissage », les archives des désirs, une bibliothèque-jardin, des ustensiles de bricolage, peinture et dessin, du matériel informatique et les documents plus traditionnels de l'aménagement urbain. Lors de plus de 200 visites à domicile ou dans leur magasin, on proposa aux personnes qui n'avaient pas encore accès au projet d'intervenir avec un « kit d'action » portable (une version miniature du container de l'aménagement). En avril 1998 eut lieu, à l'occasion d'un conseil de quartier, une présentation détaillée des résultats, suivie d'une discussion.

Le film *Park Fiction Film*, réalisé en 1999 par Margit Czenki, allait bien au-delà du documentaire classique, dans la mesure où il faisait partie intégrante de la production collective des désirs relatifs à un parc qui n'existait pas encore : « Les désirs vont quitter l'appartement et descendre dans la rue », tel était le sous-titre suggestif qui reliait le pouvoir constitué des désirs à la promesse du devenir-public. Et en effet les désirs s'envolèrent lentement de l'espace strié qui sépare le privé du politique. Leur éventail s'étendait des cris d'oiseaux enregistrés et des haies de buis taillées en caniche, d'une cabane dans les arbres en forme de fraise mûre et des boîtes aux lettres pour les jeunes dont les parents contrôlent le courrier à la maison, à un cinéma en plein air et un gymnase au toit couvert de verdure avec des palmiers en bois sur rails, une fontaine aux piratesses, des plates-formes de bronzage et de barbecue sur rail, des morceaux de pelouse roulants, en passant par un boulevard des possibilités refoulées par la rue, des jardins à thé et des vergers, des bancs, des fleurs, la sculpture culinaire d'une déesse inca crachant du feu, une piste de course pour les chiens, un toboggan aquatique dans l'Elbe (enfin propre), et enfin un « Trash Park » contenant les ordures indestructibles de la prospérité, qui était censé refléter les conditions sociales du quartier.

En se présentant comme un projet artistique dans l'espace public, on ne cherchait pas seulement à faire subventionner cette « phase de désirs » par la municipalité, mais aussi à permettre la réalisation processuelle du parc. Au milieu de cette période de réalisation architecturale, durant laquelle il fallut de plus en plus lutter contre l'obstruction de la part des autorités, *Park Fiction* a été invité en 2002 à la onzième édition de la *Documenta*, ce qui lui donna l'occasion de promouvoir la documentation et l'archivage, avec des moyens encore une fois non conventionnels, au lieu de faire une intervention spectaculaire spécifiquement conçue pour Kassel [25]. En 2003 enfin, juste à temps pour le congrès organisé par *Park Fiction*, « Unlikely Encounters in Urban Space », auquel participèrent des activistes venus des quatre coins du monde, on ouvrit enfin en partie le parc aux multiples îles : le tapis volant et l'île aux palmiers, un petit amphithéâtre derrière le Golden Pudel Club, les jardins du voisinage autour de l'église Sankt-Pauli et le terrain de pétanque baptisé « Petit déjeuner en plein air ». En 2005 vinrent s'y ajouter trois solariums en plein air, le terrain de tartan aux motifs de tulipes, le jardin des chiens avec le portail-caniche et la haie de buis taillée en forme de caniche, le système de passerelles du parc Schauermann, deux jardins de « simples » devant le presbytère et le jardin de bambous du politicien modeste [26].

La fontaine aux piratesses et la cabane dans les arbres en forme de fraise attendent encore leur heure. Mais la pratique instituante et irrévocable de *Park Fiction* attend surtout une contextualisation adéquate des « objets » qu'elle a consolidés. Le processus par lequel s'est créé le parc — et c'est un problème plus général de l'art dans l'espace public auquel on prête rarement attention — n'est pas visible dans ces « objets », la force explosive de leur histoire, la jonction du singulier et du collectif dans la production des désirs reste cachée. Après que les autorités eurent empêché la création de modèles d'archivage accessibles et plus complexes, *Park Fiction* a fini par élaborer un projet d'« archives explosées » avec un boulevard sculpté des désirs non réalisés et un accès électronique aux archives.

Continuant à développer le concept de pouvoir constituant élaboré par Negri, *Park Fiction* emploie celui de « pratique constituante » pour se désigner lui-même. Mais la description des incitations incessantes à la production collective de désir devrait avoir aussi et surtout mis en évidence la qualité en tant que pratique instituante. En ce qui concerne les deux composantes principales, et qui sont liées, de la pratique instituante, on peut reconnaître que la pluralisation de l'événement instituant entraîne également une plus forte participation à l'institution : c'est justement la connexion de si nombreuses institutions incessantes et diversement composées qui empêche un mode autoritaire d'institution tout en agissant contre la fermeture de (dans) l'« institution » *Park Fiction*. Les divers agencements de l'auto-organisation favorisent une large participation à l'institution parce que, en tant que pouvoir constituant, elles se recomposent sans cesse et se rattachent régulièrement à de nouveaux combats locaux et mondiaux. Dans l'histoire passée et présente de la Hafenstraße, dans le contexte mélangé du Golden Pudel Club et de son petit pendant en matière de groupe de discussion, le

Butt-Club, dans l'agencement social effiloché de ce quartier, *Park Fiction* est avant tout une pratique continuellement insistante de l'institution : c'est un déferlement d'impulsions, petites et grandes, à s'insurger collectivement et à créer un pouvoir constituant, c'est une série d'événements pendant lesquels on apprend à formuler des désirs, c'est un éternel recommencement, une pratique instituante qui insuffle énormément de choses à énormément de gens et qui a en même temps un souffle considérablement long.

Je remercie Isabell Lorey, Stefan Nowotny et Alice Pechriggl pour leurs conseils et leurs critiques.

Traduit de l'allemand par Barbara Fontaine.

(1) Max Stirner, *L'Unique et sa propriété*. Trad. R.L. Reclaire, Stock, 1899, p. 250.

(2) *http://eipcp.net/transversal/0106*. Voir en particulier mon texte introductif sur le sujet (« Instituent Practices Fleeing, Instituting, Transforming », *http://eipcp.net/transversal/0106/raunig/en*), dont les idées son synthétisées et approfondies ici.

(3) Gilles Deleuze, Félix Guattari, *Mille Plateaux*, Minuit, 1980, p. 570-573 ; Maurizio Lazzarato, « La Machine », *http://transform.eipcp.net/transversal/0106/lazzarato/fr*.

(4) Voir Gerald Raunig, « La Double Critique de la parrhesia. Réponse à la question "Qu'est-ce qu'une institution (artistique) progressiste ?" », à l'adresse : *http://eipcp.net/transversal/0504/raunig/fr*.

(5) Voir les recoupements entre l'œuvre majeure de Stirner, *L'Unique et sa propriété*, et celle de Marx et Engels, *La Sainte Famille ou Critique de la critique critique*, ainsi que la critique dirigée contre Stirner en tant que « saint Max » dans *L'Idéologie allemande* des mêmes auteurs.

(6) Stirner, *op.cit*, p. 250.

(7) Félix Guattari, « Machine et structure », in *Psychanalyse et transversalité*, La Découverte, 2003, p. 248.

(8) *Ibid.*, p. 247.

(9) Voir Gerald Raunig, *Kunst und Revolution. Künstlerischer Aktivismus im langen 20. Jahrhundert*, Vienne, Turia + Kant, 2005, p. 76-92 ; la version anglaise paraîtra à l'automne 2007 : *Art and Revolution. Transversals, Monsters, and Machines*, Semiotext(e) / MIT Press, 2007.

(10) Hannah Arendt, *Über die Revolution*, Piper, 2000, p. 211 (*Essai sur la révolution*, Gallimard, 1985).

(11) Stirner, *op.cit.*, p. 250 (traduction modifiée).

(12) Negri, *Le Pouvoir constituant. Essai sur les alternatives à la modernité*, trad. É. Balibar et F. Matheron, PUF, 1997 (*Il potere costituente : saggio sulle alternative del moderno*).

(13) Negri, « La République constituante », in *Multitudes* : *http://multitudes.samizdat.net/La republique-constituante.html*.

(14) Voir Negri, *Le Pouvoir constituant, op. cit.*, p. 31.

(15) Negri, « La République constituante », *op. cit.*

(16) En utilisant la formule deleuzienne « devenir sans-constitution », je voudrais proposer une interprétation de l'« insurrection » de Stirner qui met en évidence sa molécularité et sa processualité et me démarquer ainsi, fût-ce de façon précaire, de l'interprétation de certaines idéologies de droite qui se sont accaparé Stirner.

(17) Stirner, op. cit., p. 250.

(18) Bertolt Brecht, *Die Maßnahme. Kritische Ausgabe mit einer Spielanleitung von Reiner*

Steinweg, Suhrkamp 1972, p. 251 (« La Décision », in *Théâtre complet* (vol. 7), l'Arche, 1978-80.)

(19) *Ibid.*, p. 248.

(20) I.S., « Théorie des moments et construction des situations », in *Internationale situationniste. Bulletin central édité par les sections de l'Internationale situationniste*, n°4, juin 1960.

(21) I.S., « Problèmes préliminaires à la construction d'une situation », in *Internationale situationniste. Bulletin central édité par les sections de l'Internationale situationniste*, n°1, juin 1958.

(22) *Ibid.*

(23) Voir Raunig, *Kunst und Revolution*, p. 160-168.

(24) Christoph Schäfer et Cathy Skene, lors d'une interview avec Hans-Christian Dany, « Tout ce que pourrait être un parc. Une conversation avec Christoph Schäfer et Cathy Skene », in *Kritik* n°2, 1996, p. 56.

(25) Comme l'a fait par exemple Thomas Hirschhorn dans le cadre de la même *documenta*.

(26) On trouvera des documents et des textes complémentaires à cette adresse : *http://park fiction.org/*.

la mémoire du corps contamine le musée

Suely Rolnik

> *Au moment même où il digère l'objet, l'artiste est digéré par la société qui a déjà trouvé pour lui un titre et une occupation bureaucratiques : il sera l'ingénieur des loisirs du futur, activité qui n'affecte en rien l'équilibre des structures sociales.*
> Lygia Clark, Paris, 1969[1].

L'œuvre de l'artiste brésilienne Lygia Clark occupe une position singulière dans le mouvement de critique institutionnelle qui débute dans les années 1960-70. Un grand nombre d'artistes en viennent alors à douter de la possibilité de développer leurs recherches dans les espaces institutionnels qui leur sont destinés, sous peine d'étouffer leur force poétique — la vitalité proprement dite de l'œuvre, dont émane son pouvoir d'interférence critique dans la réalité. C'est que, dans le même temps, la logique médiatico-mercantile commence à s'infiltrer dans le territoire de l'art, pour en venir à s'installer de manière plus incisive à partir de la fin des années 1970, avec la consolidation de l'hégémonie internationale du capitalisme néolibéral. Comme nous le savons aujourd'hui, la connaissance et la création sont dans ce nouveau contexte un objet privilégié de l'instrumentalisation au service du marché.

Au Brésil, la critique des institutions artistiques se manifeste dès le milieu des années 1960 dans des pratiques particulièrement vigoureuses, au cœur même d'un mouvement contre-culturel plus large, mais elle disparaît pendant la décennie suivante en raison des blessures infligées par la dictature militaire aux forces de création, dont la recrudescence est violente à partir de 1969. Beaucoup d'artistes sont alors conduits à l'exil soit parce qu'ils risquent la prison, soit parce que, simplement, la situation devient intolérable : c'est le cas de Lygia Clark. Comme tout traumatisme collectif de cette ampleur, l'affaiblissement du pouvoir critique de la création en raison du terrorisme d'État persiste pendant plus d'une décennie après le retour de la démocratie dans les années 1980, et cet affaiblissement coïncide (ce n'est pas un hasard) avec le processus d'installation du capitalisme culturel dans le pays. La force critique de l'art n'a été réactivée que très récemment, par le fait d'une génération qui s'affirme à partir de la seconde moitié des années 1990, au moyen évidemment de stratégies conçues en fonction des problèmes suscités par le nouveau régime, déjà alors pleinement installé. Avec des pratiques similaires à celles qui se font aujourd'hui dans différents pays, l'une des caractéristiques de ces stratégies est la dérive extraterritoriale avec une connexion progressive à des pratiques sociales et politiques (par exemple le Mouvement sans toit du centre, dans la ville de São Paulo). Cela n'implique pourtant pas une désertion complète de l'institution artistique, avec laquelle se maintient une relation sans préjugés, un mouvement fluide d'entrées et de sorties qui produit à chaque retour une différence dans le champ institutionnel de l'art — seconde caractéristique de ces pratiques, sur un mode différent de celui des générations de la critique institutionnelle des années 1960 et 1970, comme le note Brian Holmes.

La citation de Lygia Clark qui ouvre cet essai témoigne de la lucidité aiguë de cette artiste quant aux effets pervers du capitalisme culturel dans le territoire de l'art, et ce dès 1969, alors que le nouveau régime s'annonçait seulement à l'horizon. Les formes de critique qu'elle met en œuvre dans les deux décennies suivantes ne rencontreront de résonance que bien des années après sa mort, dans le mouvement récent que nous avons mentionné, qui prend corps à partir de la décennie 1990. Devant l'évidence de cette résonance, en 2002, j'ai décidé de développer un projet de réactivation de mémoire autour de l'œuvre de Lygia Clark. Ce projet est devenu l'épine dorsale d'une exposition que j'ai organisée en France et au Brésil.

une trajectoire vers le paradoxe

Le parcours de Lygia Clark en tant qu'artiste a commencé en 1947. Elle a consacré ses treize premières années à la peinture et à la sculpture mais, dès 1963, avec *Caminhando* (cheminant), sa recherche a subi un infléchissement radicalement novateur qui s'est avéré irréversible, se portant vers la création de propositions qui dépendaient du processus qu'elles mobilisaient dans le corps de leurs participants, condition de leur réalisation. En quoi consistaient exactement ces propositions ?

Les pratiques expérimentales de Lygia Clark sont généralement comprises comme des expériences polysensorielles, dont l'importance aurait été d'avoir surmonté la réduction de la recherche artistique au champ du regard. Cependant, si l'exploration de l'ensemble des organes des sens était une question de l'époque, les œuvres de cette artiste allaient plus loin : le foyer de sa recherche consistait en une mobilisation des deux capacités dont chacun des sens serait porteur. Je fais référence aux capacités de perception et de sensation qui nous permettent d'appréhender l'altérité du monde, respectivement comme une carte de formes sur lesquelles nous projetons des représentations ou comme un diagramme de forces qui affectent les sens en leur vibratilité. La dynamique de la relation entre ces capacités, irréductiblement paradoxale, est ce qui convoque et donne l'impulsion à la puissance de l'imagination créatrice (c'est-à-dire la puissance de la pensée), qui, quant à elle, déclenche des devenirs de soi-même et du milieu dans des directions singulières et non parallèles, impulsées par les effets de leurs rencontres[2].

Dès le début de son parcours, l'expérimentation artistique de Lygia Clark a cherché à mobiliser chez les récepteurs de ses propositions artistiques l'appréhension vibratile du monde et le paradoxe qu'elle introduit dans la perception, visant par là l'affirmation de l'imagination créatrice que ce différentiel serait susceptible de mettre en mouvement, ainsi que son effet transformateur. Le travail ne s'interrompait plus dans la finitude de la spatialité de l'objet ; il se réalisait maintenant comme temporalité au cours d'une expérience dans laquelle l'objet se déchosifie pour redevenir un champ de forces vives qui affectent le monde et sont affectées par lui, produisant un processus continu de différenciation. L'artiste, de fait, a digéré l'objet.

Cette question était déjà présente dans les stratégies de Lygia Clark en peinture et en sculpture[3]. Après 1963, cependant, l'œuvre en vient à ne plus pouvoir exister autrement que dans l'expérience de ses récepteurs, hors de laquelle les objets se convertissent en une espèce de néant, résistant en principe à tout désir de fétichisation. L'avant-dernier pas fut franchi dans le travail avec ses étudiants de la Sorbonne, où l'artiste enseigna de 1972 à 1976[4]. Là, déjà, elle choisit de s'exiler du territoire institutionnel et disciplinaire de l'art, émigrant à l'université, dans le contexte du Paris estudiantin post 68, où il devient possible d'introduire dans ses propositions l'altérité et le temps, qui avaient été exclus du territoire de l'art. Il apparaît ici que l'expérience que ses objets supposent et mobilisent comme leur condition d'expressivité bute sur certaines barrières subjectives chez les participants, érigées par la fantasmatique inscrite dans la mémoire du corps, résultante de ses traumas. Lygia Clark se rend alors compte que la réactivation de cette qualité d'expérience esthétique (dans le sens de la capacité à être affecté par les forces du milieu où l'on vit) n'est pas du tout évidente. C'est devant cette impasse qu'elle crée la *Structuration du Self*, dernier geste de l'œuvre de l'artiste, qui a lieu après son retour définitif à Rio de Janeiro.

Le nouveau foyer de recherche devenait alors la mémoire des traumas et de leurs fantasmes, dont la mobilisation cessait maintenant d'être un simple effet secondaire de ses propositions, pour occuper le centre de son nouveau dispositif. Lygia Clark cherchait à explorer le pouvoir qu'avaient ces objets de faire affleurer cette mémoire et de « la traiter » (une opération qu'elle appelait « vomir la fantasmatique »). C'est donc la logique même de sa recherche qui l'a conduite à inventer sa dernière proposition artistique, à laquelle s'associait une dimension délibérément thérapeutique. L'artiste travaillait individuellement avec chaque personne au cours de séances d'une heure, une à trois fois par semaine, pendant des mois, et, dans certains cas, plus d'une année. Sa relation avec chaque récepteur, médiatisée par les objets, était devenue indispensable à la réalisation de l'œuvre : c'est à partir des sensations de la présence vive de l'autre dans son propre « corps vibratile » au cours de chaque séance que l'artiste définissait peu à peu l'usage singulier des *Objets relationnels* [5]. C'est cette même qualité d'ouverture à l'autre qu'elle cherchait à provoquer chez ceux qui participaient à ce travail. L'œuvre se réalisait dans la prise de consistance de cette qualité de relation dans la subjectivité de ses récepteurs.

Cet aspect « relationnel » était probablement une manière de se détacher d'une politique de la subjectivation marquée par l'individualisme, tel qu'il se présentait — et se présente de plus en plus — dans le champ de l'art : le couple formé par l'artiste inoffensif en état de jouissance narcissique et son spectateur / consommateur en état d'anesthésie sensible. En ce sens, la notion de « relationnel », cœur de la poétique pensante de l'œuvre de Lygia Clark, pourrait nous servir à séparer le bon grain de l'ivraie dans la masse de propositions apparemment similaires qui prolifèrent aujourd'hui, surtout dans les œuvres qui se prévalent de ce que l'on appelle « les nouvelles technologies de l'image » —, particulièrement celles qui se présentent dans le circuit institutionnel, mais aussi celles qui se font délibérément en dehors de lui et à contre-courant.

dérive extraterritoriale

Dans les propositions utilisant de nouvelles technologies qui prédominent actuellement dans le circuit institutionnel, ce qui a été qualifié de « relationnel » se réduit fréquemment à un exercice stérile de divertissement qui contribue à la neutralisation de l'expérience esthétique — affaire d'« ingénieurs du loisir », pour paraphraser Lygia Clark. Ces pratiques établissent une relation d'extériorité entre le corps et le monde où tout se maintient au même endroit.

Les propositions qui se font à contre-courant de ce *mainstream* par des artistes qui utilisent ces mêmes moyens technologiques se caractérisent par un mouvement de dérive hors des frontières du circuit pour s'infiltrer dans les interstices les plus tendus de la cité. Leur démarche surgit comme résistance à l'usage intolérable de ces technologies mentionnées plus haut, tout comme à la distribution élitiste de l'accès à celles-ci. Il est vrai que, dans ce mouvement, quelques propositions finissent par se transformer en pratiques militantes, perdant la puissance politique propre de l'art ; mais ceci est dû à l'oppression que l'artiste subit sur son propre terrain, découlant de l'instrumentalisation de son travail, qui tend à bloquer la puissance politique virtuelle qui lui est propre. C'est certainement parce qu'ils ressentent l'exigence d'affronter ce blocage que les artistes en viennent à opter pour les stratégies extradisciplinaires. L'objectif de cet exode est de créer d'autres moyens de production, ainsi que d'autres territoires de vie (de là vient la tendance à s'organiser en collectifs, qui maintiennent une relation entre eux, se réunissant souvent autour d'objectifs communs). Sur ces nouveaux territoires, il devient possible de se réapproprier la relation vivante avec l'altérité (c'est-à-dire l'expérience esthétique) et la liberté de créer en fonction des tensions indiquées par ces affects. C'est également pour cette raison que le terrain d'investissement et de production de leur dispositif artistique tend à être la vie sociale, où débouche la canalisation de leur force inventive pour constituer l'« imagosphère » qui recouvre aujourd'hui entièrement la planète — une couche continue d'images qui s'interpose entre les yeux et le monde comme un filtre. L'identification a-critique avec ces images est précisément ce qui permet d'instrumentaliser toutes les forces subjectives au service de l'hyper-machine de production capitaliste.

Dans ce contexte, la tension qui découle de cet usage des images dont la fonction est d'enrôler la vie comme force de travail pour la production du marché — stratégie propre au biopouvoir qui caractérise le capitalisme financier — devient l'un des champs privilégiés de l'action artistique, ce qui la rapproche des mouvements sociaux dans la résistance à la perversion du régime en cours. Ce rapprochement trouve sa réciproque dans les mouvements sociaux, qui, quant à eux, sont conduits à incorporer une dimension micropolitique à leur activisme, dans la mesure où, dans le nouveau régime, la domination et l'exploitation trouvent dans la manipulation *via* l'image l'une de leurs armes principales, sinon « la » principale. La collaboration entre artistes et activistes s'impose ainsi actuellement comme une condition nécessaire pour mener a terme le travail critique entrepris par les deux, chacun intervenant dans un domaine spécifique du réel.

En ce sens, les pratiques artistiques d'interférence dans la vie sociale les plus frappantes ne sont pas celles qui, pédagogiques et militantes, utilisent leurs moyens pour l'exercice macropolitique de dénonciation et de prise de conscience, mais bien celles qui affirment la puissance politique propre de l'art. Ici, l'esthétique d'intervention dans les foyers de tension de la réalité s'inscrit au plan des images, libérant leur usage des stratégies de domination, ce qui a le pouvoir de les révéler, mais aussi et principalement de permettre qu'on en fasse un autre usage. Autrement dit, ce que ces pratiques convoquent chez ceux qui les reçoivent n'est pas la conscience de la domination et de l'exploitation en sa face visible, macropolitique, mais l'expérience de celle-ci dans le corps vibratile, sa face invisible, inconsciente, micropolitique, qui interfère dans le processus de subjectivation. Face à ces propositions artistiques, il devient impossible d'ignorer le malaise que cette cartographie perverse provoque en nous, ce qui nous conduit tendanciellemnt à nous détacher du pouvoir de l'imagosphère neolibéral sur nos yeux, réveillant ainsi leur vibratilité.

Sensible très tôt à cet état de choses, Lygia Clark opta, dès les années 1970, pour la solitude de cette position extradisciplinaire, bien avant que celle-ci ne devienne l'objet d'un mouvement collectif de critique sur ce terrain. Le travail développé dans sa dérive a consisté dans la construction d'un territoire singulier, auquel l'artiste donna corps peu à peu, tout au long de sa trajectoire.

Avec la *Structuration du Self* s'achève cette construction par laquelle Lygia Clark s'inscrit dans le mouvement critique actuel, réalisant la première de ses opérations, la migration dans d'autres champs. En ce sens, il est important de reconnaître que Lygia Clark a de fait abandonné le champ de l'art et qu'elle a opté pour le champ de la clinique, après son bref passage par l'Université. C'est une décision stratégique qui doit être reconnue comme telle. Il s'agissait de faire un corps dans l'exil du territoire institutionnel de l'art où sa puissance critique ne trouvait pas de résonance et avait tendance à s'effacer dans la stérilité d'un champ sans « autre » (ce qui s'aggravait plus encore dans le Brésil de la dictature). Dans cette migration, l'artiste réinvente le public, au sens fort, qui avait disparu de l'art, construisant avec ses dispositifs une relation avec chacun de ses récepteurs, en ayant pour objet sa politique de subjectivation et pour moyen la durée (condition pour interférer dans le champ, en y réintroduisant l'altérité, l'imagination créatrice et le devenir). Mais Lygia Clark en est restée à la première opération : le geste a dû rester en exil, parce que le territoire de l'art n'était pas prêt à le recevoir. En ce sens, son œuvre est restée partiellement prisonnière de la dérive interdisciplinaire qui avait caractérisé les années 1980, au sein desquelles s'inscrit la *Structuration du Self*.

Du point de vue du territoire insolite que cette artiste a constitué avec son œuvre, esthétique et clinique s'avèrent des puissances de l'expérience, inséparables dans leur action d'interférence dans la réalité subjective et objective. Mais la réactivation de l'expérience esthétique que ces propositions provoquaient a consisté plus largement en un acte, thérapeutique et de résistance politique, dans le tissu de la vie sociale, qui allait au-delà des frontières du champ de l'art et mettait ainsi en crise son autonomie supposée. C'est cette triple puissance de l'œuvre de Lygia

Clark — esthétique, clinique et politique —, que j'ai voulu réactiver avec le projet de mémoire mentionné plus haut, face au voile d'oubli qui l'enveloppe. Mais que veut dire « oubli » dans le cas d'un travail comme celui de cette artiste, qui, au contraire, est de plus en plus célébré dans le circuit international de l'art ?

de retour au musée

De fait, du vivant de Lygia et une dizaine d'années encore après sa mort, ses pratiques expérimentales n'avaient aucune réception dans le territoire de l'art, d'autant que la *Structuration du Self* demeurait catégorisée comme clinique. En 1998, le circuit international reconnut enfin les propositions expérimentales de l'artiste [6], mais en les fétichisant : on recommence à exposer des objets ou on refait les actions devant des spectateurs qui leur sont extérieurs. Si l'artiste avait fait de son œuvre la digestion de l'objet, afin de réactiver le pouvoir critique de l'expérience artistique, le circuit digérait maintenant l'artiste en en faisant l'ingénieur des loisirs d'un futur qui était déjà arrivé, ce qui « n'affecte en rien l'équilibre des structures de la société », exactement comme elle l'avait prévu. Le malaise que cette situation provoquait, à chaque fois que je tombais sur l'œuvre de Lygia Clark, enfermée dans le territoire de la clinique ou réduite à rien dans le territoire de l'art, imposa l'exigence d'inventer une stratégie capable de transmettre ce qui était en jeu dans ces pratiques et d'activer ainsi la force de son geste, au moment même de son incorporation neutralisante par le système de l'art.

Si le dévoiement de l'énergie critique des propositions de Lygia Clark au service du capitalisme culturel signifie leur mort, les laisser dans la clinique reviendrait à les confiner dans une nouvelle discipline, en éteignant la flamme critique de son geste. Comme dans tout exil, si le territoire de la clinique lui avait servi de corps-prothèse pour réactiver la vitalité de la création agonisante dans le territoire de l'art, le processus s'achèverait avec le retour à ce dernier, à condition que le corps de son œuvre réinventé et revitalisé dans l'exil puisse irradier sa puissance dans le territoire de l'origine (de l'art et, plus spécifiquement, brésilien), ouvrant là des espaces de respiration poétique. Mais comment transmettre une œuvre qui n'est pas visible, puisqu'elle se réalise dans la temporalité illimitée des effets de la relation que chaque personne établit avec les objets qui la composent et avec le contexte établi par son dispositif ?

Promouvoir un travail de mémoire au moyen de plusieurs entretiens filmés, telle est la direction dans laquelle j'ai trouvé une réponse. L'idée était de produire un enregistrement vivant des effets du corps constitué par Lygia dans son exil de l'art, dans son environnement culturel et politique, au Brésil comme en France. Avec l'exposition, qui avait la mémoire pour épine dorsale, la pulsation de ce corps dans le territoire de l'art avait des chances de le contaminer. Transformé au cours de trente années par les irradiations des générations successives de critique institutionnelle qui débouchaient maintenant sur une troisième génération, ce sol recommençait à être potentiellement fécondable. Lygia pouvait maintenant trouver un retentissement minimal de ses gestes sur ce terrain, gestes auxquels le projet allait donner une continuité, réalisant ainsi le mouvement d'aller et retour qui caractérise actuellement la critique institutionnelle et qui était impossible du vivant de l'artiste.

Il s'agissait de faire affleurer la mémoire des puissances de ces propositions au moyen d'une immersion dans les sensations vécues, dans les expériences que celles-ci procuraient, mais aussi d'inciter à un travail d'élaboration permettant de les rendre dicibles. Il ne suffisait pas de restreindre les entretiens à ceux qui était directement liés à Lygia Clark, à sa vie et / ou à son œuvre ; il était nécessaire de produire également la mémoire du contexte dans lequel sa démarche était née et avait trouvé ses conditions de possibilité, puisque l'intervention dans la politique de subjectivation et de relation avec l'autre était dans l'air du temps, et se produisait également, de bien d'autres manières, dans l'ambiance contre-culturelle effervescente de l'époque. En somme, il s'agissait de produire une mémoire du corps que cette expérience avait affectée et où elle s'était inscrite.

La stratégie consistait à faire entendre un concert de voix paradoxales et hétérogènes, marquées par le ton de la singularité des expériences vécues et, donc, dissonantes par rapport au timbre auxquels nous sommes habitués, que ce soit dans le champ de l'art, de la clinique ou de la politique. Soixante-six entretiens furent alors réalisés, en France, aux États-Unis et au Brésil, qui ont abouti à une série de DVD [7]. Au cours du tournage, Corinne Diserens, qui dirigeait à l'époque le musée des Beaux-Arts de Nantes, proposa que nous pensions à une exposition à partir de ce matériel. Un autre défi surgissait alors : était-il pertinent de transporter cette œuvre dans l'espace muséologique, alors que nous savions que l'artiste avait définitivement déserté ce territoire dès 1963 ? Et à supposer même qu'il y ait un sens à le faire, comment transmettre une œuvre comme celle de Lygia Clark dans ce type d'espace ?

L'exposition apporta une des réponses parmi d'autres possibles, dont le recours à la mémoire constituait le nerf central. Les films imprégnaient de mémoire vivante l'ensemble des objets et documents exposés, de manière à leur restituer leur sens. Je supposais alors que, de cette manière, et de cette manière seulement, la condition d'*archive morte* qui caractérise les documents et les objets qui restent de ces actions pourrait être dépassée pour en faire les éléments d'une mémoire vivante, productrice de différences au présent.

forces poétiques dans le circuit ?

La meilleure manière de poser le problème n'est peut-être pas de savoir si les musées permettent encore ce type de déflagration critique. À la différence de ce que pensait la première génération de critique institutionnelle, il n'existe pas de région de la réalité qui soit bonne ou mauvaise dans une prétendue essence identitaire qui la définirait une fois pour toutes. Il faut déplacer les données du problème, comme on l'a fait plus tard. Dans cette question, l'accent doit être mis sur les forces qui investissent chaque musée, à chaque moment de son existence : des plus poétiques jusqu'à celles de sa neutralisation instrumentale la plus indigne. Entre ces pôles s'affirme une multiplicité changeante de forces aux degrés de puissance variés et variables, dans un réarrangement constant des diagrammes du pouvoir.

Il n'y a pas de formule toute prête pour réaliser une telle évaluation, sinon la convocation des puissances vibratiles du corps de chacun, artiste ou commissaire, pour le rendre vulnérable aux nouveaux problèmes qui ébranlent la sensibilité dans chaque contexte et à chaque moment, afin de les porter ensuite au visible, en ouvrant ainsi des poches impensables de respiration vitale. Dans le cas du commissaire, sa vulnérabilité lui sert également à flairer les propositions artistiques susceptibles d'actualiser ces problèmes jusqu'alors virtuels, assumant ainsi la responsabilité éthique de sa place, conscient de la valeur politique et clinique de l'expérience artistique. Le pas suivant consiste à chercher le lieu et les stratégies adéquates à la singularité de chacune de ces propositions, de manière à créer leurs conditions de possibilité.

Que cette entreprise se fasse ou non dans l'espace muséologique, la question qui doit être posée face à chaque défi de libération du processus vital qu'exigent de nous les points de tension, là où celui-ci se trouve bloqué ; et si, dans certains cas, le musée peut être le lieu de cet affrontement, le choix de l'institution adéquate passe par une cartographie des forces en jeu dans l'institution en question avant que l'on prenne la moindre initiative. C'est de cette manière que la force proprement poétique peut participer au destin d'une société, en contribuant à ce que sa vitalité s'affirme et résiste à son dévoiement.

Si la force poétique participe de fait à la vie publique, c'est parce qu'elle se compose avec la polyphonie paradoxale à travers laquelle se dessinent ses devenirs hétérodoxes imprévisibles, qui n'arrêtent pas de s'inventer pour libérer la vie des impasses qui se forment dans les foyers infectieux où le présent devient intolérable. L'artiste a une oreille fine pour les sons inarticulés qui nous arrivent de ces brèches donnant sur l'invisible. C'est peut-être parce que Lygia Clark nous l'a montré avec une intelligence fulgurante, que son legs continue à retentir parmi nous.

———

Traduit du portugais par Renaud Barbaras

———

(1) Lygia Clark, « L'Homme structure vivante d'une architecture biologique et cellulaire », in *Robho*, Paris, n° 5-6, 1971. Fac-similé de la revue disponible in Suely Rolnik et Corinne Diserens (dirs.), *Lygia Clark, de l'œuvre à l'événement. Nous sommes le moule, à vous de donner le souffle*, catalogue de l'exposition, Musée des Beaux-Arts de Nantes, 2005. L'exposition, organisée en France avec Corinne Diserens, fut présentée dans une seconde version à la Pinacothèque de l'État de São Paulo, Brésil 2006.

(2) Pour de plus amples éclaircissements à propos de la double capacité du sensible et son paradoxe, voir Suely Rolnik, « D'une cure pour temps dénués de poésie », dans le catalogue *Lygia Clark, de l'œuvre à l'événement, ibidem.*, p. 13-26.

(3) Voir Suely Rolnik, « Molding a Contemporary Soul : the Empty-Full of Lygia Clark », Rina Carvajal y Alma Ruiz (dirs.), *The Experimental Exercise of Freedom : Lygia Clark, Gego, Mathias Goeritz, Hélio Oiticica and Mira Schendel*, Los Angeles, The Museum of Contemporary Art, 1999, p. 55-108.

(4) Lygia Clark enseignait à l'UFR d'Arts plastiques et sciences de l'art de l'université de Paris-I (Sorbonne), qui venait alors d'ouvrir (faculté connue sous le nom de Saint-Charles).

(5) *Objets relationnels* est le nom générique que Lygia Clark a attribué aux objets qui avaient émigré de propositions antérieures vers la *Structuration du Self*, ou aux objets qu'elle créait spécialement à cette fin.

(6) Je fais référence à la petite salle consacrée à quelques-unes des propositions expérimentales de Lygia Clark à la documenta X et, surtout, à la rétrospective itinérante de son œuvre organisé par la fondation Antoni Tapiès, qui circula dans d'autres musées européens et à Rio de Janeiro.

(7) Vingt DVD sous-titrés en français et portugais, accompagnés d'un livret, constitueront un coffret disponible à 1000 exemplaires au Brésil et 500 en France. Ils seront à la disposition du public.

le double sens de la destitution

Stefan Nowotny

« Que faisons-nous de ce que nous avons fait ? »[1] — L'autoréflexivité pratique de cette question prend un sens particulier lorsque « ce qui a été fait » désigne une insurrection que l'on pourrait tout à fait considérer comme « réussie », mais non pas dans le sens où le « succès » de cette insurrection consisterait en une prise de pouvoir. Si tel était le cas, la question aboutirait inévitablement à un sens univoque : une coupure « révolutionnaire » séparerait ce qu'il convient de faire à présent de cette action qui a créé, en premier lieu, les conditions préalables à ce qu'il faut faire maintenant ; et cette coupure, d'une part, ferait passer de manière plus ou moins marquée l'acte d'insurrection pour l'objet d'une *écriture spécifique de l'histoire*, alors que d'autre part elle dégagerait le terrain sur lequel peuvent apparaître les attributions actuelles du *gouvernement* (dont les fins fixées devraient rester en accord avec celles de l'insurrection). Mais qu'en est-il si aucune coupure de la sorte ne préfigurait le double sens de l'action (passée ou présente) ? S'il ne s'agissait pas de « s'approprier une vérité sur ce qui s'est passé » — une vérité qui à la fois présuppose et met en œuvre la coupure mentionnée —, mais de « sonder les nouvelles perspectives d'action qui s'ouvrent » et d'« élaborer » le devenir qui s'articule dans ce qui s'est passé ?

la destitution en tant qu'ouverture : insurrection et de-stitution

Examinons la situation politico-sociale dans laquelle s'inscrivent concrètement notre question liminaire, issue d'un livre du Colectivo Situaciones, ainsi que ses implications telles que nous les avons esquissées : elle concerne l'insurrection argentine qui, devenue particulièrement manifeste les 19 et 20 décembre 2001, s'était formée au plus fort de la crise étatique, économique et financière provoquée par la politique néolibérale de Carlos Menem. Portés par une multiplicité d'acteurs sociaux allant de la classe moyenne aux chômeurs appartenant à divers groupes de *piqueteros*, ces mouvements ont trouvé leur véritable point de ralliement dans cette injonction : « ¡Que se vayan todos! » (« Qu'ils s'en aillent tous ! »). Cette sommation eut un certain succès, dans la mesure du moins où l'on assista à une série de démissions de la part des présidents entrés en fonction à la jonction des années 2001 / 2002.

Mais ce qui m'intéresse avant tout, c'est moins de discuter dans le détail des événements survenus en Argentine en décembre 2001[2], que d'examiner le thème qu'en dégage l'investigation militante du Colectivo Situaciones : le thème de la destitution, ou de l'insurrection destituante. La particularité de ce thème dans l'analyse du Colectivo Situaciones consiste certainement en ce qu'il défait la connexion du mouvement destituant avec le geste institutionnel spécifique qui rattache d'emblée la destitution des forces politiques régnantes à la visée ou *fin* politique d'une réinstitution, d'une nouvelle mise en place et distribution des organes d'exercice du pouvoir — éventuellement réformés — au sens d'un nouveau gouvernement :

*Les forces souveraines et créatrices ont déclenché une rébellion à laquelle elles n'associaient aucune intention d'*institution *du pouvoir — comme le prévoit la doctrine politique de la souveraineté —, mais elles ont exercé leur pouvoir de destituer les forces politiques établies. C'est bien le paradoxe des journées du 19 et du 20 décembre. Un ensemble de forces* instituantes *qui, loin de fonder un nouvel ordre souverain, ont plutôt délégitimisé les politiques pratiquées en son nom.*

À première vue, cette suspension de la fin institutionnelle se présente comme une halte à l'endroit même qui est susceptible de provoquer l'*horror vacui* politique par excellence : à savoir le recul devant la vacance du pouvoir politique et de ses fonctions fondatrices de la justice et de l'ordre social. Les effets politiques de cette *horror vacui* sont nombreux : ils s'étendent des figures de légitimation du pouvoir autoritaire et parfois putschiste, à la tentative d'empêcher que cette vacance ne s'installe (conjuration du spectre de l'ingouvernabilité, apaisement des tensions sociales, forçage des doctrines sécuritaires etc.), en passant par les thèmes, dominants dans l'histoire de la théorie politique de gauche, du possible (r)emplissage de ce vide (prise de pouvoir révolutionnaire, renouvellement des systèmes juridiques, des appareils institutionnels, des techniques de gouvernement, etc.). Ces derniers effets nous ramènent à la configuration de sens de la question « Que faisons-nous de ce que nous avons fait ? », qui implique que cette vacance ne serait rétrospectivement qu'une coupure — et donc à une configuration de sens qui est justement minée par le thème du pouvoir destituant.

Cependant, le vide n'est le vide que dans la mesure où on le juge d'après les fonctions déjà citées du pouvoir politique et d'après la représentation des « sujets » politiques en lien avec celles-ci. S'en remettre à cette *horror vacui* pour analyser la destitution découplée de toute réinstitution signifierait donc que l'on assimile la question du politique, ou du pouvoir politique, à ces fonctions, c'est-à-dire en occultant une positivité sociale que j'aimerais qualifier d'apparition politique. Or c'est précisément cette question de l'*apparition politique* qui intéresse le Colectivo Situaciones, notamment sous la forme du « protagonisme social » :

La destitution est un processus de la plus grande importance. Si la politique menée par un pouvoir souverain a été réalisée jusqu'à présent dans la constitution étatique du social, l'action destituante semble être une autre façon d'exercer la politique ou d'exprimer la transformation sociale. La destitution n'implique pas une attitude apolitique *: le refus de maintenir une politique représentative (de souveraineté) représente la condition — et les prémisses — d'une pensée « situationnelle » et d'un ensemble de pratiques dont les potentiels de sens ne peuvent plus être exigés de l'État.*

On peut donc établir un lien entre la « pratique de la destitution qui élargit le champ du possible » et « l'exercice d'un protagonisme social qui ne se limite pas aux fonctions qui fondent la souveraineté », et qui donne la parole aux potentiels de sens évoqués, à l'écart des figures étatiques de la représentation. On peut étudier sous cette perspective, comme le montre l'analyse du Colectivo Situaciones, non seulement les manifestations, réunions de quartier, pratiques d'échange ou nouvelles formes d'organisation politique, mais aussi, par exemple, les pillages qui — pour autant que l'on soit prêt à abandonner le point de vue de l'*horror vacui*, qui voit exclusivement dans le pillage la preuve (finalement abstraite) que la « guerre de tous contre tous » se déclare en l'absence d'un pouvoir étatique — s'avèrent être des réseaux d'action sociaux et ambivalents, traversés par des différences et des différends et liés à des gestes d'autolimitation[3].

La perspective du protagonisme social permet aussi de considérer les luttes politico-sociales telles que celles des sans-papiers, qui s'installent précisément sur une interface essentielle de la représentation politique de l'Etat, à savoir la relation entre la citoyenneté politique et l'appartenance à un Etat (national). Non seulement il serait manifestement absurde de considérer des émigrants sans papiers comme des « sujets révolutionnaires » visant une quelconque forme de prise du pouvoir. On ne peut pas non plus réduire les combats des sans-papiers à une lutte pour l'inclusion dans les appareils de représentation politique existants — à moins d'occulter la zone de partage structurelle qui existe entre les dispositifs (juridiques, économiques) de l'État national et de ses extensions supranationales, et entre les dispositifs des économies et des politiques mondialisées génératrices de nouvelles dépendances et formes d'exploitation, zone dans laquelle sont implantés ces combats et qui apparaît à travers eux. La destitution s'exprime ici tant dans les pratiques du « devenir invisible » (vis-à-vis du contrôle de l'État) qui sont reliées à des productions de savoirs spécifiques et à des réseaux d'action sociaux, que dans de nouvelles formes d'organisation politique et dans l'affirmation d'une situationnalité politique nouvellement conçue.

Retenons trois éléments du concept et de la pratique de la destitution telle qu'elle nous est présentée ici, trois éléments également susceptibles de mettre en lumière la question de l'apparition politique :

1°) Tout d'abord, il faut libérer le concept de destitution d'une certaine grille dialectique qui s'impose peut-être à première vue : ce n'est pas le « travail de la négativité » qui est essentiellement à l'œuvre dans la destitution, mais un « non positif » (Colectivo Situaciones), qui en rejetant une certaine figure de la représentation actualise en même temps — et non pas seulement au moment d'une prise de pouvoir ou d'une influence transformatrice excercée sur les fonctions politiques institutionnelles — une *affirmation* « autotransformatrice », génératrice de nouvelles pratiques et modes de subjectivation, d'où le « non » tire toute sa force. Ainsi comprise, la destitution ne vise pas une réinstitution de la plénitude du pouvoir, elle n'est pas non plus un simple refus au sens d'une désimplication, mais elle renvoie avant tout à une *pratique sociale*.

Ce thème n'est pas entièrement nouveau, même s'il acquiert dans notre contexte une nouvelle actualité. C'est un thème essentiel de Walter Benjamin dans son article de 1921 sur la « Critique de la violence », où il apparaît à travers la question de la positivité de la grève. Plus précisément, Benjamin oppose la « grève générale prolétarienne » à la « grève générale politique », qui cherche seulement à imposer des fins extérieures au travail et à l'action de grève et n'entraîne donc elle-même aucune transformation du travail et de l'action. En revanche, la grève générale prolétarienne échappe, écrit Benjamin, au « va-et-vient dialectique » des formes historico-politiques de la violence qui se poursuivent à travers la fondation et la conservation du droit, dans la mesure où elle équivaut à un « changement radical que cette sorte de grève a moins pour but de provoquer que d'accomplir »[4]. La logique d'action qui est décrite ici est celle d'une de-stitution qui ne se réfère pas d'emblée à une restitution ou réinstitution performative d'un encadrement modifié de l'action, mais à l'ouverture d'un champ de *possibilités* d'action qui se transforment[5].

2°) Il convient néanmoins d'éviter un malentendu qui se présente souvent sous forme d'un romantisme social, mais qui repose en tout cas sur une certaine variante — souvent teintée de spinozisme — des conceptions métaphysiques et théoriques du droit naturel : il consiste à penser que cette affirmation serait nécessairement et déjà émancipatrice en soi. Le livre du Colectivo Situaciones que nous avons cité plus haut n'est pas tout à fait affranchi de ce malentendu, toutefois il apporte la preuve limpide des problèmes que pose une telle perspective :

On a d'abord entendu dans les quartiers de Buenos Aires, puis sur la place de Mai, les slogans les plus divers. « Ceux qui ne participent pas sont des

Anglais. » — « *Ceux qui ne participent pas sont des militaires.* » *Ou :* « *Traîtres à la patrie, au mur.* » — « *Cavallo, tu es un porc.* » — « *Argentine, Argentine.* » *Et la phrase que l'on a le plus entendue le 19 décembre :* « *L'état de siège, vous pouvez vous le mettre au cul.* » *Et plus tard le premier* « *Que se vayan todos.* » *Ce pot-pourri de slogans a fait ressurgir dans le présent les combats du passé.*

En même temps que ces combats du passé, réapparaissent aussi, comme on le voit, les nationalismes et chauvinismes du passé. Non seulement le caractère indéterminé de l'affirmation — ou « confirmation collective du possible » — au sein du mouvement destituant est ouvert aux codifications les plus diverses, mais elle se trouve aussi portée par des ambivalences et des structurations d'affect historico-politiques qui ne sont nullement émancipatrices en soi, qui ne sont pas un pur présent combatif (pas plus qu'elles n'engendrent, comme le prétend l'autre variante de la théorie du droit naturel — disons, pour simplifier, la variante hobbesienne —, un chaos de pure violence) ; elles sont plutôt imprégnées d'une réactualisation des combats politiques et personnels du passé, lesquels prêtent à ce qui est possible une réalité préformée ainsi que des frayages ré-actionnaires au sens littéral.

3°) Il semble d'autant plus important de prêter attention à la différence que les textes cités plus haut introduisent dans une série de concepts politiques : ils mentionnent des « forces souveraines et créatrices » qui ne prétendent pas fonder un « nouvel ordre souverain », des « forces instituantes » qui ne sont rattachées à aucune « intention d'institution ». Nous pouvons sûrement nous entendre sur cette différence qui transparaît dans la terminologie à partir de la différence, souvent citée dans la théorie politique actuelle, entre *potentia* et *potestas*. Mais il convient par la suite de mettre en avant la question de l'institution, dont la virulence est manifestement en rapport avec le thème qui est notre point de départ : celui de la destitution et de son rapport avec l'élargissement du « champ du possible ».

La destitution comme destruction : la condition du sujet, la subjectivation et la question de l'activité instituante

Considérons tout d'abord une signification du concept de destitution qui semble en contradiction avec ce qui a été dit précédemment. Dans le dernier chapitre de son livre *Ce qui reste d'Auschwitz*, Giorgio Agamben esquisse une interprétation des modalités de la possibilité (pouvoir être), de la contingence (pouvoir ne pas être), de l'impossibilité (ne pas pouvoir être) et de la nécessité (ne pas pouvoir ne pas être), qui libère ces modalités de leur ancrage classique dans la logique et l'ontologie, et se réfère à une théorie de la subjectivité. Agamben considère les deux premières — possibilité et contingence — comme des « opérateurs de la subjectivation ». À l'inverse « l'impossibilité, comme négation de la possibilité (...) et la nécessité, comme négation de la contingence » seraient « les opérateurs de la désubjectivation, de la destruction et de la destitution du sujet »[6]. La destitution signifie ici — Agamben emprunte le concept à Primo Levi qui évoquait l'expérience de la « destitution extrême » (*destituzione estrema*) dans les camps de concentration et d'extermination nazis — tout autre chose qu'un pouvoir destituant ; elle qualifie plutôt une impuissance qui n'est pas simplement l'absence de toute faculté, mais l'*expérience* de la dissociation destructrice du sujet par rapport à ses capacités d'accomplissement, l'expérience de la désubjectivation qui atteint la limite de la faculté d'expérience :

*[La possibilité et la contingence] constituent l'être dans sa subjectivité, donc, en dernière instance, comme un monde qui est toujours mon monde, parce qu'en lui la possibilité existe, touche (*contingit) *à la réalité. Nécessité et impossibilité, au contraire, définissent l'être dans son intégrité et son opacité, pure substantialité sans sujet — donc, à la limite, un monde qui n'est jamais mon monde, parce qu'en lui la possibilité n'existe pas*[7].

Inutile de dire qu'un monde, qui est seulement *mon* monde dans la mesure où la possibilité existe en lui, est aussi le seul monde ouvert au changement, c'est-à-dire un monde dans lequel « un autre monde » est possible. Mais un monde, aussi, qui risque par principe d'être aménagé en une « pure substantialité » détruisant toute possibilité.

Les réflexions d'Agamben ne rétablissent nullement les conceptions classiques de la théorie du sujet. Elles s'essaient plutôt, depuis l'extrême de sa destruction, à une pensée de la subjectivité *vivante* qui n'est qu'un autre nom pour la faculté — historiquement et politiquement située — de la subjectivation, pour un « champ de forces toujours déjà traversé par les courants impétueux, historiquement déterminés, de la puissance et de l'impuissance, du pouvoir-ne-pas-être et du ne-pas-pouvoir-ne-pas-être. »[8] Cette faculté de subjectivation est soumise à la condition d'une passivité fondamentale sur laquelle reposent ses possibilités spécifiques ainsi que leur capacité d'élargissement, mais qui est aussi le lieu de sa confiscation, de sa violation et de sa destructibilité sans limites[9]. C'est donc précisément là que se s'inscrit la théorie du témoignage que Agamben élabore en rapport avec les passages cités et également à partir d'une interprétation spécifique du problème de la référence linguistique en tant que contingence actualisée par le langage touchant au réel. Il n'est pas possible ici de s'attarder davantage sur cette théorie ; nous nous contenterons donc de renvoyer au rapport entre la possibilité du témoignage et celle de la résistance, qui est implicitement en jeu en lui.

Ce qui est néanmoins déterminant pour les réflexions que nous menons ici, c'est que le concept de destitution, qui apparaissait auparavant comme un pouvoir destituant, comme la désignation d'une faculté de subjectivation — qui libère les possibles —, renvoie désormais à une *condition du sujet* qui expose toute faculté de subjectivation non seulement à la négation ou à la représentation « aliénante », mais aussi à l'extrême de sa destruction systématique. En effet, l'analyse d'Agamben ne se réfère pas simplement au vis-à-vis d'une « politique représentative » dans un sens certes situationnel mais tout de même généralisable à maints égards ; elle se réfère à l'appareil institutionnel d'une politique d'extermination industrialisée qui met directement la main sur ceux qu'elle persécute et échappe à toute généralisation ; d'une politique, néanmoins, qui a sans nul doute mobilisé ses propres figures de la représentation — surtout antisémites — et accompli son travail d'extermination en mobilisant toujours des stratégies de l'extermination *symbolique*. Dans l'expérience des camps nazis, la destitution signifie, pour reprendre une formule d'Adorno, « pire que la mort » [10], à savoir la désintégration de l'existence subjective par l'exercice de tout le pouvoir institutionnel.

Pourtant, le situationnel ne se décide pas, en fin de compte, au niveau de ce qui est « généralisable » mais de ce qui est « généralement valable » dans un autre sens, c'est-à-dire de ce qui est actualisable dans toute situation ou privé de ses possibilités d'actualisation [11]. Le problème face auquel nous place l'analyse d'Agamben est donc finalement celui de l'intrication entre le double sens de l'« institution » (en tant que fonctif de la représentation politique qui aménage, régule, limite et administre — même là où elle met en œuvre une volonté de destruction — les marges de manœuvre du possible, d'une part, et d'autre part en tant que pratique instituante) et le double sens de la « destitution » (en tant que dégagement d'un « champ du possible » et destruction de la possibilité — toujours contingente — de la subjectivation en tant que telle). En ce sens, institution et destitution ne sont absolument pas dans un rapport d'opposition dialectique comme celui qui, depuis longtemps, fait de l'insurrection un problème de théorie politico-juridique insoluble [12]. Il faudrait plutôt partir d'un rapport d'implication complexe qui ouvre le champ des luttes politiques et qui, pour revenir à notre sujet initial, fait surgir au sein de l'insurrection destituante *un facteur instituant qui n'est pas une fin.*

On pourrait extraire par conséquent de la destitution en tant que « pouvoir destituant », en dépit de l'opposition conceptuelle apparente, les contours d'une *activité instituante* qui entretient une différence émancipatrice avec les appareils institutionnels qui restreignent le champ du possible, et qui, pour le reste, n'est peut-être pas concevable au niveau des conceptualisations de la « constitution » — que l'on a largement passées sous silence ici. En ce sens, il convient de ne pas se précipiter en considérant la notion de « forces instituantes » (Colectivo Situaciones) comme un exemple de « nouvelle constitution de la multitude »[13], mais plutôt de la prendre au pied de la lettre. Il est possible que la misère si souvent déplorée des institutions politiques (et pas seulement directement politiques) s'explique par le fait que la fonction des institutions a le plus souvent été considérée comme étant dépendante d'une constitution au sens d'une *composition sociale préalable*. Et c'est peut-être aussi la raison pour laquelle l'opposition entre pouvoir constituant et pouvoir constitué, qui tente incontestablement de contourner l'antériorité de la composition, soulève un paradoxe *pratique*[14] (celui de la République perpétuellement « constituante ») qui laisse peu de marge à une nouvelle compréhension de l'institution ou de l'instituant. Mais on pourrait justement, à ce stade, se risquer à une nouvelle conception de l'instituant qui, loin d'ignorer la critique de l'institutionnel et le pouvoir de la destitution, envisagerait à partir de ces derniers une positivité de l'activité instituante.

Maurice Merleau-Ponty, dans ses cours donnés au Collège de France en 1954-1955 sur la question de l'institution, a placé le concept d'institution non pas dans un *rapport hiérarchique et fonctionnel* au concept de constitution, mais dans un rapport d'*opposition*. Les réflexions de Merleau-Ponty partent d'une critique de la philosophie de la conscience (et du privilège que celle-ci accorde à un sujet constituant) qui reste inscrite dans la langue dans laquelle sont conçues ces réflexions. On peut cependant les lire dans le sens de la pensée d'une faculté de subjectivation telle que nous l'avons esquissée plus haut, et en particulier elles visent explicitement une pensée de la subjectivité dans sa temporalité politico-sociale :

Si le sujet était instituant, non constituant, on comprendrait (...) qu'il ne soit pas instantané, et qu'autrui ne soit pas seulement le négatif de moi-même. Ce que j'ai commencé à certains moments décisifs ne serait ni au loin, dans le passé, comme souvenir objectif, ni actuel comme souvenir assumé, mais vraiment dans l'entre-deux, comme le champ de mon devenir pendant cette période. Et ma relation avec autrui ne se réduirait pas à une alternative : un sujet instituant peut coexister avec un autre, parce que l'institué n'est pas le reflet immédiat de ses actions propres, peut être repris ensuite par lui-même ou par d'autres sans qu'il s'agisse d'une recréation totale, et est donc entre les autres et moi, entre moi et moi-même, comme une charnière, la conséquence et la garantie de notre appartenance à un même monde. [15]

C'est bien, semble-t-il, de ce champ collectif du devenir qu'il s'agit — transposé dans la langue du politique — dans la question initialement citée, « Que faisons-nous de ce que nous avons fait ? », c'est bien son ouverture que vise le pouvoir de la destitution, et ce sont bien ses potentiels de sens que les figures des structures institutionnelles existantes ne peuvent pas honorer. Il peut apparaître dans des événements comme ceux des 19 et 20 décembre 2001, et pourtant il n'existe pas indépendamment d'une activité instituante qui ne se fond pas dans ces événements et qui ne prend pas fin avec eux.

———

Traduit de l'allemand par Barbara Fontaine.

———

Je tiens à remercier Birgit Mennel et Gerald Raunig pour leur première lecture approfondie de ce texte ainsi que pour toutes les indications et les conseils qu'ils m'ont donnés.

———

(1) Colectivo Situaciones, *Apuntes para el nuevo protagonismo social*, Ediciones De Mano en mano, 2002. Toutes les citations du Colectivo Situaciones proviennent de ce livre.

(2) Voir à ce sujet, outre le livre de Colectivo Situaciones : Hugo Moreno, *Le Désastre argentin. Péronisme, politique et violence sociale (1930-2001)*, Paris, Éd. Syllepse, 2005, p. 177-200, ainsi que les analyses rétrospectives de « Argentiniens (Post-)Krise : Symbole und Mythen », *kultuRRevolution*, n° 51, janvier 2006.

(3) Ainsi le récit d'une mère dont le fils a participé, avec quelques autres personnes, au pillage d'une boucherie : « Mon fils a raconté que certains avaient commencé à se jeter sur la caisse. Il a donc jeté la caisse par terre pour que les autres ne puissent pas récupérer l'argent mais seulement les aliments dont ils avaient besoin. Une dispute a commencé et mon fils est parti. Mais avant il a pris de la nourriture pour nous tous et a même rapporté un fromage. » (*ibid.*, p. 107).

(4) Voir Walter Benjamin, « Critique de la violence », in *Œuvres I*, Gallimard, 2000, p. 210-243, ici p. 242 et 231 ; Benjamin emprunte les concepts de grève générale prolétarienne ou politique à l'œuvre de Georges Sorel, *Réflexions sur la violence* (1908).

(5) Voir à ce sujet Werner Hamacher, « Afformativ, Streik », in Ch. L. Hart Nibbrig (dir.), *Was heißt « Darstellen » ?*, Suhrkamp, 1994, p. 340-371, notamment p. 360.

(6) G. Agamben, *Ce qui reste d'Auschwitz. L'archive et le témoin*. Rivages poche, 2003, p. 160.

(7) *Ibid.*

(8) *Ibid.*

(9) Voir Maurice Blanchot, « L'Indestructible », in *L'Entretien infini*, Gallimard, 1969, surtout p. 200, et Sarah Kofman, *Paroles suffoquées*, Galilée, 1987. Sur un plan théorique, la pensée d'Agamben est en même temps en dialogue permanent avec ce « certain vitalisme » des théorisations poststructuralistes inspirées par exemple par Foucault ou par Deleuze, qui rejette toute substantialisation de la « vie » pour voir cependant dans ce concept le signe des processus de subjectivation immanents (autoaffection : « auto »-actualisation et « auto »-effectuation).

(10) Theodor W. Adorno, *Dialectique négative*, Payot, 1992, p. 290.

(11) Voir à ce sujet la distinction entre l'hypothèse — qui fait abstraction de la situation-nalité — que les fins (justes) sont, grâce au droit, « généralisables » et le fait d'être « généra-lement valable », dans un sens qui dépend chaque fois de la spécificité d'une situation don-née, comme critère de la justice chez Walter Benjamin (*op. cit.* p. 234 ; la traduction française utilise les mots « universalisable » et « universellement valable » pour rendre les termes alle-mands *verallgemeinerungsfähig* et *allgemeingültig*) ; il serait d'ailleurs bon que tous ceux qui pen-sent — dans une intention critique ou non — qu'Agamben assimile le monde actuel à un camp nazi tiennent compte de cette distinction.

(12) Voir à ce sujet mes réflexions concernant la condamnation de l'émeute par Kant in « La Condition du devenir-public », *transversal web journal*, *http://eipcp.net/transversal/1203/nowotny/fr* (9 janvier 2007), ainsi que l'exposé d'Agamben sur la question d'un « droit à la ré-sistance », in *État d'exception*, Seuil, 2003, p. 24 *sq.*

(13) Ainsi s'exprime Toni Negri dans une analyse du livre du Colectivo Situaciones, voir *www.generation-online.org/t/sitcol.htm* (9 janiver 2007).

(14) Voir Toni Negri, « La République constituante », *Futur antérieur*, n° 15, 1993, dispo-nible à l'adresse : *http://multitudes.samizdat.net/La-republique-constituante.html*.

(15) Maurice Merleau-Ponty, « L'"Institution" dans l'histoire personnelle et publique », in *L'Institution. La passivité. Notes de cours au Collège de France (1954/55)*, Belin, 2003, p. 123.

destitution, institution, constitution

**... et la puissance (dé)formatrice
de l'investissement affectif**

Alice
Pechriggl

Le point de départ de ma réflexion sur la formation du pouvoir concerne la relation entre les trois formes du « poser », voire de la « position »[1] (*tithêmi*), associées aux concepts de constitution, d'institution et de destitution. La structuration politique, c'est-à-dire délibérative (de conseil et de décision) et exécutive de la société y constitue une dimension plus explicite que l'institution prise dans un sens plus large (au sein de la triade en question) ou la destitution qui en est inséparable. La fonction de cohésion de la constitution est marquée par le préfixe « con- » (ensemble), tandis que l'« institution » se rapporte au moment fondateur qui amène une structure à l'existence (destituant par là une autre ou supposant sa destitution). À l'institution et à la structuration démocratique créatrice, réceptives aux affects, on pourrait, au sein d'un tel mobile conceptuel, opposer l'administration comme organe exécutif mécanique / bureaucratique de la société (ou de l'entité politique concernée), un organe auquel l'affect est a priori odieux, la créativité étant supportable seulement dans le cadre contrôlé / contrôlant des procédures prescrites, même si l'un et l'autre — en dépit de leur dangereuse prolifération — semblent indispensables à son fonctionnement. Dans les pages qui suivent, l'investissement (*Besetzung*) et le retrait (*Ent-setzung, Abzug*) liés à la destitution désignent avant tout un mouvement affectif et psychologique (psychanalytique) qui touche plus généralement à l'*aisthésis* comme domaine du sensible et de l'imagination créatrice, voire instituante, toujours ambivalents ; ils se distinguent par là de la destitution envisagée comme un processus de décomposition et de déconstruction, c'est-à-dire comme le négatif de la constitution. Voilà pour une première ébauche du champ sémantique dont je vais maintenant tenter de concrétiser certains aspects.

la formation du pouvoir

Au lieu d'hypostasier ou d'occulter dans cette démarche le micro-niveau comme l'« autre » du macro-niveau, je voudrais souligner sa pertinence notamment pour une « esthétique politique » au sens large de l'*aisthésis* (perception sensible) axée sur l'analyse, la modification ou la dissolution de positions ou de dispositifs intériorisés. Mais au contraire de la triade « destitution-institution-constitution », le concept de « dispositif » présuppose une « ordonnance » passablement figée qui, comparée à d'autres modes de position « secondaires », semble relever d'une dimension transcendantale. Du point de vue de la « triade des positions », une telle « ordonnance » elle-même n'advient ou ne peut être pensée qu'à travers la structure spécifique de cette triade : la structure efficiente, c'est-à-dire celle qui institue et constitue le réel — comme dans le cas de certains dispositifs ou de certaines constitutions —, ne peut pas être analysée comme une structure préformée.

Certes, les limitations sociales, les déterminations, les répartitions, les normes, les commandements et les interdits, les tabous, les incitations et les diversions peuvent être perçus et compris comme a priori castrateurs, inhibants et aliénants, tout comme ils peuvent être perçus comme ambivalents, potentiellement aliénants, mais aussi comme potentiellement (*dynamei*, en puissance) libérateurs, protecteurs, judicieusement choisis et définis, et donc comme des matérialisations de l'autonomie politique. Mais envisager a priori, et aussi a posteriori, *tous* les modes de la position politique, c'est-à-dire tous les modes de position explicite et publique, comme des dispositifs et des structures d'aliénation, c'est centrer l'analyse sur l'exploitation de tous par la société comme système capitaliste, sexiste, hétéronormatif, etc., avec les dispositifs qui l'accompagnent, en délaissant le processus d'institution et les multiples strates dans lesquelles il se manifeste par le faire, l'agir, etc. [2] ; c'est remettre en scène sur le plan esthétique (c'est-à-dire principalement pour les sens, le goût et les affects), mais aussi sur le plan de l'être et de la connaissance, le caractère inévitable et donc déterminé (au sens fort) de cette articulation. Celle-ci tend, dans une telle conception déterministe, à se cristalliser en un lien conceptuel nécessaire, où une dynamique an-archique d'expérience, d'invention, d'action artistique et / ou politique, au sens par exemple d'une politique démocratique effective, n'a plus (guère) de place [3]. Le règne quasi universel de l'aliénation, de la sujétion, de l'exploitation et de l'arbitraire ne permettrait pas, fût-ce par le recours à la dimension microscopique, de dégager cet espace politique de pensée et d'expérience dans le cadre de l'instauration de normes publiques et d'actes explicites d'institution — et donc toujours aussi de destitution.

la triade de la destitution, de l'institution et de la constitution dans l'individu et dans la collectivité — retour sur Castoriadis

Cornelius Castoriadis a forgé le concept d'« imaginaire instituant » qui exige une brève explication pour ceux qui ne sont pas familiers de son œuvre. Castoriadis publie son ouvrage, *L'Institution imaginaire de la société* [4], en 1975, au moment où s'amorce ce mouvement de congédiement de la révolution — à la fois comme pratique politique et comme concept philosophique — qui ne s'achèvera qu'avec les lieux communs grotesques de Fukuyama. La première partie de l'ouvrage reprend un texte plus ancien, dans lequel Castoriadis déconstruit les fondements déterministes et fonctionnalistes que le marxisme partage, selon lui, avec la philosophie traditionnelle. Il donne ainsi à l'idée de révolution une signification nouvelle, qui accorde une place centrale à la créativité des psychismes, du « collectif anonyme » et de l'imaginaire social en tant qu'« imaginaire instituant ».

Castoriadis s'intéresse prioritairement au problème de l'auto-organisation sociale et politique, et avant tout à l'auto-institution comme autonomie collective, c'est-à-dire comme démocratie radicale. Il soulève par exemple la question, aporétique mais non moins importante, de savoir comment un « Soi » intérieurement et extérieurement toujours « hétéronome », poussé par le ça ou par l'inconscient, sur-sollicité par la société et ses impératifs, peut constituer avec d'autres pareillement « constitués » une communauté politique capable de se rassembler dans un projet d'autonomie et d'auto-institution, et de s'accorder assez bien pour réaliser cette autonomie au-delà de la brève floraison d'une insurrection anarcho-conseilliste. Dans les lignes directrices de la démocratie athénienne, mais surtout dans les conseils ouvriers, dans la révolution hongroise de 1956, ainsi que dans d'autres mouvements de base après 1968, dans le militantisme féministe ou dans l'organisation des sans-papiers, Castoriadis discerne les « germes » d'une telle autonomie, placée sous le signe de la fusion, de l'exposition à l'« autre » et au changement. Au lieu de les faire entrer de force dans une unité systématique, dans une quelconque « idée de la Révolution » ou « du sujet révolutionnaire », au lieu de les dénoncer pour leur caractère purement défensif et réactif, il y voit autant d'exercices spécifiques, inventifs — c'est-à-dire stimulant l'imagination politique au sens de l'imaginaire instituant —, dans l'apprentissage de l'autonomie collective. En même temps, il croit de moins en moins à la possibilité d'une révolution réussie, amenant une collectivité autonome auto-instituée, explicitement démocratique, basée sur la participation de tous ses membres doués de jugement ; et de plus en plus à l'efficacité des tendances et des dispositifs hétéronomes actuellement en place. Castoriadis procède d'une question politico-transcendantale, et pose la question des conditions de possibilité requises pour qu'un nombre suffisant de personnes (d'une société, d'une entité politique, etc.) commence à s'entendre sur la mise en place d'une structure autonome, ou propice à l'autonomie collective, contre les intérêts et les institutions (capitalistes, oligarchiques, androcentriques, hétérosexistes, racistes, xénophobes, etc.) qui règnent aussi *en nous-mêmes* [5].

Cette « lutte » intervient déjà comme source de (dé)plaisir lorsque Castoriadis, rejoignant en cela Kelsen et les positivistes du droit, pose comme ultime instance et condition de l'autonomie la volonté collective de *position*, voire d'institution.

institution et psychanalyse de groupe

Interrogé sur ses références à l'« imaginaire instituant » de Castoriadis, Antonio Negri fait dans une interview l'éloge de ce concept, avant de critiquer son auteur : « Je ne crois pas à la productivité de la psychanalyse dans les sciences sociales. Au contraire, je crois qu'en se focalisant sur les limites, sur les barrières inhérentes à l'homme et à sa capacité d'expression — qui sont à mon avis des éléments fondamentaux du freudisme, même si je ne dirais pas qu'il y a un mal originel pour l'idéologie psychanalytique —, on perd la possibilité de penser la libération d'un point de vue collectif, et même d'un point de vue individuel ; on se trouve dans une situation où imaginer même devient difficile. De ce point de vue, je suis spinoziste, et je pense que s'il y a du mal dans la vie, des limites, des barrières, ce n'est pas quelque chose qui est inscrit dans la nature de l'individu, mais quelque chose qui lui est imposé de l'extérieur. Quand le développement est entravé, c'est toujours par l'action de forces extérieures. »[6]

Concernant la question de l'inconscient individuel et de ses effets dans et sur la collectivité, je pense que non seulement il ne s'agit pas dans la psychanalyse, comme Negri lui-même le suggère, de définir le mal et de le localiser à l'intérieur ou à l'extérieur de la psyché. La conception psychanalytique du conflit est une conception dynamique qui embrasse à la fois sa genèse endogène et sa genèse exogène ; la question de l'origine (interne ou externe) est donc secondaire, tout comme est secondaire la question de savoir si le traumatisme s'est passé en réalité « exactement comme ça », ou si des traumatismes ou des dispositions plus microscopiques ont « posé » les conditions pour qu'un événement ait dans le psychisme individuel ou collectif un effet traumatisant, et donc inhibant sur la faculté de juger et d'agir du sujet. Dans sa théorie des pulsions, Freud présuppose une disposition à l'ambivalence innée en l'être humain, qu'il décrit en référence à Platon et aux mythes grecs comme la double attraction d'Éros et Thanatos. Castoriadis le suit partiellement sur ce terrain : mais il ne s'intéresse pas tant au mal ou à la « pulsion de mort » qu'à l'idée, développée avec Piera Aulagnier à partir des travaux de Melanie Klein, d'un penchant originaire et indéracinable du sujet à constituer une « monade psychique » fermée sur elle-même. Il s'agit d'un fantasme de toute-puissance qui déborde potentiellement toutes les limites et tous les besoins (physiques) et tend à s'ériger en totalité (moi = tout, tout = moi), qu'Aulagnier caractérise comme

« originaire » dans la perspective du développement psychique. La monade (ou l'originaire) n'est pas le mal, pas plus qu'elle n'est une pure inhibition ; elle est ce qui en nous nie radicalement les limites (de l'ego tout-puissant fantasmé) ; mais c'est aussi dans la clôture de la monade que s'enracine l'élément rebelle qui réagit aux empiètements et à une socialisation importune, et qui dans certains conflits extrêmes se dresse aussi politiquement contre une raison d'État abusive ou aveugle. L'élément « monadique » serait également ce qui nous aide à nous protéger contre les exigences illimitées qui excèdent nos capacités psychiques ou physiques (quand l'invasion est trop massive pour le psychisme, cette défense se fait parfois au détriment du corps). En même temps, c'est dans la « monade » que s'enracine la composante autiste de l'homme, la démesure égocentrique, l'*hybris* de vouloir que quelque chose soit « ainsi et pas autrement », dont se nourrissent autant l'arbitraire autocratique que les régimes totalitaires [7].

Où s'arrête le psychisme, qui peut le délimiter lorsqu'il s'agit de phénomènes collectifs ? Cessons-nous alors d'être ou d'avoir un inconscient, des conflits ou des déplacements affectifs lorsque nous existons et agissons en tant qu'êtres politiques ? Si nous prenons au sérieux la phrase génialement paradoxale, et en même temps cohérente, d'Aristote : « L'homme est par nature un être politique », cela signifierait que nous avons d'emblée cessé d'exister comme êtres psychiques, ou d'avoir un psychisme...

Castoriadis dépasse cette question quand il entreprend de préciser les modalités des aspects psychiques de la réalité sociale en introduisant des différenciations dans le concept d'imaginaire. Nous inventons, nous instituons et nous destituons, parce que et pour autant que nous sommes psyché, monade, entité psychosomatique inconsciente, mais aussi sensation, parole, pensée, jugement, agir conscients, ou que nous effectuons tous ces actes et y prenons part ; d'un autre côté, nous inventons, nous instituons et nous destituons, alors que nous sommes individuellement toujours déjà pris dans des rapports sociaux d'interaction, que nous sommes donc des êtres possédant chacun sa spécificité, socialisés dans tel ou tel monde, telle ou telle langue, tel ou tel imaginaire, et que nous incarnons, exprimons et — d'une manière au moins subliminale — modifions constamment cet imaginaire.

Le problème auquel la dialectique de l'autonomie et de l'hétéronomie confronte Castoriadis ne concerne pas ce qui limite l'action ou entrave la pensée du sujet : c'est plutôt de savoir pourquoi tant de sociétés deviennent étrangères à leur propre imaginaire, à leurs propres créations, à ce que Hegel appelait la « culture » (*Bildung* [8]). Pourquoi elles méconnaissent la part active qu'elles prennent à leur production, et lui substituent une toute-puissance transcendante, ou plusieurs puissances auxquelles elles croient être soumises, ou un plan divin auquel tout se conforme, etc. Il cherche à éclairer ce phénomène à l'aide du couple conceptuel instituant/institué, et à le resituer dans la perspective de l'autonomie : comment pouvons-nous agir afin que les hommes dans une société ne nient plus leur historicité et reconnaissent leur « œuvre » porteuse de significations et de structures, et l'assument dans le sens d'une auto-institution démocratique[9] ?

Mais tant que nous prenons exclusivement en considération l'imaginaire idéel et objectal, conçu comme pure représentation, en négligeant les déplacements ou les transferts microscopiques d'affects (sur des objets réels ou fictifs), en ignorant les investissements affectifs et les « retraits d'affects », l'analyse végète dans une approche hypostatique. Castoriadis, il est vrai, insiste sur la « tonalité affective » (*Stimmung*), sur l'investissement affectif ou le retrait d'affects qui précède chaque moment de destitution sociale ou politique. Il a également forgé le concept d'« imaginaire réel », au sens où la réalité sociale comporte à ses yeux peu de choses qui ne soient des « produits » de l'imagination collective, de la langue, de la signification et des institutions, autrement dit de l'imaginaire. Toutefois, on ne trouve guère chez Castoriadis de développements sur les corps, la corporéité, et sur ce que j'appelle — dans le prolongement de sa découverte de la faculté d'imagination, mais plus près des références merleau-pontiennes à la corporéité — la *vis formandi* somatique. Il s'agit des affects et des sens (*aisthêseis*) localisés dans ce *metaxy* (le milieu) entre psyché et soma. *Vis formandi* somatique désigne à mes yeux plus adéquatement le complexe psycho-somatique dont Castoriadis a seulement commencé à effleurer l'analyse conceptuelle ; il s'agit des incarnations culturelles des conflits psychiques collectifs, et de ce « reste » de la vie psychique individuelle et collective qui « s'étend au somatique ». Il ne s'agit pas de sonder la « vie pulsionnelle des nations », mais d'aborder aussi sur ce plan les événements et les continuités culturelles, de les intégrer dans les analyses et les perspectives d'action, et d'examiner les concepts mobilisés par les projections sociales du point de vue de leurs dynamiques et de leurs structures affectives exclusives[10].

Cette réflexion politique ouvre une perspective sur les dimensions latentes, affectives (c'est-à-dire fondées sur la sensibilité endogène) du politique ou de la politique[11]. On peut analyser le goût ou les humeurs d'une (ou existants dans une) collectivité — c'est-à-dire les sentiments de (dé)plaisir relativement à la destitution, la constitution et l'institution — par exemple lors d'un vote (*Ab-stimmung*). D'un tel point de vue, le vote ne vise plus seulement à produire quelque chose (par décision), mais présente aussi le sens ambivalent d'une expression de ces humeurs qui divisent, voire décomposent une communauté ou ses membres ; les élections constituent à cet égard un moyen de purger les passions et en même temps de les sublimer et d'y mettre un terme — au moins provisoirement — dans la reconnaissance du vote (et donc de la possibilité d'en sortir vaincu). C'est précisément à ces points d'intersection qu'il est possible d'étudier directement l'aisthésis (de même que l'*orexis* / désir et le *pathos* / affect) dans le champ politique. Il s'agit pour une grande part d'intégrer ce qui, dans la réflexion esthético-philosophique comme dans la théorie politique, se trouve souvent marginalisé (au profit des Idées, des Formes, etc.) : les affects comme une sorte d'*aisthésis*, sensibilité endogène, dans leur localisation conflictuelle entre l'imaginaire et le somatico-matériel, entre l'individu et la collectivité (ou le groupe), mais aussi entre les instances et les couches intrapsychiques — lesquelles ne cessent nullement de fonctionner dans l'état collectif ou dans l'assemblée politique, au contraire : c'est seulement sur ce plan qu'elles se forment, se constituent et se « cristallisent » en structures significatives et affectives. Nous ne pouvons certes éclairer les affects (tout comme les pulsions) que par le biais de représentations, de pensées ou d'autres entités eidétiques ou fantasmatiques qui leur sont liées (« investies » par eux) — via l'afflux ou le reflux de force psychique —, mais ils ne se laissent pas réduire à cela. Ils modèlent ou déforment constamment les compositions, les combinaisons réalisées entre les entités eidétiques, entre le désir et la représentation, entre la perception, l'imagination et l'action, entre jouer et agir, entre institution, constitution et destitution. C'est donc une chose de ne pas vouloir élaborer ce niveau, autre chose de considérer que les conflits inconscients et les combinaisons affect / représentation / désir qui s'y renouent ne seraient pas significatifs sur le plan collectif, ni pour son analyse, ni pour son auto-transformation / -conservation, parce que l'analyse de l'inconscient serait réservée au psychisme individuel (ce qui est faux, comme l'ont montré, avant la psychanalyse de groupe, Freud et à sa suite notamment le philosophe et analyste viennois Theodor Reik, mais aussi le juriste autrichien et fin connaisseur de Freud, Hans Kelsen).

le pouvoir instituant et constituant

Le (dé)plaisir de changer, le (dé)plaisir de persévérer dans une illusoire identité à soi-même, la cohésion et l'intégration ou la décomposition et l'association significative, sont les termes pertinents autour desquels s'articule ce champ de réflexion affectif-esthétique de l'imaginaire politique instituant et de la praxis politique.

Tout comme les affects liés à l'horreur ou à la culpabilité surgis, puis refoulés par la collectivité politique, les affects liés à l'émancipation (et au désir d'émancipation) continuent de vivre souterrainement ; ils se maintiennent à la manière d'un anachronisme, et trouvent constamment de nouvelles voies pour se réaliser dans l'ordre socio-historique. Le souvenir explicite et la restitution d'anciennes formes de protestation politique, d'institution ou de constitution politico-démocratique, contribuent autant que leur sédimentation implicite ou inconsciente à la production de formes nouvelles. Comprendre les conflits liés à ce mouvement comme nos propres conflits ne devrait pas être un obstacle dans cette entreprise, bien au contraire.

La philosophie du XXᵉ siècle a souvent donné une importance démesurée au concept de pouvoir, quand elle ne l'a pas au contraire congédié par réaction. Pour relativiser cette tendance à l'absolutisation, je voudrais conclure sur la métaphore utilisée par Hannah Arendt, parlant du pouvoir qui traîne dans la rue. Cette métaphore a des accents réalistes, rapportée à l'abstentionnisme souvent manifesté par la théorie, qui croit pouvoir faire l'économie de la prise de pouvoir, alors que la politique est d'abord la question de la répartition la plus égale et la plus juste du pouvoir comme institution instituée / destitution / institution instituante / constitution... Prendre le pouvoir sans le confisquer pour quelque bénéficiaire que ce soit, tel est l'*art* de la démocratie, qui vise donc la répartition la plus égale et la participation de tous dans l'exercice alterné du pouvoir. La monopolisation du pouvoir entre les mains de quelques-uns est incompatible avec le concept de pouvoir en tant que concept politique (et donc aussi public), dans la mesure où le monopole privatise et accapare ce qui appartient et doit appartenir à tous, ce qui obéit et doit obéir à tous. En tant que politique, le pouvoir tend à s'étendre et à changer de mains, reflétant une fondamentale détermination an-archique de l'*archê*. Celle-ci naît de l'absence de présupposé conceptuel ou ontologique dans lequel le mode d'exercice du pouvoir trouverait un fondement universel. Pour Aristote, c'était là une évidence, et ceux qui — comme Arendt, Castoriadis, Kelsen, Lefort ou Rancière — cherchent à comprendre la politique dans cette perspective ont toujours souligné ce point contre les discours fondamentaux et protothéologiques sur le pouvoir / *archê* comme principe ontologique universel. Mais dans leur foi en la théorie, beaucoup se fient davantage à la toute-puissance des idées et des principes qu'au pouvoir de la pratique démocratique instituante — y compris les actes de langage et les pratiques artistiques ; ils se fient à des principes (qui sont l'abréviation ontothéologique des *archai*) desquels, par manque d'intuition et de jugement politique, ils croient pouvoir déduire la nature et les réalisations possibles du pouvoir.

La métaphore de Hannah Arendt désigne dans le champ de la réflexion politique un pouvoir qui est situé et agit aussi en nous, dans et par nos idées, dans nos structures désirantes, dans nos actes de communications imaginés et effectifs, partout et en toutes circonstances... Le noyau éclairant de cette métaphore réside toutefois dans l'oxymoron d'un pouvoir traînant dans la rue, que les passants ramassent pour instituer à partir de là de nouvelles formes et de nouvelles structures d'exercice du pouvoir [12]. Une constitution nouvelle, plus démocratique ? Peut-être, mais pour le moment, avec la suppression partielle de la division des pouvoirs (donnant une compétence législative explicite au Conseil des ministres), les multitudes de l'Union Européenne consentent à un coup d'État oligarchique par lequel la souveraineté législative du *demos*, déjà extrêmement délayée et de fait inexistante dans les démocraties représentatives, se trouve transférée hors de toute mesure aux représentants des gouvernements nationaux. Le pouvoir démocratique instituant, a fortiori le pouvoir constituant, demande donc un renforcement en tous et par tous de la faculté politique de juger. Ce qui nous renverrait moins à l'*empire rhétorique* [13] qu'à l'idée aristotélicienne d'un développement de l'intelligence politique par l'exercice alterné du pouvoir (*archein kai archestai*), ou encore à l'éthique et à l'esthétique kantiennes, dans lesquelles l'articulation politique, si rarement signalée, n'est nullement condamnée à disparaître derrière les logiques de l'affect.

Traduit de l'allemand par Pierre Rusch.

---

(1) *N.d.T.* : « Poser » et « position » renvoient ici au *situare* qui est la racine commune de « constitution », « institution », « destitution ». Avec *setzen* et *Setzung*, l'allemand possède un équivalent plus direct du terme latin, permettant des combinaisons encore plus nombreuses (*Zusammensetzung, Einsetzung, Entsetzung*, mais aussi *Besetzung, Absetzung*, etc.). Tous ces actes constituent les « modes de position », la « triade des positions » dont il sera question plus loin.

(2) Ce qui, sur le point par exemple de la critique de l'hétéronormativité comme telle, paraît un projet assez limité, comparé à une entreprise de transformation radicale des normes, et revient finalement à une normalisation discursive inavouée.

(3) Cf. Jacques Rancière, *La Haine de la démocratie*, La Fabrique, 2005.

(4) Le Seuil, 1975. Le débat, mené avec Lefort et Lyotard, s'était ouvert dans les années 1950 dans le cadre du collectif de rédaction de la revue *Socialisme ou barbarie*.

(5) Sauf à rejeter la part étrangère ou conflictuelle comme le « mal » et à décréter que « l'enfer c'est les autres » ou que « tout le mal vient du dehors », etc.

(6) *http://multitudes.samizdat.net/article.php.3 ?id article=1928* (mis en ligne le 15.11.2006).

(7) Cf. le dernier chapitre du livre de P. Aulagnier, *L'Apprenti-historien et le maître-sorcier*, PUF, 1984.

(8) Voir le chapitre qui porte ce titre dans *La Phénoménologie de l'Esprit*.

(9) À cet égard, « les Grecs », plus précisément les Athéniens, ne sont pas pour Castoriadis un modèle, mais *d'un certain point de vue* des pionniers, parce qu'ils ont été les premiers à se poser explicitement cette question et ont créé les institutions politiques (démocratiques) correspondantes. Cela ne doit nullement nous faire perdre de vue ce principe constitutif de la démocratie athénienne qu'était l'exclusion des femmes et des esclaves. L'exclusion des femmes marque le « sentiment traditionnel » de l'imaginaire politique jusqu'à aujourd'hui. Si elle bloque gravement la réalisation de la « démocratie des genres », elle n'est pas pour autant fixée comme un archétype ou comme un « inconscient collectif » inscrit dans les gènes des peuples. Il faut mettre en lumière les modèles et les dynamiques complexes, régénératifs, par lesquels se perpétuent ces facteurs d'exclusion fondateurs des oligarchies androcentriques : alors seulement pourrons-nous les destituer, autrement dit inventer et commencer à mettre en place un nouvel imaginaire, plus démocratique, doté des institutions adéquates.

(10) Sur « l'imaginaire-écran de la féminité », cf. A. Pechriggl, *Corps transfigurés*, t. I et II, L'Harmattan, 2000.

(11) La prise en compte des comportements, des défenses au niveau collectif amène par exemple à se demander dans quelle mesure des conflits historiques massivement refoulés (mais jamais pareillement refoulés par tous) se répercutent sur les conflits Éros / Thanatos des générations ultérieures, et comment ceux-ci à leur tour déterminent les déplacements d'affects et les sublimations qui modèlent la réalité collective. Prenons un exemple : c'est une chose que les lesbiennes et les gays prennent conscience collectivement de leur homophobie intériorisée, et en tirent un sens politique ironique, par exemple dans un cortège de la gay pride, tournant ainsi leur impuissance en puissance, la dérision dont ils sont objet en dérision de cette dérision... — une autre chose serait de projeter leur homophobie (inévitable dans une société homophobe) intériorisée comme haine des autres à leur endroit, vivant ainsi toujours plus dans l'angoisse, la dissimulation et l'auto / agression.

(12) Voir notamment son livre *On Revolution*, New York, 1963.

(13) Pour reprendre le titre d'un livre de Chaim Perelman.

Giselle Donnard nous a quittés

Giselle sera présente dans le prochain numéro de *Multitudes* avec les ami(e)s et les mouvements qu'elle a accompagnés.

Toni Negri

Il faudrait ne jamais avoir à saluer un ami en son absence.

Giselle était une amie parce qu'elle comprenait mieux que tant d'autres ce que l'indignation implique d'urgence et de révolte, parce que ce moteur-là était en elle plus puissant que tous les raisonnements, que tous les délais, que tous les « si » et tous les « mais », que tous les appels à la prudence et à la pondération. Giselle était une amie parce que nos disputes étaient homériques et qu'on y apprenait toujours quelque chose — sur soi, sur elle —, parce ce que l'on savait toujours, même dans les polémiques les plus animées, que l'on appartenait à la même famille, la famille de ceux qui ne supportent ni la souffrance ni la fatalité.

L'histoire de Giselle, telle que nous l'avons partagée constamment pendant trente ans, c'est l'histoire des amis de Félix (Guattari), des expérimentations politiques et humaines, du refus à renoncer à ce à quoi on tient plus que tout : la joie, la solidarité, la puissance de l'invention, la puissance du commun. Cette histoire, qui est aussi celle d'une saison politique que nous avons eue en partage, Giselle en a représenté une figure formidable : Giselle et ses cheveux noirs, Giselle et son trait de khôl autour des yeux — comme si ce regard-là, parfois assassin, toujours ironique, avait eu besoin de cela pour gagner en intensité ! —, Giselle et ses coups de gueule, sa générosité violente et sa violence généreuse, sa pugnacité, ses « on ne me la fait pas », son intelligence des gens et des choses, sa recherche du dialogue et de la paix, y compris là où rien ne semblait s'échanger que la douleur et la haine, en Bosnie, en Palestine ou en Tchétchénie.

Giselle disparue, c'est une amie qui s'en va, c'est une part de tout cela, c'est un morceau de nous-mêmes que l'on perd. Mais il faut aussi se dire qu'elle aurait détesté commémorations et apitoiements, qu'elle leur aurait préféré la franchise d'une discussion animée, et ce « qu'est-ce qu'on fait maintenant ? » qui n'a jamais cessé de la faire avancer. Giselle vivait au présent. C'est de ce présent qu'il s'agit de se souvenir pour que, où qu'elle soit aujourd'hui, elle puisse continuer à fulminer du regard, à nous éperonner, à nous pousser, à nous donner à réfléchir.

Il ne faudrait jamais avoir à saluer un ami en son absence ?

Nous ne te saluons pas, Giselle, parce que tu es toujours là, et que nous continuons à nous énerver de nos disputes, à rire de nos empoignades, à admirer ta ténacité, Nous ne te saluons pas, mais nous fourbissons nos arguments, préparons nos raisonnements, nous réfléchissons à ce à quoi tu nous obliges à penser, nous te remercions pour toute cette intelligence dont tu continues à nous animer.

Toni

géographie différentielle

B-Zone : devenir-Europe et au-delà.

Brian Holmes

Dans une séquence surprenante de l'installation vidéo *Corridor X*, l'image passe brusquement d'un moniteur de contrôle de la chaîne Eurovision à une séance de maquillage sous l'œil des caméras, puis à une salle remplie de journalistes, puis à un écran d'ordinateur où l'on joue au solitaire. Nous sommes dans le centre officiel des médias du sommet européen de Thessalonique, en juin 2003. Dehors, une vaste manifestation s'oppose à l'Union européenne, à la guerre, à la mondialisation. Dedans, tout est codé, ordonné, segmenté : les hommes politiques parlent, les experts donnent des entretiens, les traducteurs distribuent la parole dans des casques, les journalistes s'affairent autour des appareils de montage. De manière insistante, l'image revient sur le moniteur de contrôle, branché sur quatre flux télévisuels transmis en direct par des cameraman à l'extérieur. Le flux n°4, qui passe à l'antenne, montre les forces de l'ordre à la poursuite d'anarchistes en noir ; mais à l'instant d'après c'est nous qui sommes au milieu de la foule, nous faisons corps avec elle, nous sommes emportés dans sa fuite.

Cette séquence en recoupe une autre, vers la fin des *Black Sea Files*. Sur l'écran de gauche, un immense pétrolier navigue à travers le Bosphore : il est pris dans un viseur, et surmonté d'une image de synthèse qui le localise sur une carte. À droite, on voit le tableau de bord du nouveau système informatique de surveillance du trafic maritime, installé à grands frais pour sécuriser le passage du détroit. Sur la bande son, on entend le grésillement d'une communication radio, contre un fond presque imperceptible de musique orientale. Le tableau de bord fait place alors à une vue satellitaire du Bosphore.

Ainsi les deux installations, si différentes sur le plan du montage et du style, mettent en évidence le même besoin d'une confrontation avec l'écran de contrôle, celui qui découpe, segmente et redistribue le temps, selon un ordre strictement hiérarchisé. Comme si les œuvres devaient reconnaître en leur sein la présence d'un espace à la fois homogène et fragmenté : l'espace abstrait de la planification capitaliste contemporaine, tel qu'il se dessine et se réalise dans les plus grands projets infrastructurels de l'époque présente. C'est cet espace de contrôle abstrait que le travail artistique fait fondre dans les densités affectives d'une « myriade de trajectoires humaines qui se déroulent au niveau du sol ». La phrase, sortie de *Black Sea Files*, s'applique aussi parfaitement à *Corridor X*. Les deux œuvres travaillent dans ce rapport serré et contradictoire, entre la logique implacable de la planification à grande échelle et la diversité sensuelle, expressive et consciente d'êtres humains doués de parole. Il y a là une indice de ce qui les réunit dans un projet d'investigation territoriale et artistique, initialement appelé Géographies transculturelles, mais qui a fini par s'exposer sous un nom plus énigmatique : « Zone B : Devenir-Europe et au-delà ».

recherches sur le motif

Il s'agit d'un projet complexe, à multiples entrées et sorties. C'est en 2002 que le réseau de Géographies transculturelles commence à prendre forme, à l'initiative d'Ursula Biemann, qui avait déjà l'intention de documenter la construction et le milieu humain du pipeline BTC (Bakou-Tbilissi-Ceyhan). Pour élargir la le spectre de la recherche, elle s'associe à deux autres femmes : Lisa Parks, une chercheuse spécialisée dans la question des médias et de leurs usages, qui va enquêter sur la destruction sous les bombes de l'ancien système téléphonique de l'ex-Yougoslavie et son remplacement par des services satellitaires ; et Angela Melitopoulos, une vidéaste qui va filmer l'actualité et l'épaisseur historique du système intégré de routes, de rails, d'aéroports et de télécommunications allant de Salzbourg à Thessalonique (le dixième des « Corridors paneuropéens de transport », dont le tracé suit en partie celui du chemin de fer Berlin-Bagdad, du début du vingtième siècle).

Mais il a plus. Angela Melitopoulos a constitué le groupe Timescapes, où figurent le collectif VideA d'Ankara, le cinéaste Freddy Vianellis d'Athènes, l'artiste et vidéaste Dragana Zarevac de Belgrade, et la vidéaste allemande Hito Steyerl, qui a filmé le sommet européen à Thessalonique[1]. À ceux-ci il faut ajouter la professeure Ginette Verstraete, qui a accompagné le projet de Géographies transculturelles dès le départ, ainsi que de nombreux artistes et théoriciens qui ont contribué par leurs idées et leurs textes, ou qui ont participé à l'un des quatre séminaires du projet, à Amsterdam, Ljubljana, Istanbul et Zürich. Toute cette recherche est documentée dans un livre, et elle ressort de différentes manières dans les deux expositions du projet qui se sont tenues à Berlin en 2006 et à Barcelone aujourd'hui[2]. Nous n'en donnons ici qu'un avant-goût, sous la forme de quelques images extraites des vidéos de Biemann et de Melitopoulos — avec l'espoir de susciter une curiosité, notamment en France, pour ce projet hors normes.

On est loin d'une définition purement esthétique de l'art, dans ces enquêtes précisément documentées sur les marges sud-est de l'Europe, en transformation constante depuis la fin de la guerre froide. Comme Ursula Biemann l'explique : « Selon ma conception de la pratique artistique, les images et les textes s'entrelacent inextricablement dans le but de produire des connaissances. »[3] Mais si les discours analytiques du projet se mêlent au tissage audiovisuel (et à la singularité des rencontres), c'est aussi pour faire ressortir une hétérogénéité fondamentale.

D'un côté, les « objets » traités (l'oléoduc, le réseau de transports) doivent être lus comme des émanations matérielles du processus abstrait de planification par corridors, qui étend les infrastructures de la production capitaliste depuis les centres historiques saturés (la « zone A ») vers les périphéries à investir (la « zone B »). Le *Corridor X* qui conduit vers la Grèce et la Turquie en fournit l'exemple parfait, avec son axe central et ses quatre branchements, ses 2 500 kilomètres de routes et de rails, ses douze aéroports et ses quatre ports maritimes ou fluviaux, le tout existant partiellement et demeurant partiellement à construire, *via* des partenariats public-privé d'une complexité redoutable[4]. Le « X » désigne bien l'absence, le vide de sens de cette immense infrastructure, quand elle est vue depuis l'angle de sa planification. Le pipeline BTC, quant à lui, est désormais enfoui sous le sol — pour le sécuriser, ainsi que pour réduire sa surface médiatique. Il n'a été visible que pendant les quelques années de sa construction, lorsque Biemann l'a filmé (et encore, il fallait le trouver sur le terrain, parce que la British Petroleum ne délivrait pas la moindre information à ce propos). Mais on peut se demander si un tel projet peut jamais être « visible », s'il ne consiste pas véritablement en l'espace informationnel de coordination qui lui assigne ses fonctions réelles. Biemann pose cette question, en montrant l'image du pétrolier dans le viseur informatique ; mais elle détourne son regard en même temps, tout le long de l'oléoduc, pour entamer des conversations avec les ouvriers, les paysans, les experts, les prostituées, les réfugiés qui font l'espace de cette infrastructure, tout autant qu'ils sont faits par lui. L'autre côté du pipeline — tout ce qui n'est pas réductible à sa fonctionnalité abstraite —, affleure dans ce questionnement des gens que l'on rencontre, souvent des migrants, des personnes déplacées, qui savent ce que cela veut dire d'avoir à refaire un monde.

Or, questionner autant les autres suppose une interrogation sur ses propres motifs. À travers l'une des péripéties du travail en réseau qui ont ponctué le projet de Géographies transculturelles, Biemann se trouve au printemps 2004 à Ankara, dans le local du collectif VideA, quand arrive un appel urgent d'une communauté de réfugiés kurdes. La municipalité est en train de déloger ce millier de personnes de leur lieu de vie, un grand terrain vague où ils effectuent des opérations de recyclage de déchets (papier, verre, plastique). Elle enregistre la descente brutale de la police ; mais sur la vidéo double écran, elle présente ces scènes dramatiques en parallèle à une séquence auto-réflexive, où elle se pose des questions tout en se faisant filmer par une webcam. Ce que l'artiste ajoute à la recherche géographique, c'est une enquête sur la texture des relations qui produisent l'espace vidéographique lui-même — une texture dialogique, riche de différences mais toujours incertaine, et partiellement opaque pour ses acteurs mêmes.

démultiplier les récits

Pour commercer à saisir les enjeux les plus importants de cette recherche, on peut dire qu'elle a pour sujet la *production de l'espace* au sens d'Henri Lefebvre. C'est-à-dire la production d'un milieu existentiel vécu et façonné par ses habitants, un espace vital ouvert aux devenirs les plus inattendus, et, en même temps, intérieurement contradictoire de par sa multiplicité même — surtout quand il est soumis à des régimes de transparence et de totalisation, aussi illusoires qu'oppressifs. Au-delà des abstractions du contrôle, c'est cette dimension qualitative (corporelle, sensuelle, ludique) que Lefebvre appelle l'espace différentiel[5].

Mais il faut aller plus loin. Entre l'époque de Lefebvre et la nôtre, il y a eu une floraison d'enquêtes féministes et d'historiographies postcoloniales, qui ont apporté une attention particulière aux interactions entre la *positionnalité* des sujets et les *savoirs situés* (y compris les savoirs d'expression)[6]. Ces réflexions induisent un nouveau traitement du récit, une démultiplication de sa texture gestuelle et narrative : car c'est celle-ci, dans sa dynamique transindividuelle, qui est humainement productrice. Cela a conduit des artistes travaillant avec les médias modernes à élargir la production de l'espace à travers le montage vidéographique lui-même. Face à une pure analyse de l'espace abstrait — mais face à une pure esthétisation du paysage humain —, la recherche artistique donne forme à une *géographie différentielle*, c'est-à-dire un mode de connaissance (de reconnaissance, d'autoconnaissance) qui permet aux sujets d'inscrire dans la trame gestuelle du récit leur propre positionnalité, tout en exposant ses déterminations socioéconomiques au flux du temps intersubjectif et à la fluctuation électronique de l'image vidéo. C'est ainsi que l'espace abstrait des corridors peut devenir un champ sensible et dialogique, où résonnent de multiples fils d'expérience historique et de désir. Et c'est ainsi que les altérités migratoires de la Zone B — « une zone de transitions, de devenirs processuels, de conditions politiques instables, de stratégies de récupération néocoloniales et d'historiographies antithétiques »[7] — peuvent commencer à refluer dans l'espace imaginaire sursaturé de la Zone A.

L'expérience de Timescapes est une tentative de réaliser ce reflux, à travers une règle du jeu, un dispositif technique et une pratique originale du montage. Le participants, qui ont filmé tout le long du *Corridor X* et au-delà, acceptent de mettre en commun les résultats, pour constituer une banque de données vidéographiques dont chacun reçoit une copie complète (environ 25 heures). Chaque vidéaste travaille alors dans son atelier ; mais un plate-forme Internet lui permet de partager avec tous les autres les *timecodes* de ses montages. Tous peuvent recombiner le fonds de données vidéographiques selon les codes reçus, et voir le film que l'autre est en train de faire. Un système de mail intégré à la plate-forme Internet sert à relayer les commentaires des uns et des autres sur leurs appropriations et leurs montages réciproques. Comme Angela Melitopoulos l'écrit à l'un des participants, Oktay Ince : « Je te dis quelque chose de ce que je ressens en devenant une partie de ton montage ; peux-tu m'expliquer comment je vais être, en tant que personne, le matériau d'une de tes lignes psychographiques ? »[8] Dans l'espace d'exposition, cette appropriation réciproque est étonnante : de salle en salle, de moniteur en écran, les images réapparaissent, se font écho, se recombinent...

Pour Melitopoulos, le montage non linéaire est un travail avec la durée de notre expérience, une modulation de l'attention qui informe notre pensée et notre perception spatiale. C'est une sorte de phrasé de l'être dans le temps, qui fait affleurer la mémoire dans le monde présent, et dans un rapport avec la sensibilité d'autrui. Suivant cette conception, elle constitue une vidéographie du Corridor X qui entrelace de multiples couches : ses propres trajets vers la Grèce pendant les vacances d'été de son enfance ; la construction du chemin de fer Berlin-Bagdad ; le creusement du tunnel de Loibl pendant la seconde guerre mondiale ; la mobilisation de la population yougoslave pour les travaux de l'Autoroute de la fraternité et de l'unité ; et l'actualité du Corridor X, où les informations et les événements politiques se mêlent aux gestes et aux voix de ceux qui vivent cette actualité au jour le jour. Le principe de l'installation à double écran sert admirablement cette technique de montage, permettant des parallélismes et des contrastes historiques, mais donnant lieu également, par le jeu de la répétition, a des rythmes affectifs que l'on ne pourra jamais nommer, mais qui passent à travers les paysages, les visages, et jusqu'à travers nous. Pour citer encore Henri Lefebvre, on pourrait parler d'une « rythmanalyse »[9]. Mais elle s'étend, non seulement à la ville, mais à toute une région en devenir ; et elle se laisse traverser par la temporalité des autres.

Un des personnages de *Corridor X*, Alexandre Zdravkovski, fait remarquer que l'Autoroute de la fraternité et de l'unité était pleine de vie, qu'on la remplissait d'énergie affective. « Nous autres Macédoniens aimerions avoir tous les corridors à un état vivant. (...) Mais pour rendre vivants de tels projets, il faut beaucoup plus que des gestionnaires professionnels, des architectes, des ingénieurs et une force de travail. (…) Tout ce qui est fait de façon consciente, avec des intentions justes, a plus de vie et a des chances de durer plus longtemps dans notre continuum spatio-temporel. » [10] Interviewé sur la banquette arrière d'une voiture en mouvement, cet homme essaie de formuler en mots un principe de résistance, au-delà de ce qu'on appelle — et pas toujours métaphoriquement — les bulldozers.

Alors même qu'on planifie l'extension du Corridor III jusqu'en Chine, il y a peut-être là le vrai défi du vingt-et-unième siècle.

---

(1) Pour de plus amples informations sur Timescapes, voir *www.videophilosophy.de*.

(2) Voir Anselm Frank (dir.), *B-Zone : Becoming Europe and Beyond*, Berlin, KW / Actar, 2005. L'exposition a été montrée au Kunst-Werke de Berlin, 15 décembre 2005 — 26.février 2006, puis sous une forme différente à la Fondation Tapiès de Barcelone, 9 mars 2007 — 6 mai 2007.

(3) Ursula Biemann, « File 0 », in *B-Zone, op. cit.*, p. 25.

(4) Voir entre autres : *http://edessa.topo.auth.gr/x*.

(5) Henri Lefebvre, *La Production de l'espace* (1974), Paris, Economica, 2000.

(6) Sur le rapport entre Lefebvre et les théories féministes et postcoloniales, voir Irit Rogoff, *Terra Infirma. Geography's Visual Culture*, Londres, Routledge, 2000, p. 20-35.

(7) Angela Melitopoulos, « Topology of a B-Zone » in *B-Zone, op. cit.*, p. 144.

(8) *Ibid*, p. 169.

(9) Henri Lefebvre, *Éléments de rythmanalyse*, Paris, Syllepse, 1996.

(10) *B-Zone, op. cit.*, p. 229.

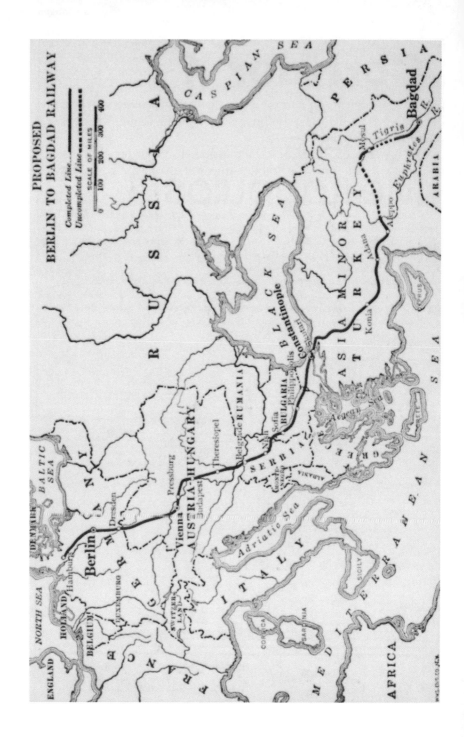

PROPOSED
BERLIN TO BAGDAD RAILWAY

Completed Line...
Uncompleted Line

SCALE OF MILES
0   100   200   300   400

Corridor X

Angela Melitopoulos

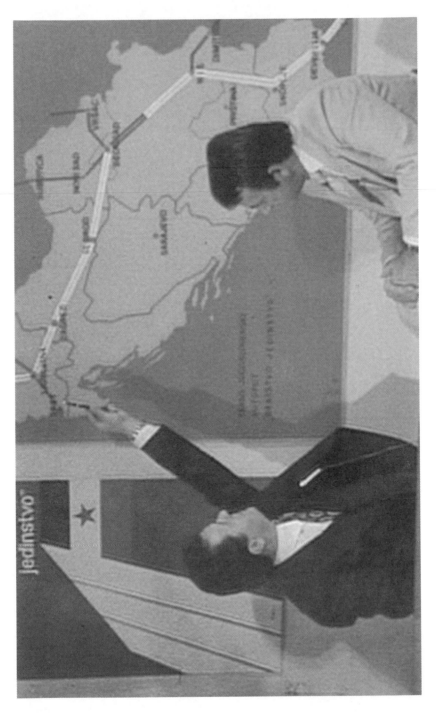

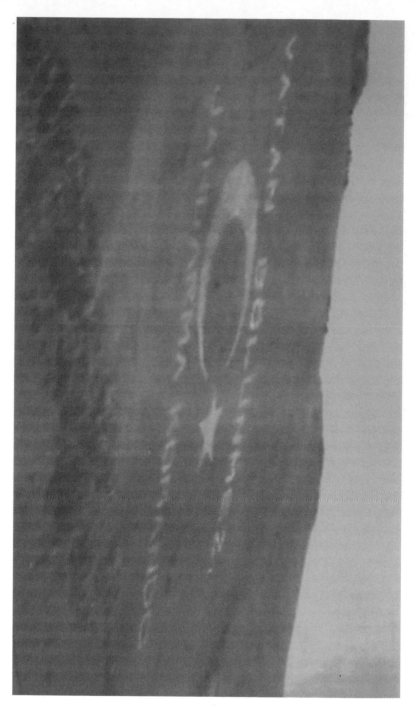

le percept noise comme registre du sensible

Yves Citton

Noise : le mot anglais correspond d'assez près au français *bruit*, avec ce que cela connote dans le domaine des sciences de l'information — un « fond » brouillé sur lequel est appelée à se dégager une « figure » clairement identifiable, définie par un « code » sur lequel émetteur et récepteur se seront préalablement mis d'accord[1]. Le *bruit*, c'est donc une présence sous-jacente qui précède l'information ou la musique, qui l'entoure et qui n'y fait irruption que sous la forme déformante d'un brouillage malvenu. *Noise* : le mot français, aujourd'hui vieilli mais qui est probablement la source du dérivé anglais, est resté dans notre langue pour évoquer « querelles » et « disputes ». « Chercher *noise* à quelqu'un », c'est le provoquer, le pousser à bout, sans autre raison apparente que le plaisir de troubler la communication. L'étymologie est plus malsaine encore, puisqu'elle renvoie au latin *nausea* : « le mal de mer ».

Que se passe-t-il quand noise devient musique ? C'est la question que posait John Cage dès 1938 en inventant le piano préparé (qui fait bruiter les cordes du piano par l'insertion de divers objets plus ou moins incongrus) ou en 1952 avec ses *4'33"* de silence-bruit — mais c'est déjà ce que côtoyait Edgar Varèse en composant *Ionisation* pour percussions, sirènes et autre brouhaha urbain dès 1931, ou ce que pratiquaient le mouvement dada et surtout les futuristes italiens dès la première décennie du siècle. Le « dégoût » qu'ont rencontré de telles pratiques les a longtemps assimilées à des provocations vides gratuites (identifiant l'artiste contemporain à un chercheur de noise), voire à des agissements « nauséabonds », à l'exemple des concerts de Sunn O))) dont le volume sonore poussé à l'extrême provoque des vomissements au sein de l'audience, ou à l'exemple des productions de Wunderlitzer qui paraissent à première écoute écraser l'auditeur sous un mur de sons indistincts et saturés.

Un (non-)genre musical contemporain poursuit ce questionnement et ces pratiques : la musique *noise*. Cette mineure se propose d'essayer de cartographier certaines de ses expressions actuelles, d'articuler certains de ses enjeux esthétiques et de comprendre de quelles formes de vie et de sensibilité il occasionne le développement. Il s'agit à la fois de fournir des clés d'entrée et des voies d'exploration au lecteur qui ne connaîtrait rien de ces musiques, et de rendre compte du désir dont elles sont porteuses, que les auteurs du dossier partagent et qui leur semble en demande de théorisation.

Comment rendre compte du frémissement qu'ont connu plusieurs générations à l'écoute du simple son d'une guitare en distorsion ? Comment comprendre le type d'affect propre à l'écoute de ce que la sensibilité commune relègue dans le registre du bruit (*noise*) ? Des genres comme le jazz ou le rock, même si leur vitalité repose sur une dynamique qui remet incessamment en question leur définition générique, sont identifiables à travers un faisceau de traits propres (tenant à certains types de pulsion rythmique, de phrasé, de configuration orchestrale, de composition, d'énergie déployée, de participation des spectateurs, de modalités de marketing, etc.). Le « noise » relève-t-il lui aussi d'un « genre » à part ? Ou faut-il concevoir la noise comme une couche de sensibilité qui ne fait que s'ajouter à des genres préexistants ? Au-delà de ces problèmes de définition, que peut nous apprendre la noise sur les développements qu'ont connus les sensibilités dans le dernier quart du XXᵉ siècle ? Les pages qui suivent proposeront un cadrage théorique sommaire sur cet ensemble de questions (avec en point de mire principal l'intersection entre noise et rock).

guitares en distorsion et machines d'enregistrement

Commençons par isoler aussi précisément que possible un *type particulier de percept*. Parmi toutes les expériences musicales qui tendent à me ravir, il en est une qui peut tenir en un seul son, celui d'une guitare électrique passant par une boîte de distorsion et flirtant avec le Larsen. Ce type de phénomène sonore, sollicité sur quelques secondes pour servir d'ouverture à d'innombrables *rock songs* (Gang of Four, Joan of Arc, Pixies, Sonic Youth, Jesus Lizard, Superchunk, Q and not U — à chacun de nommer son groupe favori), peut aussi devenir l'objet principal d'un morceau entier, par exemple chez des guitaristes comme Dylan Carlson, Noël Akchoté, Tim Kinsella ou Otomo Yoshihide. Ce « percept noise » élémentaire sera d'autant plus purifié que seront non pertinentes les autres dimensions à travers lesquelles nous tendons à identifier les objets musicaux : même si, dans les compositions relevant du rock, le type de sons que j'essaie d'isoler ici est souvent associé à un certain type d'accords (dissonants, mineurs, suspendus), il peut parfaitement s'incarner à travers une seule « note » (*exeunt* les dimensions harmoniques et mélodiques), tenue indéfiniment (*exeunt* rythme et tempo) et ne faisant que se tordre lentement, imperceptiblement, dans un sens ou dans l'autre — sans qu'un tel « sens » de distorsion soit redevable de la moindre signification assignable dans le vocabulaire de description musicale actuellement à notre disposition.

On peut bien entendu situer ce type d'expérience au sein des courants généraux qui ont marqué l'histoire de la musique du XXᵉ siècle, et en particulier au sein des expérimentations relatives au registre du « timbre ». La guitare en distorsion s'inscrit alors dans toute une série d'explorations et de domestications de sonorités nouvelles à travers l'invention de nouveaux appareils producteurs de sons (des instruments d'Harry Partch au râteau d'Eugene Chadbourne). Plus significatif, pour une histoire de la noise, pourrait toutefois être le *développement des techniques d'enregistrement*. On pourrait ici distinguer deux phases :

1°) Par rapport à la notation écrite, la possibilité de captation et de restitution d'enregistrements sonores, apparue à la fin du XIXe siècle, a permis la saisie et la large diffusion de gestes mélodico-rythmiques, qui ne pouvaient jusqu'alors se répandre que par des processus d'imitation personnalisés entre maître et disciples. L'exemple caricatural de cette première phase de développement machinique pourrait être donné par les heures d'enregistrement réalisées en 1947-48 par Dean Benedetti des solos de Charlie Parker (les prises commençant à la fin du thème initial et s'interrompant dès le retour du thème de clôture) : la qualité sonore exécrable de ces gravures réalisées depuis la salle des clubs où se produisait le saxophoniste n'empêche pas de saisir la forme particulière des lignes mélodico-rythmiques caractéristiques de son phrasé — qu'aucune forme de notation écrite, aussi fine soit-elle, ne saurait jamais rendre de façon adéquate.

2°) Aussi importantes que soient les conséquences de ce premier dispositif technique, c'est seulement au sein d'une seconde phase que devient concevable le développement d'une esthétique noise. L'amélioration progressive des techniques de captation et de restitution du son, entre les années 1940 et 1960, donne en effet lieu à un saut qualitatif à partir d'un certain degré de « définition » obtenu par l'enregistrement. Dès les années 1960 (et peut-être plus tôt), il devient possible de saisir non seulement les gestes mélodico-rythmiques qui définissent le phrasé d'un musicien, mais aussi *des nuances de plus en plus fines* de timbre, d'attaque, de volume, de toucher ou de souffle qui contribuent non moins que les dimensions rythmiques, mélodiques ou harmoniques à singulariser ce phrasé. La reproduction et la transmission des expériences musicales s'aventurent ainsi dans des domaines que l'imitation personnalisée d'un maître par un disciple, eût-elle demandé des dizaines d'années, n'aurait jamais pu égaler.

C'est seulement au sein de cette seconde phase — plus difficile à cerner historiquement puisqu'elle relève d'améliorations quantitatives (dans la qualité d'enregistrement) — que devient possible, pour la première fois, *la captation (et la reproduction) de la singularité absolue d'un geste musical*. Au fur et à mesure que s'abaisse le seuil de « bruit » avec l'accroissement du degré de définition de la captation sonore, le nombre de caractéristiques saisies par la machine et restituées à l'oreille en arrive vite à dépasser ce que l'imitation la plus méticuleuse pourra reproduire fidèlement. Les spécificités de l'instrument sur lequel joue le

musicien, celles de son corps propre, de l'acoustique du lieu d'enregistrement, de la localisation du microphone, tout cela forme un faisceau de nuances sonores dont les conditions de production sont irre-
productibles. Passé un certain seuil de « fidélité » (au sens de la « hi-fi »,
c'est-à-dire du haut degré de définition de l'objet sonore reproduit par
le dispositif d'enregistrement), la machine permet de saisir non plus
seulement des *spécificités* (telle œuvre, jouée dans tel style, à tel tempo,
avec tel phrasé), mais des *singularités* (tel musicien, tel jour, à telle
heure, sur tel instrument, devant tel micro, dans tel environnement
acoustique).

bruits d'aiguille et de coccinelle

On voit en quoi cette évolution est décisive pour la constitution de
la noise : c'est seulement une fois que le *bruit mat* qui parasite le dispositif d'enregistrement a été réduit au-dessous d'un certain seuil que
des éléments de *bruit choisi* peuvent être sélectivement ré-intégrés au
sein de l'objet sonore pour y recevoir une fonction expressive. En
d'autres termes, il faut qu'une technologie de hi-fi soit disponible pour
que le *lo-fi* puisse devenir un genre en soi, participant d'un projet esthétique susceptible d'être transmetteur d'affects propres (comme c'est
le cas dans le monde du rock depuis les années 1990). L'illustration la
plus triviale de ce phénomène est donnée par la ré-insertion, au sein
d'enregistrements diffusés sur compact disc, de bruits d'aiguille courant sur le(s imperfections du) microsillon vinyle, réinsertion largement
pratiquée aussi bien par les *turntables* d'Otomo Yoshihide que dans les
hits de Portishead.

Le « percept noise » évoqué plus haut (celui d'une guitare électrique
affectée d'un certain type de distorsion) mérite donc d'être compris au
sein d'un dispositif capable de rendre audible et valorisable *une déformation sélective du son attendu*, et capable de saisir la singularité événementielle de l'objet sonore. C'est peut-être au cours de la décennie allant de 1965 à 1975 que s'est imposée sur la scène musicale une logique
basée sur la forme de jouissance propre à ce type de percept. Si la musique dite « concrète » avait depuis plusieurs années déjà transformé le
bruit en objet musical, c'est sans doute l'émergence de musiciens
comme Jimi Hendrix ou Robert Fripp parmi les guitaristes rock, et de
Albert Ayler ou Peter Brötzmann du côté des saxophonistes jazz, qui
a marqué la prépondérance d'une recherche portant sur la qualité sonore davantage que sur le travail mélodico-rythmique.

Un tiers de siècle plus tard, Otomo Yoshihide condense les divers aspects de l'analyse mise en place dans les paragraphes précédents, lors-

que, dans ses notes de pochette, il rend son auditeur attentif au bruit d'une coccinelle se posant sur le microphone au cours de l'enregistrement de son concert de *Guitar Solo performed by Otomo Yoshihide 12th October 2004 @ Shinjuku Pitt Inn, Tokyo + 1*. Si ce disque illustre bien l'analyse proposée ici du percept noise, c'est toutefois moins à travers l'intégration (permise seulement par la hi-fi) de ce bruit aléatoire à la limite de l'imperceptible — transformant ce qui était prévu comme un solo en l'événement singulier d'un duo pour coccinelle et guitare — qu'à travers le type de ressorts esthétiques sur lesquels repose son jeu de guitariste, qui réduit souvent au strict minimum les dimensions mélodiques, harmoniques ou rythmiques définissant habituellement l'objet musical sans diminuer la jouissance propre que produit ce percept : une même « note », indéfiniment tenue ou répétée en dehors de tout schéma temporel identifiable, peut suffire, dès lors que la tessiture propre à cette « note » fait l'objet d'explorations ou d'insistances capables de nous faire frémir. (On sent toutefois à quel point la notion même de « note » est ici inadéquate, en ce qu'elle présuppose une localisation au sein d'une gamme harmonique dont le percept noise neutralise précisément la pertinence.)

du percept à l'affect du chercheur de noise

Il va de soi que la « déformation sélective du son attendu » évoquée plus haut fait généralement elle-même l'objet d'une *attente*, de même que la « singularité événementielle de l'objet sonore » n'est identifiée et perçue par l'auditeur que sous la forme d'une *spécificité*. C'est sans doute en tant qu'il relève d'un genre (le « noise rock ») que tel son de guitare me fait frémir — avec les attentes d'accords dissonants, de structures compositionnelles, voire de paroles, qui l'accompagnent habituellement. Il semble pourtant qu'on puisse aller chercher dans le percept noise lui-même une *tension propre* qui le situe, non pas exceptionnellement mais constitutivement, *à la limite entre musique et bruit*. Un son de guitare en distorsion ne relèverait alors proprement du « noise » que dans la mesure où il serait perçu comme « cherchant noise » : comme flirtant avec la provocation en *poussant au-delà d'une limite attendue ou acceptable* tel potentiomètre, telle durée, telle résonance, tel aspect de sa tessiture habituelle. Le saxophoniste Tim Berne aime à dire que la principale leçon que lui a transmise son maître Julius Hemphill a été d'apprendre à voir *jusqu'où on pouvait pousser trop loin un son originellement perçu comme laid* (une fausse note, un couac, une sursaturation). C'est cet appel intransigeant à se faire équilibriste sur la ligne ténue séparant musique et bruit, c'est cette urgence de conquérir des zones de « bruits » pour les intégrer à des registres « musicaux » qui méritent sans doute mieux que tout autre de caractériser l'expérience noise.

Le percept sonore s'y articulerait alors avec un *affect*, soit, selon la définition spinozienne, avec un *passage*, une *augmentation* (ou une diminution) de notre force d'exister et de notre puissance d'agir. L'affect propre à cette forme de joie que procure la noise reposerait sur une *conquête*, une augmentation de territoire, une domestication du bruit sauvage par les moyens expansifs promis par une esthétique musicale en devenir. La joie de l'équilibriste et du découvreur — que capte le musicien, et sur laquelle l'auditeur est appelé à venir surfer — consiste bien à « affirmer quelque chose de son corps qui enveloppe une réalité plus grande que ce corps n'en avait auparavant » : je peux tenir sur ce fil du rasoir, je repère la position dans laquelle ce bouton pérennise une modulation éphémère, j'annexe cette part de chaos pour la soumettre à mon bon plaisir. Que la sauvagerie du punk s'embourgeoise dans la propreté de la new wave est donc conforme à la structure même de l'affect noise, dont l'augmentation de puissance repose sur une *domestication* de l'indompté : ce qu'affirme l'expérience de la noise, c'est ma capacité à étendre ma maison (*domus*) sonore, en y intégrant les cris et les murmures d'une jungle dont je percevais originellement l'extériorité comme menaçante. Que je puisse en fin de processus m'endormir dans le nouvel espace ainsi domestiqué, bercé par le ronronnement rassurant de tel ou tel genre musical devenu familier, cela marque certes *la fin* de l'expérience noise au sens où c'en est la décadence et la chute à un degré zéro, mais cela en signale aussi la « finalité » implicite.

Cette affirmation à laquelle donne lieu l'expérience noise présente par ailleurs l'intérêt de faire s'estomper la distinction entre le travail du musicien et celui de l'auditeur, et plus largement celle que la conscience commune établit entre activité et passivité. Le chercheur de noise — qu'il bidouille savamment les interférences d'un circuit électrique ou qu'il se contente de presser le bouton Play d'une chaîne stéréo — travaille avant tout à *reconditionner son aptitude-à-être-affecté*. C'est toujours, en dernier ressort, aux conditions données de *sa propre* sensibilité qu'il « cherche noise » : c'est *lui-même* qu'il provoque et qu'il défie de ré-agencer son rapport à son environnement sonore de façon à en redessiner les frontières.

l'âge du timbre

Ce type de défi n'est bien entendu nullement propre à l'expérience noise. Il est au cœur de toute l'esthétique moderniste, telle qu'elle s'articule au programme nietzschéo-tardien d'auto-dépassement et de

144 · **MULTITUDES 28** · PRINTEMPS 2007

sculptage de sa vie comme œuvre d'art. La plupart des évolutions qu'a connues l'histoire de la musique (ainsi que celle de la peinture) dans la première moitié du XXᵉ siècle relèvent déjà de cette dynamique. Si l'articulation d'une dé-formation perceptive sur un affect conquérant présente une quelconque originalité dans le cas de l'expérience *noise*, il faut aller la chercher non pas dans la structure de cette expérience, mais dans la dimension sur laquelle elle s'exerce. En ce sens, les quarante dernières années de pratiques musicales pourraient apparaître comme dédiées à un travail de conquête largement similaire à celui opéré par les explorateurs de la dissonance et les découvreurs du dodécaphonisme durant le premier tiers du XXᵉ siècle, mais portant cette fois sur la *dimension du timbre*, alors que Schönberg et ses amis viennois ont fait porter l'essentiel de leurs efforts sur la dimension harmonique.

Si le terme de « timbre » mérite d'être préféré à des équivalents apparemment mieux adaptés (« tessiture », « qualité sonore »), c'est qu'il est porteur d'un branchement polysémique suggestif. Faute de disposer d'un vocabulaire propre à décrire les paramètres du type de percept qui fait frémir les écouteurs de noise, ceux-ci ont souvent recours à des *noms propres* comme repères et guides dans leurs quêtes de jouissances sonores. La carte des genres pouvant relever du noise rock se trouve ainsi segmentée chez la plupart des amateurs en des zones balisées par des noms de producteurs (Steve Albini, John Agnello, J. Robbins), de labels (Dischord, Touch and Go), de musiciens ou de groupes faisant office de centre de constellations (SonicYouth, Fugazi, Tim Kinsella). L'âge du *timbre-tessiture* se cartographie à l'aide du *timbre-sceau* de ses chercheurs de noise les plus connus. Peut-être est-ce davantage qu'un hasard si la dimension sonore du timbre favorise une logique classificatrice fondée sur des signatures individuelles, dans la mesure où, comme on l'a vu, les caractéristiques relevant du timbre donnent lieu à des singularisations beaucoup plus affirmées que celles permises par les dimensions mélodico-rythmiques qui ont dominé jusqu'ici l'appréhension des pratiques musicales.

L'efficace du timbre-signature s'inscrit doublement dans la logique de l'évolution esquissée ci-dessus. D'une part, elle participe du rapport dynamique entre la *signature d'une singularité* et la *marque de fabrique* qu'elle est appelée à devenir ; la phase de domestication passe par l'assignation à une maison de production, dotée de son enseigne propre et reconnaissable. Le timbre-signature offre d'autre part une force de *résistance à l'indifférenciation* qui menace les chercheurs de noise à l'époque de la reproductibilité des performances singulières : les capacités techniques de la hi-fi décrites plus haut, en même temps qu'elles permettent de saisir la singularité du toucher propre à tel ou tel musicien, tendent en effet à *diluer l'événementialité* dont elles généralisent la reproduction.

Lorsque Ornette Coleman, virtuose du saxophone et inventeur de « l'harmolodie », s'empare d'un violon, dont il ne sait pas jouer (selon les normes habituelles des écoles de musique), ou lorsqu'il plante son fils de 10 ans, Denardo, derrière une batterie pour enregistrer un disque en trio, il commet certes des gestes de provocation qui s'insèrent parfaitement dans la logique d'un chercheur de noise (cousin, ici, d'un adepte de l'art brut) : les raclements déchirants qu'il arrache à ses cordes et la fragilité hésitante avec laquelle l'enfant hasarde ses baguettes sur les peaux et les cymbales produisent des effets de timbre tout à fait uniques et admirables, bien capables de reconditionner l'aptitude-à-être-affecté de son auditoire. Au sein du bruit généré par tous ceux qui débutent dans leur apprentissage d'un instrument (et dont la disponibilité de moyens d'enregistrement à haute définition et à bas coût permettrait de capter et d'immortaliser les petits événements quotidiens), les gestes d'Ornette Coleman ne sont toutefois *audibles* que par l'effet du timbre-signature apposé sur la couverture de ses disques. Dans l'océan des bruits inédits qui deviennent esthétisables à l'âge du timbre-tessiture, le timbre-sceau fonctionne comme le repérage d'une consistance sélective ou d'une concrétion d'inventivité, repérage nécessaire à assurer l'orientation des chercheurs de noise.

identifier un registre noise au sein des sensibilités communes

Ici encore, on pourrait bien entendu retrouver à d'autres périodes, dans d'autres genres et dans d'autres formes d'art, cette tendance à se servir de noms propres pour désigner des courants esthétiques émergents. Comme l'a bien explicité Gabriel Tarde, c'est le propre des pratiques artistiques que de socialiser les sensibilités à travers des mouvements de rayonnements imitatifs, qui partent d'*innovations singulières* (assignables originellement à un seul nom propre) pour se transformer progressivement en *façons communes* de sentir, de désirer, de croire et de penser. Malgré ses limitations sociologiques assez rigides (les amateurs de noise tendent à être blanchâtres et intellos), saisir les horizons nouveaux qui s'esquissent dans ce type d'expériences musicales implique d'en repérer la *présence diffuse* en différents points du tissu social. À l'intérieur même du monde musical, les nouveaux genres les plus populaires de ces dernières années, le rap et la techno, font porter l'essentiel des variations qui les identifient et les renouvellent sur le *traitement du son*, plutôt que sur le rythme, la mélodie ou l'harmonie, révélant rétrospectivement une dimension centrale dans le rock dès ses premiers balbutiements. Depuis l'invention du baladeur et avec le rebondissement actuel de l'iPod, la musique tend par ailleurs de plus en plus à s'écouter *au casque*, avec l'abaissement du niveau de « bruit » que cela implique, et avec la plus grande définition de noise que cela permet.

Si la réalité du noise dépasse donc les cercles encore assez étroits des fans de Wunderlitzer ou d'Otomo Yoshihide, c'est peut-être que, en dehors même du domaine musical, tout un pan de nos sensibilités (déjà, ou en voie de devenir) communes se reconfigure pour faire apparaître l'émergence d'un *registre noise* — qui exprime en dernière analyse une certaine attitude relevant de *l'ontologie politique*. Frédéric Neyrat proposait récemment d'identifier comme notre principal problème le « rapport entre la production et le laisser-être » : une « politique du laisser-être », loin de se réduire à de la passivité, « implique des pratiques bien précises qui consistent dans le fait de ne pas commencer par imposer la force, une volonté anthropocentrique. Le laisser-être est un terme guerrier quand le déni d'existence fait loi. »[2] La *sensibilité noise* concilie de façon frappante cette audace querelleuse (militante, décoiffante, potentiellement guerrière) avec des pratiques productrices (plus ou moins brutales, plus ou moins raffinées) qui ont en commun de *laisser advenir un déploiement sonore* échappant constitutivement à « l'imposition de force » et à « la volonté anthropocentrique » sous-jacentes aux gestes musicaux traditionnels. *Laisser-être la saturation*, se rendre attentif à ses mouvements propres, sans se crisper dans la peur ni s'endormir dans le confort de son ronronnement, exprime peut-être le plus profondément et le plus adéquatement les frissons propres à notre époque de *surexposition*.

---

(1) Cette mineure et le fruit d'une réflexion collective menée par Giovanna Zapperi, Olivier Surel, Christophe Degoutin et Yves Citton.

(2) Frédéric Neyrat, *Surexposés*, Lignes Manifeste, 2005, p. 18 et « Formuler notre surexposition », *Multitudes*, n° 25, été 2006, p. 107.

le blues, cette chanson si bruyante

Yoshihiko Ichida

Les sons d'un piano « préparé » au hasard de John Cage, de deux sirènes concertant dans *Ionisation* de Varèse avec 35 instruments à percussion, et des ailes d'hélicoptères formant un quartet avec des instruments à cordes chez Stockhausen, sont-ils du bruit intégré à la musique dans le même sens que la voix rauque et la parole indistincte de Charley Patton, né dans le delta du Mississippi, décalées par rapport au rythme et à la mélodie de sa propre guitare acoustique, ou que le son électronique excessivement amplifié de la guitare et de l'harmonica des *bluesmen* de Chicago (Muddy Waters, Howlin' Wolf, etc.) ? Oui, dirait sans hésiter ce producteur de RCA qui a proposé (finalement en vain) à Lou Reed de publier sur un label de musique contemporaine son *Metal Machine Music* constitué intégralement de *guitar noise*, ces Frank Zappa et Captain Beefheart qui savaient se livrer indifféremment à Stravinski, Boulez et le R&B des années 1950, et cet auteur de *Deep Blues* qui découvre dans le paradigme du blues « chaos, chance, charm and luck » comme autant d'éléments du « paradigme scientifique de la fin du XXe siècle »[1], lesquels seraient bien évidemment aussi ceux de la musique contemporaine après Cage. La notion de bruit traverse les deux domaines musicaux, l'« artistique » et le « populaire », pour y faire apparaître un continuum nommé *noise*. Tout comme pour élargir la définition « scientifique » donnée par Boulez du bruit (la bande de fréquences remplie par un matériel sonore amorphe)[2], les quatre volumes de l'*Anthology of Noise and Electronic Music* (Sub Rosa) réunissent des noms propres très divers : Cage, Ferrari, Xenakis, Messiaen, Ligeti, Sun Ra, Sonic Youth, Captain Beefheart, Les Rallizes Dénudés, etc. Tout comme s'il s'agissait de respecter littéralement une autre définition proposée par le même compositeur — le bruit est « un phénomène non directement réductible à un autre bruit »[3] —, la notion lie aussi la musique et la littérature, deux domaines irréductibles de l'art : cette anthologie contient également la lecture à haute voix d'une œuvre de William Burroughs. Introduit autrefois dans la musique atonale par un « désir d'illustration para-musicale, descriptive »[4], le bruit représente maintenant *la non-différence musicale* entre l'artistique et le non-artistique (ou le populaire), de même qu'entre le musical et le non-musical, autrement dit *la différence à soi de la musique*.

le continuum sonore ou les deux bruits

Aussi est-il possible de paraphraser la question initiale : le bruit immanent au blues, plus ancien que le continuum Noise, anticipe-t-il sur ce continuum, et peut-il y être intégré ? Il faut remarquer immédiatement qu'il n'y a pas de bruit au sens strict du terme dans le continuum, si on regarde la chose du point de vue de l'art. Car, le « son » musical, libéré du principe d'identité par transposition et fondé sur un organisme comme la série, n'a plus qu'un critère relatif pour se distinguer du bruit, et c'est cet organisme-là qui détermine chaque fois, c'est-à-dire pour chaque cas de composition musicale, le son utilisable. Là, il n'y a plus le bruit en soi, et la composition consiste en l'opération double d'agencer des sons et d'organiser le système sonore lui-même. Son ou bruit, cela dépend des « structures formelles qui les utilisent, qui les manifestent à eux-mêmes, pour ainsi dire » : « au-delà de l'idée de mélange des éléments, encore naïve, se situe une dialectique structure-matériau selon laquelle l'une est le révélateur de l'autre »[5]. C'est que ce qui apparaît comme bruit dans une structure a toujours une autre structure de niveau plus élevé dans laquelle il ne sera plus un *bruit* mais un *son*. Le continuum Noise présuppose un continuum de son et de bruit qui fixe le mouvement de la musique comme élargissement du son, ou intégration du bruit dans le son. Le son étant alors ce qui était bruit, le pays natal de la musique peut apparaître comme le *white noise*, la résonance simultanée de toutes les fréquences. En fait, poussant la tendance à l'extrême, Stockhausen a considéré le son comme un cas limite du bruit : « la musique tonale apparaît comme un simple cas particulier, dès lors qu'on classe les événements sonores dotés vibrations périodiques et d'oscillations harmoniques constantes à l'intérieur du continuum de toutes les couleurs timbrales (*Klangfarben*). Dans une musique "atonale", ce ne sont pas des "notes" qui apparaissent, mais seulement des événements sonores que l'on décrit avec le concept général de "bruits", ou de vibrations apériodiques complexes. »[6]

Le « continuum des *Klangfarben* », où tout bruit porte plus ou moins de « beauté », nous renvoie à l'émerveillement romantique sur la musique comme telle : « mais de quelle préparation magique monte maintenant la vapeur de cette étincelante apparition d'esprits ? Je regarde et ne vois rien d'autre qu'un pauvre tissu de rapports de nombres, présenté de manière palpable sur du bois perforé, sur un appareillage de cordes de boyau et de fils de laiton. »[7] Je n'écoute rien d'autre qu'un tissu de bruits... Cet esthétisme spirituel sur la matérialité du son brut se trouvant aussi dans la thèse schopehauerienne (la Chose en soi est la musique), on peut dire que le continuum soutient la modernité musicale tout entière. Mais si le *Metal Machine Music* jouant de l'immatérielle matière sonore de l'électronique se laisse entendre comme une musique de la Chose en soi, et que le groupe Can compte parmi ses membres des disciples de Stockhausen, Lou Reed a persisté dans son label de Rock'n Roll, et Damo Suzuki a tellement persisté dans sa voix vivante spontanée qu'il a poussé le groupe Can à la dissolution. Dans le continuum Noise, il y a un certain « bruit » qui reste *noisy*, qui résiste à s'absorber dans la continuité ou dans la différence à soi de la musique en général.

Les *bluesmen* de Chicago savaient assurément jouir de leur bruit sans connaître l'esthétique romantique, quoique étant sortis depuis longtemps d'un état « sauvage » censé produire « spontanément » leur son musical particulier : le bruit était pour eux *consciemment* le bruit, produit soit par la voix rauque soit par le générateur qu'est la guitare électronique. La fameuse « note bleue », identifiable dans telle ou telle phrase, mais ne se ramenant jamais aux deux coordonnées tonales (le vertical harmonique et l'horizontal mélodique) s'inscrit-elle dans une « structure de niveau plus élevé », comme une série dans laquelle elle ne serait plus un bloc sonore individualisé sans identité précise, mais un « son » tout court ? Y a-t-il une « solution » musicologique qui puisse mettre le « vrai » point final à la « fausse » (du point de vue harmonique) progression des trois accords ? Ce serait possible, mais qui connaîtrait la structure en question ? et qui veut stopper la durée du blues ? La tradition du blues a quelque chose qui rompt le continuum musical et/ou sonore, et donc il y a, à côté d'un bruit qui crée et assure la continuité, un autre bruit qui la brise.

la ritournelle du blues

Puisqu'il n'y a pas de critère immanent pour séparer son et bruit, le continuum est un chaos. La fable de Deleuze et Guattari ne dit pas autre chose que la vision « scientifique » de Stockhausen quant au lieu de naissance de la musique : « Un enfant dans le noir, saisi par la peur, se rassure en chantant. Il marche, s'arrête au gré de sa chanson. Perdu, il s'abrite comme il peut, ou s'oriente tant bien que mal avec sa petite chanson. Celle-ci est comme l'esquisse d'un centre stable et calme, stabilisant et calmant, au sein du chaos. Il se peut que l'enfant saute en même temps qu'il chante, il accélère ou ralentit son allure ; mais c'est déjà la chanson qui est elle-même un saut : elle saute du chaos à un début d'ordre dans le chaos, elle risque aussi de se disloquer à chaque instant. Il y a toujours une sonorité dans le fil d'Ariane. Ou bien le chant d'Orphée. »[8]

Du chaos du continuum naît l'ordre du son, comme chanson dans le bruit du noir. Il y a la séparation, mais la sonorité reste un milieu relativement ordonné, un centre précaire, dans le chaos. Séparer le son et le bruit, ordonner le son et constituer un lieu temporel au sein du chaos, ce sont les trois moments de la ritournelle, qui est selon Deleuze et Guattari le processus musical lui-même. S'ils s'étaient référés à la genèse du blues, le commencement du processus aurait pu être tout autre. Le blues n'a pu commencer qu'en étant chanté collectivement dans le champ de travail esclavagiste, comme *work song* pour accorder les rythmes différents des corps et réaliser une force réunie de travail, et encore pour tenir lieu du commandement à donner sans cesse ou de la machine rythmant le processus du travail dans l'usine. Au lieu d'établir le pouvoir sur chacun, on a laissé chanter collectivement et librement, entourant le champ de fusils. La forme de chanson propre au blues et au gospel, le *call and response*, a son origine dans cette ritournelle du *work song* — échange des phrases mélodiques — qui fait apparaître un espace autonome du travail aussi longtemps qu'elle est chantée : *autonome* parce que sans la chanson l'espace n'aurait d'autre qualité que celle des pierres, des bois, du fleuve, rien qui détermine les coordonnées du travail ni n'en donnent le centre, même si l'espace entier est encadré par des fusils.

Mais en s'inspirant du blues, Deleuze et Guattari n'auraient pas à modifier le commencement solitaire, parce que la chanson doit de toute façon se libérer du sol et devenir chantable tout le temps pour chacun comme il peut, de telle sorte qu'elle devienne elle-même un territoire autonome et portable. Le blues comme tel est effectivement né lorsque les Noirs, émancipés de l'esclavage, se mettent à travailler en tant que fermiers « indépendants » (quelle que soit la réalité de cette indépendance). Le *work song* chanté collectivement à fin de coordination s'est transformé en *field holler* émis solitairement pour se consoler, se rassurer et s'animer dans la peine du travail. Le blues comme chanson d'un individu conserve néanmoins un signe de collectivité d'une façon particulière : le *call and response* émis par plusieurs pour les réunir y réapparaît comme appel-réponse individuel destiné à *s'entendre chanter*, poussant l'individu à *devenir deux* — un *deux* entre lesquels sont possibles la coordination, l'ajustement et même la friction, autant de phénomènes qui apprennent à l'*in-deux-vidu* qu'il n'est pas tout seul. La vibration et la modulation de la voix résonnant entre le moi (du *call*) et le moi (de la *response*) conduit à créer une note transitive (la *blue note*) qui soit enfin « mienne », issue du dialogue entre moi et ma guitare, entre *Me and the Devil*... Quoique le vecteur ait été renversé entre pluralité et unité, la forme d'expression *call and response* demeure la même, au point qu'elle produit en fin de compte une forme de musique : le blues. Le blues est éminemment une ritournelle, et précisément un milieu autonome entre moi et mon double, entre pluralité et unité, mettant un centre précaire dans le chaos de la vie des Noirs.

Entre son et bruit, aussi. Car, si la *work song* a dû engendrer le son unifié ou unique d'un collectif à partir du bruit pluriel, le blues, émanant du retour de ce son à l'état collectif ou de la répétition en solitude de la pluralité originelle, ne peut pas ne pas vouloir le bruit : lequel est ici plutôt à définir comme le mélange crénelé que comme la fusion lisse des fréquences individuelles, plutôt comme le décalage que comme l'accord entre des cadences, bref comme *une polyphonie singulière en un seul chanteur*. Si l'équation « son + bruit = son » signale la forme générale de la production d'un son musical nouveau, l'équation du blues serait alors « son + bruit = bruit ». Stockhausen compare la première avec le phénomène phonétique « consonne + voyelle = son » : « jusqu'à aujourd'hui, on n'a que rarement utilisé les bruits dans la musique occidentale, et la plupart des musiciens traitent ce type d'événements sonores consonantiques comme du matériau de moindre valeur. (...) On peut dès lors dire que la musique occidentale a été jusqu'à ce jour une musique à sons vocaliques. (...) Pour nous au contraire, les voyelles et les consonnes — les sons et les bruits — ne sont d'abord rien d'autre que du matériau. » [9]

La polyphonie solitaire, c'est la caractéristique essentielle des chansons de Charley Patton : *Poni Blues*, par exemple, superpose tellement de mesures — à quatre temps pour le chant, à trois et cinq temps pour la guitare, binaire pour la basse de la même guitare avec un *off-beat* pour le coup de main sur le corps de la guitare — que l'équilibre temporel ne viendra jamais [10], ce qui ne permet pas à la « structure » de se compléter comme telle, ni donc de se résorber dans une autre « structure de niveau plus élevé ». La polyphonie de Patton est inséparable de cette incomplétude. Quant au bruit composé de son et de bruit, on peut le comprendre lui aussi comme une incomplétude, celle d'une liaison entre consonne et voyelle qui ne fait pas mot, parce que la « mauvaise » composition de ces deux éléments ne peut être ni consonne ni voyelle encore moins « son normal » — auquel cas il faudrait dire que c'est une sorte de *bégaiement*. En fait, la conjonction de deux mesures, paire et impaire, comme 1-2, 1-2-3, 1-2 exprime parfois un bégaiement chez les *bluesmen*, comme on peut l'entendre dans la performance de guitare de Patton ou de Sun House, ou comme John Lee Hooker le suggère explicitement dans son *Stuttering Blues*. Lou Reed dans *Sister Ray* et *Here She Comes*, et Roger Daltrey dans *My Generation*, eux aussi bégaient, ainsi, peut-être, que le DJ dont le *scratching* lie et délie, ralentit et accélère le *groove* original des disques qui tournent sur sa platine.

« Du chaos naissent les Milieux et les Rythmes » [11] : nous écoutons ici en effet non seulement le blues comme *milieu*, mais aussi comme *rythme*, généré par la polyphonie bégayante. Le rythme n'est pas une mesure conventionnelle (cadence régulière ou irrégulière) coupant la ligne du temps en morceaux, encore moins un produit de l'instrument à percussion. Les expérimentations de Steve Reich (*Come Out*, 1966) nous enseignent bien que c'est de la polyphonie qu'il naît en tant qu'un *moiré* — qui ne peut être situé ni parmi ses composantes sonores ni dans l'hallucination auditive. Le rythme est quelque chose de nouveau qui surgit et subsiste *entre* le son et le moi, comme le dit Bachelard cité par Deleuze et Guattari : « la liaison des instants vraiment actifs (rythme) est toujours effectuée sur un plan qui diffère du plan où s'exécute l'action ». Ils ajoutent : « les milieux sont ouverts dans le chaos, qui les menace d'épuisement ou d'intrusion. Mais la riposte des milieux au chaos, c'est le rythme. »[12] Si l'échange des mélodies forme un milieu, le rythme — ce tiers né de leur rencontre *et* de celle du milieu et du chaos — dote le milieu d'une persistance grâce à sa quasi-« objectivité ». Qu'en est-il alors du rythme propre au blues qui désire plutôt le bruit que le son, plutôt la pluralité que l'unité, tout en étant entre eux — et qui vise donc plutôt le chaos que le milieu dans ce milieu même ? S'agit-il de la dislocation de ce que la ritournelle a construit, ou du simple retour au chaos ? Le blues n'est pas une *free music*, ni une musique de la pure contingence à la Cage. Deleuze et Guattari observent que le rythme se noue « au passage d'un milieu dans un autre » : « changer de milieu, pris sur le vif, c'est le rythme », mais, quand cet autre milieu est le chaos qui est « le milieu de tous les milieux »[13], alors le rythme disloquant ou la riposte autodestructrice du blues, exprimés comme un bégaiement, peuvent sûrement paraître impuissants à se stabiliser en tant que rythme.

rendre la durée sonore : le Velvet Underground, La Monte Young et les bluesmen

On appelle rarement *bluesmen* les membres du Velvet Underground. Ils se sont créés, pourtant, en donnant une réponse pratique à notre question. L'idée a consisté à « faire un Phil Spector "à quatre" », à reproduire le « mur de sons » de l'arrangeur, c'est-à-dire l'orchestration ample et luxueuse du R&B à la sauce wagnérienne, par un groupe composé de quatre membres. John Cale l'explique ainsi : « c'est la théorie que (La Monte) Young avait conçue sur le blues : *comment jouer en même temps (together)* tous les trois accords de base ? Elle est devenue fondamentale pour le Velvet Underground. Avec une chanson de trois accords, je pouvais m'en tenir à deux notes sur l'alto, elles convenaient (*fit*) pour toute la chanson. Cela donnait une qualité de rêve à la totalité de chanson. »[14] Bien évidemment, il s'agit ici de l'usage de l'alto par Cale dans *Venus in Furs* et *Heroin,* pour y mettre une basse conti-nue (*drone*), mais son témoignage annonce que l'effet visé par le *drone* ne consistait pas à donner un point de repère sur les intervalles de son, comme dans la musique ancienne (en fait la note que Cale joue sur son alto n'est pas une note de base, de basse), mais bien à *disloquer* la progression ou le temps même. Les trois accords sont certes joués suc-cessivement, comme dans tous les blues traditionnels, et non en même temps (il serait absurde de les jouer simultanément), mais la présence constante des deux notes de l'alto apporte la sonorité d'un accord pas-sé, de même que celle d'un accord futur, dans l'accord présent. Par l'in-jection de cet alto, *time is out of joint* : les accords ne progressent pas, mais durent en constituant non les trois étapes successives mais les trois couches du présent, ou le présent musical comme tel qui seul existe dans la durée. La musique *rend ainsi la durée sonore* : ni progression to-nale ni répétition mais continuation éternelle d'une même sonorité com-posée, durée suspendue d'un état changeant de résonance. Le fait qu'il n'y ait pas, quelle qu'en soit la sélection, deux notes communes aux trois accords (I, IV et V) ou partagées par eux, c'est-à-dire que le terme de « convenance » (*fit*) de Cale constitue en fin de compte un « cercle carré » musicologique, donne à cette résonance une qualité particulière : c'est la dissonance que le *drone* produit à chaque instant, à chaque mo-ment de transition des accords. C'est donc cet écart toujours irréduc-tible par rapport à la consonance progressive qui transforme le temps en durée. À chaque instant de la durée, on n'entend pas un accord mais un état transitif de différence de tous les accords. La durée est en ce sens différentielle — et *noisy*.

Dans la mesure où est disloqué le système des trois accords que la ritournelle du blues a pu constituer comme un milieu, il faudrait dire assurément que le blues est auto-destructeur. Toutefois, dans la me-sure où le système cède la place non pas au chaos atemporel mais à la durée, la dislocation du blues porte des effets constituants et même *ryth-mants* : la durée, s'opposant à la progression, rend impossible en prin-cipe la « solution » harmonique, appelée par les accords. La durée ac-complit enfin ce qui a été partiellement réalisé par le fait que les trois accords n'assurent qu'une fausse progression. La durée ne peut pas « finir », elle peut tout simplement s'arrêter, pour recommencer ; elle est donc le rythme qui résiste à la dissolution de la ritournelle. Telle est la « théorie sur le blues de La Monte Young » que le Velvet Underground a adoptée au début de son aventure, fondant une pierre angulaire pour tous les *punks*, pour peu qu'ils aient eu conscience de leur « origine ». Ce avec quoi le Velvet nourrit son blues et sa musique n'est que la durée égale au noise et au rythme, qui viennent construire ce « mur de son » contre la disparition du champ musical que le *Metal Machine Music* ne fera que reprendre à l'extrême électronique.

Les *bluesmen* de Chicago ne faisaient pas autre chose eux non plus, à leur façon. La « théorie » en étant tirée, la version pratiquée par La Monte Young lui-même, dans le *Dorian Blues in G* de son groupe Forever Bad Blues Band, présente un « mur » tout à fait différent, par sa sonorité de surface, de celui de Lou Reed. Au lieu du timbre *noisy* couvrant quatre morceaux de Reed, ici la sonorité *well-tuned* de quatre instruments, entrant en scène l'un après l'autre, se déploie sur un morceau de deux heures. Il n'y a plus aucun bruit, mais seulement le son de l'accordage « naturel » (et non « tempéré »), c'est-à-dire le son complètement opposé au bruit. Mais, celui qui se rappelle la raison pour laquelle Young a choisi cet accordage, non seulement pour le blues mais aussi pour la totalité de son activité musicale, doit se rendre compte qu'il n'y a, là non plus, aucune contradiction sur le fonctionnement du « bruit » dans le blues. Young a rejeté la gamme tempérée parce qu'elle ne permet pas la durée pure, pour ne donner à l'intervalle de notes que la fréquence a-cyclique où aucun intervalle ne sonne « bien » (*well*). Selon sa « théorie », concrétisée surtout dans le *Dream House*, la consonance « bien » accordée ne finit jamais, n'a pas besoin de progression, fausse ou vraie, pour durer par sa sonorité « naturelle » seule, et l'accordage tempéré produit en soi plus ou moins de « bruit » généralement neutralisé ou caché par la progression harmonique. Donc le *well-tuned* tient lieu chez Young du bruit comme le timbre chez Reed, tous deux faisant écouter une durée de la même sorte, et représentant ainsi de deux façons la matière d'une seule et même durée. Quant à la forme de la durée, il ne serait pas erroné alors de l'attribuer au rythme.

On a là deux extrêmes *théoriques* de la durée dite blues, entre lesquels se situe le blues acoustique ou électronique qu'on écoute pratiquement comme blues. Le *Boogie* de John Lee Hooker, assez modal, laisse constamment sonner le *stomping* du pied qui n'est pas loin de la volée de coups du piano chez Young, encore moins de celle de l'orgue chez Cale dans *Sister Ray* ; sans la voix de Howlin' Wolf, la pédale d'effets *fuzz* n'aurait pas été inventée, ce qui nous renvoie de nouveau au fait que la guitare des *bluesmen* voulait simuler la voix vivante en *répondant* au *call* des chanteurs. L'échange mimétique de la sonorité a rendu effectivement le blues de plus en plus *noisy*, comme si cela pouvait rendre l'imitant et l'imité indiscernables dans la fusion vibrante des fréquences, et leur donner une vie commune plus durable : de Howlin' Wolf à Jimi Hendrix en passant par B.B. King, combien de fois en effet le *killing floor* a-t-il entendu son volume augmenter ? Au niveau de la technique, les guitares de Patton et de Son House, ayant un style trop singulier et fin pour être imité, n'ont pas réussi à trouver leurs authentiques successeurs mais, au niveau de la sonorité, le blues les a transfigurées en chansons de Wolf, élève fidèle à Patton, en celles de Captain Beefheart dont le *Sure 'Nuff 'N Yes I do* reprend le *Death Letter* de Son House, et puis en... Il ne cessera de le faire en rythme bégayant jusqu'au moment où la communauté *bleue* du son s'installe dans le bruit s'élargissant et fusionnant, ce qui n'arrivera jamais, car le blues, cette chanson *in-deux-viduelle*, ne peut vivre qu'entre le son et le bruit — entre les deux communautés sonores. Le *riff* des *bluesmen* — la ritournelle bleue — ne sonne que dans l'« entre ».

(1) Notes de pochette de R.L. Burnside, *A Ass Pocket of Whiskey*, Fat Possum, 1996.

(2) Pierre Boulez, *Penser la musique aujourd'hui*, Gallimard, 1987.

(3) *Ibid.*, p. 43.

(4) *Ibid.*

(5) *Ibid.*, p. 44-45.

(6) Karlheinz Stockhausen, *Texte zur electronischen und instrumentalen Musik*, Verlag M. DuMont Schauberg, 1963, p. 145.

(7) Wilhelm Heinrich Wackenroder, *Fantaisies sur l'art*, cité par Jacques Rancière dans son *Malaise dans l'esthétique*, Galilée, 2004, p. 17.

(8) Gilles Deleuze et Félix Guattari, *Mille Plateaux*, Minuit, 1980, p. 382.

(9) Stockhausen, *op.cit.*, p. 144.

(10) Selon l'analyse de Robert Palmer, *Deep Blue*, Viking Penguin Inc., 1981, chap. 2.

(11) Deleuze et Guattari, *op. cit.*, p. 384.

(12) *Ibid.*, p. 385.

(13) *Ibid.*

(14) The Velvet Underground, *Peel Slowly and See*, Polydor, 1995, p. 11.

noise :
l'oraganologie
désoraganisée

Boyan
Manchev

L'autre nom de l'*anthropotechnique*, le devenir-homme de l'homme en tant que devenir de ses techniques, serait le devenir-âme de l'instrument. L'instrument n'a jamais été simplement un outil matériel, mais toujours un outil transcendantal, l'outil de l'anthropotechnique transcendantale, c'est-à-dire du règne de l'immatériel. L'instrument musical en particulier était voué à la formation de la matière sonore en tant que pur esprit. Or, la *musique noise* (si ce terme n'est pas une contradiction *in adjecto*) met radicalement en question l'organologie musicale et par conséquent l'organologie anthropotechnique, dont la musique est sans doute l'*exemplum*. Le *noise* despiritualise les *tekhnai*.

Néanmoins, même si on se propose de penser la *désorganisation* du *noise* en opposition avec l'organologie musicale conventionnelle, on devrait prendre garde de ne pas introduire ces deux termes — l'organologie et la désorganisation — comme un couple oppositionnel. Car la transformation de l'organologie, et donc du système musical généralement parlant, présuppose quelques médiations et transformations décisives. En premier lieu, il s'agit de la transformation radicale de la musique par les technologies d'enregistrement et de production sonore (les possibilités inédites de manipulation électrique, analogique, numérique du son), qui sont devenues également des technologies de *production* musicale transformant ainsi le statut *ontologique* de la création musicale. Dans cette perspective, la pratique du *turntable* (depuis ses prédécesseurs comme Milan Knizak et ses pionniers Christian Marclay et Martin Tétrault, jusqu'à ses représentants radicaux, les Japonais Otomo Yoshihide, Sachiko M et Toshimaru Nakamura) se présente comme le symptôme du *noise*. Les *turntable artists* proposent peut-être la version la plus radicale de la tendance de transformation du *médiateur* technique en *instrument* et, plus généralement, de la transformation de l'organologie traditionnelle en dispositif inorganique. Le médiateur technique reproductif devient lui-même instrument[1] : la matière qui était destinée à préserver la trace du son, à l'incorporer — la matière plastique du vinyle ou de la bande magnétique — devient une matière *productrice*. Le disque vinyle n'est plus pensé comme un corps idéal, c'est-à-dire comme le corps d'une idée, mais comme un corps *opérable*[2].

En effet, cette transformation est significative de la transformation du concept même de matière à l'époque du « capitalisme cognitif » : le capitalisme cognitif (que pour ma part j'appelle également *pervers*[3]) impose non seulement de nouvelles structures dans le domaine de la production, de l'échange et de la consommation, ainsi que de la subjectivité et du désir, mais également de la matière, qui se voit transformée en *matière inorganique*. La matière n'est plus une ressource passive attendant d'être formée mais une matière plastique — de la matière réversible, *recyclable*, transformable par l'opération technologique. Or le *noise*, celui des artistes *turntable* au moins, est sans doute une forme de *recyclage*. Il s'agit pourtant de recycler non pas la matière mais le pur esprit — ou plus précisément la réduction de la matière à (sa formation en tant qu') un pur esprit. Il s'agit donc de rouvrir la matière pour traiter sa plasticité en tant qu'esprit, sans présupposer la pureté immatérielle d'une convention préétablie (qui pourrait être non seulement le système tonal ou harmonique, mais aussi et surtout son inscription instrumentale). *Re-cycler*, c'est non seulement *répéter un cycle*, le cycle de la purification anthropotechnique de la matière et de sa rematérialisation en tant que nouvelle ressource (nouvellement recyclée) des anthropotechniques actuelles — le cycle, c'est-à-dire la répétition, est de toute façon, on le sait, toujours gouverné par la différence. *Re-cycler*, c'est bien davantage *s'inscrire dans une pratique écologique*, qui puise de la plasticité dans la matière sonore : transformer les déchets de la matière sonore en événement musical, voire exposer la matière « même » à la puissance événementielle, sans l'actualiser par une formation énergétique. Ainsi le résidu technologique, sinon l'opération technologique elle-même, devient-il matière première.

La musique en tant qu'anthropotechnique transcendantale veut dire : ne pas toucher à la matière, l'intouchable même, mais y distiller le son, donc le pur esprit ; le toucher, l'extraire par les doigts. L'instrument est précisément un corps idéal ; il faut ouvrir sa voix ; le faire faire du bruit veut dire le supplicier sinon l'abîmer, pervertir son âme. Le *noise* oppose à l'anthropotechnique transcendantale une *chirurgie* : opérer — mais sans *œuvrer*, sans faire œuvre — par les mains (gr. *cheirourgein*, « opérer par les mains » : de là, *cheirourgeia*), directement dans la chair sonore. Non pour supplicier l'âme, mais pour sentir son corps expulsé. On pourrait noter ici le *double bind* suivant : c'est bien l'immatérialisation de l'instrument qui est à l'origine de la situation où le moindre mouvement de la main ouvre une différence immanente dans la chair sonore. L'immatérialisation radicale est doublée d'une restitution des effets de la matière. En d'autres mots, l'instrument devient indistinguable de l'organe opérant [4]. Avec cet effacement de la différence entre organe et instrument, nous assistons à la production im / matérielle de *l'événement sonore*.

la mort de l'instrument : désorganisation radicale

Le *noise* apparaît alors de prime abord comme une tentative d'expression immédiate de la matière sonore — du *bruit* d'avant le *son* —

et non pas de *formation* de la matière sonore ou de représentation d'une *idée musicale*. Par conséquent, le *noise* pourrait être pensé dans le contexte du grand projet de la modernité radicale visant la suppression de la médiation de la représentation, une expression immédiate. Mais si le médiateur transcendantal (ou, plus strictement parlant, le transcendantal *en tant que* médiation pure) est supprimé, alors ne s'agit-il pas d'une immédiateté pré-technique, de l'immanence d'une vie organique primaire qui ne se transcende pas par ses organes / instruments ?

La *dés-instrumentalisation* est-elle un autre nom de la désorganisation ? Si on peut supposer un isomorphisme partiel entre ces deux termes, alors la désorganisation radicale serait la destruction de l'instrument. Mais une musique sans médiation instrumentale est-elle possible ? N'est-ce pas le rêve, aussi ancien que l'art lui-même, d'un art immédiat, d'une *opération* directe dans la chair du monde, d'un art sans artifice, sans *tekhnè*, donc sans art ? Vieux rêve ultime de l'art : l'annihilation de l'art.

Pensons d'abord à un exemple de destruction « conceptuelle » de l'instrument : la *Piano Piece n°13 (Carpenter's Piece)* de George Maciunas (récemment « interprétée » par le groupe américain Sonic Youth). La pièce du co-fondateur de *Fluxus* représente le clouage par les « interprètes » des touches d'un piano, l'une après l'autre, avec clous et marteau. Il s'agit d'une action planifiée par une réflexion froide, exécutée de manière méthodique, exactement comme une exécution (ou comme un supplice). Une destruction « analytique » qui ne désintègre pas le corps entier de l'instrument mais détruit ses organes sonores, les « instruments de l'instrument ». De ce fait, la possibilité d'une transposition allégorique transparaît toujours derrière cette violence, en transformant l'image du piano cloué en image anthropomorphe, en vision d'un corps humain dont les organes expressifs sont détruits : l'analogue parfait en serait la bouche cousue.

Pensons ensuite aux excès des musiciens rock sur scène, dont une des obsessions pendant leurs années d'or était précisément la destruction quelque peu rituelle voire sacrificielle de leur instrument-fétiche, la guitare. Le pionnier incontestable de cette mode violente était le guitariste des Who, Pete Townshend. Sa rage, son excès exprimait un désir d'action immédiate ; cette violence « spontanée », se déchaînant sur le corps entier de l'instrument, pourrait être vue dans ce contexte comme une expression de l'immédiateté de la vie. Pensons dans cette voie-là au *noise* à ses débuts dans les expérimentations violentes des guitaristes new-yorkais, à l'époque de la *no wave* : Eugene Chadbourne, Elliott Sharp, Glenn Branca, Arto Lindsay ou Thurston Moore de Sonic

Youth. Arto Lindsay, par exemple, à l'époque du groupe légendaire DNA, pratiquait l'instrument, d'après ses propres témoignages, sans aucune compétence instrumentale, avec une spontanéité immédiate excédant toute contrainte technique — telle est du moins la première impression, même si la situation est sans doute beaucoup plus complexe, car la transgression de la norme (ou la « spontanéité immédiate ») crée en fin de compte ses propres *tekhnai*, ses poétiques, voire ses genres ou ses canons. Manœuvrer l'instrument de la même manière que le guitariste des Who le détruisait ? En effet, on voit la destruction transposée ou intégrée au niveau de la structure musicale même. L'excès de la structure devient la seule *matière* musicale, ce qui transforme l'organologie instrumentale en organologie désorganisée, bref, en *organique*.

le cas de Guitar Drag

Si l'on considère cette « destructibilité » de l'instrument selon une progression, l'étape suivante en serait la suppression du musicien, médiateur inévitable, ce qui permettrait à l'instrument d'entrer dans une totale (illusion d') immédiateté. Ici notre exemple privilégié, la vidéo de Christian Marclay *Guitar Drag*, ne serait nullement déplacé. *Guitar Drag* (2000, 14 min.) présente la violence faite à une guitare électrique Fender, attachée par une corde à une camionnette et tirée dans des chemins noirs et des friches jusqu'au moment de sa destruction. L'*exécution* de la guitare est en même temps une exécution musicale : la guitare est branchée sur les amplificateurs et les enceintes qui sont disposés sur la carrosserie de la camionnette et de cette manière, trainée par terre jusqu'à la destruction de la guitare, produit en même temps du *noise*. La destruction de la guitare devient un « morceau » de *noise*.

Est-il possible de lire ce travail sans recourir à un plan de lecture allégorique, c'est-à-dire sans le réduire à une référence anthropologisante (la violence faite à la guitare renverrait ainsi à l'histoire du lynchage au Sud des États-Unis, mais également aux excès des musiciens rock sur scène) — en d'autres mots, sans la référence aux corps humains en souffrance ou en extase ? Effectivement, *Guitar Drag* propose un cadre étonnant pour une réflexion sur le *noise*. La vidéo de Marclay nous entraîne vers une optique presque heideggerienne : *Guitar Drag* fait sortir le bruit à l'*ouvert* — dans le monde ouvert ou dans l'Ouvert du monde. Et pourtant, il ne s'agit pas simplement de faire ressortir l'immanence obscure du bruit à l'ouvert (ce qui semble impliquer toujours quelque profondeur substantielle, même si on n'a plus à faire avec la profondeur du corps organique mais avec la superficialité désincarnée des signaux électriques), ni, encore moins, le bruit de l'Ouvert. C'est l'affrontement du corps dur de la terre, ou de la surface du monde, qui produit le bruit. Or, c'est le bruit du toucher de la terre, du toucher à la terre. Le bruit de ce corps à corps avec la terre est violent : il s'agit de la violence de la représentation qui met en image et rend présent un corps violé, la présence de son cri déchirant, de sa résistance et la dépense de sa « vie ». Un corps non vivant, mais pas du tout inerte, un instrument qui crie sa mort — *la* mort — à force de vie. Le *noise* est ici la musique de la dépense de la vie.

Il est inévitable, donc, de penser *Guitar Drag* du point de vue du désir d'expression immédiate de la vie, paradoxalement, en l'absence du corps vivant du musicien et (de ce fait) au-delà de la médiation fonctionnelle de l'instrument. Est-ce la terre même qui joue alors de la guitare, immédiatement, dans ce corps à corps violent ? Le *noise* comme l'art de la terre ? *Guitar Drag* ne pose pas cette question, elle en est la réponse, donnée immédiatement, réponse tragique : cette immédiateté est impossible à soutenir, elle est déchirante, destructrice.

Mais on pourrait y identifier d'abord la tendance transcendantale — c'est-à-dire voir cette image violente comme la réduction radicale de l'instrument à son *instrumentalité*, à une fonction pure, allant au-delà du corps « opérant » de l'instrument, le sacrifiant pour le purifier. La mort de la guitare serait alors le moment ultime de sa vie, le moment de sa vie sublime — la vie pure d'un *organe sans corps*. Et en même temps, la mort de l'instrument serait la culmination de la protestation radicale contre la réduction fonctionnelle de l'organe-instrument. L'instrument est détruit pour se libérer de tout déterminisme, pour imaginer sa substance au-delà de la fonction qui lui a été imposée comme seule substance.

Pourtant, cette lecture n'est valable *qu'en tant que lecture*, c'est-à-dire, sous un régime allégorique. L'impensé, voire l'impensable, c'est en effet l'irréductibilité de l'instrument à la fonction totalisée (à « l'instrumentalité »). Or, l'instrument est déjà *un corps*. Non parce qu'on le voit sous un mode allégorique comme un corps anthropomorphe, ou plus généralement, comme un corps vivant, comme un organisme (ce serait le point de vue de l'*organologie généralisée*), mais parce que tout corps — « le » corps donc — est une *transformabilité* « pure », une *tekhnè* irréductible. La mort de l'instrument ne témoigne pas de l'irréductibilité de l'immanence d'une vie pure (la matière transformable du vitalisme), mais expose cette transformabilité (qui est aussi résistibilité) comme le nom même de la vie.

Le *noise* pourrait être pensé donc, en fin de compte, comme une *désorganisation* de la vie [5] — c'est-à-dire comme l'irréductibilité de la vie à une substance : cet épuisement, cette perte incessante de la vie qui ouvre sa puissance illimitée. Contre la pure immanence *il exprime la transformabilité comme seule immanence.*

l'altération du noise : la nouvelle matière du monde et l'impensé du politique

En guise de conclusion, je me propose de lancer quelques hypothèses générales :

1°) *Le noise est l'art de la désorganisation.* Expression d'une vie qui se désorganise, d'une transformabilité sans limites, le *noise* se situe au-delà de l'opposition entre organique et inorganique. Le *noise* est le nom d'une *energeia* sans *ergon*, sans fonctionnalité ni réduction à l'œuvre. Le noise correspondrait ainsi non pas à une ontologie de la substance mise en œuvre, mais à une ontologie modale, une ontologie de la transformation.

2°) *Le noise est l'art de l'altération.* Dans un compte-rendu des années 1930, Georges Bataille parle du désir d'*altération* des objets (par les enfants, par les « primitifs ») — dans le double sens du mot : désir de *destruction* et de *transformation* d'un objet ou d'une matière — comme de la pulsion créatrice originaire [6]. L'*altération* en ce sens désigne une attitude de base envers la matière « esthétique » qui n'est pas gouvernée par la tension entre immédiateté (présence) et médiation (représentation), établissant le cadre de la pensée esthétique moderne. Par conséquent, cette notion propose une alternative à la notion de représentation, ainsi qu'au désir de sa destruction, d'une expression immédiate. La représentation violente dans *Guitar Drag* n'est alors pas autre chose que l'exemplification du procès altérant.

Or, les pratiques du *noise* présentent la production de bruit comme une *altération* de l'objet. Il ne s'agit plus des « objets trouvés » sonores de la musique concrète, qui se voient intégrés dans une texture nouvelle (la composition de la musique concrète), mais d'une interaction — souvent violente, altérante — avec l'objet, où le geste même de l'altération est le geste « musical ». Tout objet pourrait en effet devenir le champ effectif de ce geste (les outils techniques, ventilateur, perceuse, cafetière électrique, mais aussi les ustensiles, un pinceau, un jouet) : tout objet peut devenir instrument. Et il le devient par sa défonctionnalisation-désorganisation. Sa modification fonctionnelle ouvre sa modifiabilité technique, sa puissance plastique. Cette puissance plastique se présente comme musique / *noise* : la production de bruit est une *altération. Noise* voudrait alors dire *sortir le bruit de l'objet.* On peut évoquer les pratiques *altérantes* radicales de Yamatsuka Eye, un des protagonistes du *noise* japonais, le leader des groupes paradigmatiques Hanatarash et Boredoms et collaborateur important de John Zorn, qui traite de la même manière non seulement les objets banals du quotidien ou l'équipement musical, mais également (et surtout) son propre corps. Son corps se désorganise, s'adonne à la puissance altérante qui le possède, parfois violemment ; il se jette dans le public, les yeux bandés, tout en s'exténuant les cordes vocales, d'une manière qu'on désigne d'habitude d'un terme quelque peu doxique comme « sacrificielle ». Ainsi le corps devient-il un instrument.

3°) *Le noise est l'art de l'expression de la puissance.* Le *noise* démontre la résistance de la matière sonore comme condition originaire de l'actualisation du son. Il désigne le son non actualisé ainsi que ses *tekhnai* : les instruments non actualisés, transformés. Le *noise* est l'expression altérante de la puissance de la matière sonore en tant que puissance de la *tekhnè*.

4°) *Le noise est l'art de la transformabilité.* Le *noise* n'est pas le contraire de la musique, son double négatif ou bien sa ressource « naturelle », sa matière brute. Le *noise* est l'effet d'une transformation radicale de la technologie musicale, de la *tekhnè* même de la musique. Mais, en fait, cette transformation exemplifie la transformabilité inhérente à sa *tekhnè*. L'organe est désorganisé, le corps est désorganisé, mais en tant que *tekhnè*. La tension productrice entre l'*organique* et l'immatérialisation, l'« inorganisation » du son, démontre au bout du compte la condition technologique originaire du corps. L'instrument n'est pas seulement une extension, une prothèse du corps, mais également le lieu de la transformation technique du corps, son exposition irréductible — il vaudrait mieux dire : son *exsonorisation*. Instrument / organe, il y en aura toujours, tant qu'il y aura corps.

5°) *Le noise est l'art de l'impensé contemporain du politique.* Le *noise* n'est pas seulement un phénomène exemplaire de la contemporanéité, il en est le symptôme. Le *noise* n'est ni le restant d'une substance profonde qui résiste à la prise totale de l'inorganique du capitalisme cognitif (ce n'est pas le bruit des titans enchaînés du monde archaïque de la violence immédiate, ni des esclaves enfermés aux entrailles de la terre, ni de la force organique productrice des prolétaires qui forment la matière du monde en risquant leur vie), ni même le tumulte de ses flux immatériaux. C'est le bruit de la transformation non réductible à la fluidité du capitalisme pervers : le *bruit* de l'invention de nouvelles formes de partage, de résistance, de vie.

Telle est la condition politique du *noise* : faire bruire les organes pour démontrer leur technicité non réductible aux impératifs de la production / consommation (et pour exposer par le même geste l'*organique* des instruments), en exprimant ainsi la plasticité de la singularisation de la vie, la matière du commun, c'est-à-dire du politique. Ainsi le *noise*, en tant qu'art de l'altération et de l'*energeia* sans *ergon*, en tant que *tekhnè* de la puissance, de la résistibilité plastique de la matière, est l'art de l'impensé contemporain du politique.

(1) John Cage compose *Imaginary Landscape n°1* pour bande magnétique en 1939. La bande magnétique devient un des « instruments » des compositeurs de l'école de Darmstadt à la fin des années quarante, à l'époque où Pierre Schaeffer crée à Paris son laboratoire de musique concrète. L'exemple contemporain le plus radical dans cette perspective est proposé par la tendance de la « no-input music », qui crée un circuit électronique clos, dont Sachiko M est la pionnière incontestable.

(2) Du point de vue de la thèse de Jacques Attali selon laquelle l'enregistrement du son était une des formes privilégiées du pouvoir divin et du pouvoir en général, la modification des enregistrements, leur re-matérialisation aurait une forte valeur subversive, Cf. Jacques Attali, *Bruits*, PUF, 1978.

(3) Cf. mon article « Transformance : The Body of Event » in *It Takes Place When It Doesn't. On Dance and Performance since 1989*, Revolver Verlag, 2006.

(4) Cf. la réflexion de Peter Szendy dans *Écoute* : « Les inscriptions des DJ, leurs marque-plages sont donc opérants. (...) Dans cette nouvelle organologie de nos oreilles, il devient plus difficile que jamais de distinguer entre l'organe et l'instrument. Aussi, selon l'étymologie grecque de l'*organon*, l'organologie dont je te parle est-elle à la fois celle de nos organes d'écoute les plus propres et les plus proches — nos pavillons et nos tympans — et celle des instruments en tous genres, plus ou moins mécaniques ou automatiques, qui assistent nos écoutes. » Peter Szendy, *Écoute. Une histoire de nos oreilles*, Minuit, 2001, p. 162-163.

(5) Je me permets de renvoyer à mon article « La Désorganisation de la vie », in *Lignes*, n°17, 2005, où cette notion a été introduite et développée.

(6) Cf. Georges Bataille, « L'Art primitif », *Documents* n° 7, 1930.

le genre est obsolète

Ray Brassier

1°) La *noise* fait aujourd'hui office de raccourci commode qui permet de regrouper un ensemble hétéroclite de pratiques sonores — qu'elles soient universitaires, artistiques ou contre-culturelles —, qui n'ont guère en commun qu'une réticence manifeste à l'égard des conventions en vigueur dans les musiques classiques et populaires. La *noise* ne désigne pas seulement le no man's land entre la recherche électro-acoustique, l'improvisation, l'expérimentation avant-gardiste et le *sound art*. Elle renvoie aussi, et c'est plus intéressant, aux zones troubles de l'interférence entre les genres : entre post-punk et free jazz ; entre musique concrète et folk ; entre composition stochastique et art brut. Pourtant, en étant utilisée pour catégoriser toutes les formes d'expérimentation sonore qui défient ostensiblement les classifications musicologiques — qu'elles soient para-musicales, anti-musicales ou post-musicales — la *noise* est devenue une étiquette générique qui s'applique à tout ce qui est censé subvertir les genres établis. Elle désigne à la fois un sous-genre particulier de l'avant-gardisme musical et tout ce qui se refuse à être subsumé par quelque genre que ce soit. Il en résulte que le fonctionnement du mot *noise* oscille entre celui d'un nom et d'un concept ; il interdit de trancher entre l'anomalie nominale et l'interférence conceptuelle. Loin d'être embarrassés par un tel paradoxe, les praticiens les plus aventureux de ce pseudo-genre ont aménagé et utilisé cette indétermination pour réaliser un travail capable d'accomplir effectivement les prétentions subversives de la *noise*, en identifiant et en pulvérisant sans merci cet ensemble de tropes et de gestes génériques à travers lesquels la confrontation s'atrophie si vite en convention. Deux groupes sont exemplaires à cet égard : To Live and Shave in LA, le groupe de l'irréductible iconoclaste américain Tom Smith, dont la devise « Le genre est obsolète » fournit le *modus operandi* d'une œuvre tout entière caractérisée par sa minutieuse démence[1] ; et Runzelstirn & Gurgelstock, le groupe de l'énigmatique Rudolf Eb.er, ce fol Helvète connu pour être « l'horrible troll du kung-fu »[2], dont les concoctions audiovisuelles hallucinatoires amplifient les tendances psychotiques (aujourd'hui bien estompées) de l'actionnisme viennois. Il est significatif de relever que tous deux refusent l'application à leurs travaux de l'étiquette *noise* — explicitement pour Smith, implicitement pour Eb.er. Cela n'a rien d'une coïncidence : ils reconnaissent ainsi la stéréotypie débilitante engendrée par l'impuissance à admettre les paradoxes propres à un genre fondé sur la négation de genre.

2°) Comme la *subculture* « industrielle » de la fin des années 1970 qui l'a engendrée, l'émergence de la *noise* comme genre identifiable dans les années 1980 a suscité l'accumulation rapide d'un répertoire de gestes typiques, relâchant les critères qui permettent de distinguer l'innovation du cliché, au point que l'expérimentation menaçait de se confondre avec la platitude[3]. S'accrochant à cette paresse intellectuelle, les esthètes de l'avant-garde qui affichaient leur dédain pour la vulgarité du genre industriel ont exprimé une aversion du même ordre envers les tendances stéréotypées de sa progéniture *noise*. Mais en faisant étalage de ses références artistiques, l'esthétisme expérimental a fini par se rabattre sur les stratégies complaisantes de distanciation réflexive qui caractérisent depuis longtemps la pratique de l'art conceptuel — une réflexivité épidermique que le commentaire académique a consacrée comme une garantie de sophistication. À cet égard, l'anti-esthétisme lucide de la *noise* et ses affinités avec l'insouciance clairvoyante du rock comptent parmi ses aspects les plus revigorants. Adoptant la furie analeptique des racines post-punk de la *noise*, mais refusant sa coagulation en répertoire de maniérismes, Smith et Eb.er ont produit des œuvres qui allient la rigueur conceptuelle à la hargne anti-esthétique, tout en rejetant avec une égale violence les clichés du sous-académisme et les lieux communs de l'aliénation. Chacun d'eux parvient à brancher son dérangement libidinal sur une lucidité délirante — « imposant à l'intellect et à la libido une torsion simultanée »[4], débouchant sur une interpénétration unique d'analyse et de complaisance.

3°) To Live and Shave in LA parvient à produire une expérience sonore sans précédent : alors que l'orthodoxie *noise* identifie trop souvent l'extrémité sonore avec un continuum ininterrompu de crissements distordus, To Live and Shave in LA sculpte des tornades finement ciselées de sons contorsionnés où se combinent de la parole désarticulée, un oscillateur élégiaque, des éclats abstraits de basse et de guitare, ainsi qu'un bric-à-brac vertigineux de musiques échantillonnées (glam rock, metal, musique contemporaine, jazz, pop et country). Le tout forme un maelström en perpétuel déséquilibre où surnage le chant aussi suave qu'affolé de Tom Smith, qui déverse des tombereaux d'insanités bilieuses. La *noise* orthodoxe compresse l'information, elle engloutit le détail dans un torrent de sons. To Live and Shave in LA construit des chansons à partir d'une surabondance époustouflante de détails sonores, qui mettent l'auditeur au défi de se montrer à la hauteur de ce trop-plein d'informations. Il y a toujours trop plutôt que pas assez à entendre à la fois — en un excès qui invite à multiplier les écoutes. La fascination auditive qu'exercent les chansons est accentuée par les textes de Smith, qui truffe ses livrets d'énigmes dont l'inventivité laisse le lecteur aussi enchanté que perplexe. De même que la musique de To Live and Shave in LA incorpore une surcharge d'informations sonores, de même les paroles de Smith incarnent-elles une hypertrophie sémantique qui ne peut être transmise que par un phrasé mimant les éructations agrammaticales de la glossolalie. Comme il se doit, les délires de Smith échappent au déchiffrage de par un excédent plutôt qu'un déficit de sens[5]. Refusant de se plier à l'interprétation, sa déclamation est inséparable du son au sein duquel elle se niche. Ce serait pourtant une erreur de prendre le refus de signifier et l'esquive méthodique de tout cadre générique manifestés par To Live and Shave in LA pour une concession envers la polysémie et l'éclectisme typiques du postmoderne. Leur modèle est plutôt à chercher du côté du formalisme tonifiant de Pierre Guyotat ou de Iannis Xenakis, que dans les pastiches plaisants de John Barth ou d'Alfred Schnittke. En fait, la seule bannière sous laquelle Smith accepte d'inscrire To Live and Shave in LA relève de ce qu'il appelle l'esthétique « PRE ». « PRE » est « une négation de la supposition erronée selon laquelle les mouvements nouvellement éclos seraient voués à supplanter les précédents, qui seraient bons pour la retraite. (...) PRE ? Comme dans : toutes les possibilités existantes, même les plus désastreuses. »[6] L'injonction à innover conduit à une antinomie dans quelque genre que ce soit : ou bien on se contente de répéter l'innovation dans sa forme, auquel cas on tombe dans la formule et on dénie rétroactivement son propre caractère novateur ; ou alors on cherche en permanence de nouveaux types d'innovation, et le défi consiste à identifier de nouvelles formes qui échappent à la répétition pure et simple de l'ancien. Mais on doit dans ce cas postuler un ensemble infini, et donc inactualisable, de formes si l'on ne veut pas se répéter, et les limites de l'imagination finie déterminent alors invariablement l'épuisement des possibilités. Il ne suffit jamais de multiplier les formes d'invention ; il faut aussi produire de nouveaux genres qui engendrent à leur tour des formes nouvelles. La *noise* s'avère *générique* dès lors qu'elle devient une forme d'invention qui est obligée de remplacer la négation abstraite du genre par la production de genres inconnus jusqu'alors[7]. La *noise* générique est condamnée à réitérer *ad infinitum* sa négation abstraite du genre. Les résultats n'en sont pas nécessairement dépourvus d'intérêt. Mais « PRE » esquisse un paradigme alternatif : comme la totalité des possibilités est un synonyme de Dieu, auquel on doit renoncer, la seule totalité disponible (indéfectiblement séculaire) réside dans les incompossibles. Si toutes les possibilités existent, il n'y a qu'une totalité des incompossibles qui puisse offrir un lieu aux genres encore inactualisés et incommensurables. L'impératif d'actualisation des incompossibles ne conduit pas à l'éclectisme, mais à une ascèse d'invention perpétuelle qui s'efforce de tenir le pastiche à distance en forgeant des liens jusqu'alors inimaginables entre des genres inexistants. [8] C'est l'injonction à produire les conditions pour l'actualisation des incompossibles qui a pour fonction d'exorciser le risque d'une régression vers la répétition générique. Les enregistrements récents de To Live and Shave in LA portent témoignage de cette ascèse de l'invention en ce qu'ils essaient des textures, des tempos et des techniques qui abjurent leurs propres canons antérieurs d'hétérodoxie, sans jamais sombrer pour autant dans le relaps d'un style musical identifiable [9]. Alors que leurs œuvres précédentes avaient privilégié le spleen, le déséquilibre et le discontinu, ces enregistrements privilégient une majesté mesurée, une expansivité troublante et une continuité épique.

4°) Eb.er place explicitement Runzelstirn & Gurgelstock sous l'égide de l'actionnisme. Leurs performances ne sont pas des concerts, mais plutôt des « tests psycho-physiques et des épreuves », où le test et l'épreuve sont dirigés aussi bien vers le performeur que vers le public. La logique en repose moins sur le choc et la confrontation que sur la discipline et la concentration. Eb.er et son complice Dave Philips se claquent répétitivement le visage dans des assiettes de spaghettis munies de micros-contacts. Eb.er gazouille dans un piano qu'il martèle, ne s'interrompant que pour faire feu à répétition sur le public à l'aide d'un fusil (dont ledit public ignore qu'il est chargé à blanc). Une femme hurle sa souffrance, un tube enfoncé dans l'anus, tandis qu'Eb.er souffle à l'intérieur avec des accents de mélodies élégiaques pour cordes. Eb.er lutte pour tirer des sons du poisson mort équipé d'un micro-contact qui repose sur la table. Trois femmes ingurgitent des liquides selon un ordre de couleurs strictement déterminé, avant d'aller vomir dans des saladiers selon une séquence elle aussi savamment orchestrée. Ce sont autant d'expériences d'une absurdité guindée, en équilibre sur le fil du rasoir qui sépare le divertissement comique de la provocation intolérable. Le délire contrôlé de ces actions est encore affûté et perfectionné dans les enregistrements de Runzelstirn & Gurgelstock, qui sont autant d'exercices méticuleusement agencés de variations discontinues. Soupirs, halètements, rots, mugissements, vomissements, aboiements, grognements, chiens, coqs, accordéons, yodels, cordes, pianos, cuivres, cris, grondements, hurlements et bruits de scie sont ponctués d'intervalles de silence très précisément définis, lesquels sont à leur tour périodiquement ébranlés par des crescendos de gémissements déformés qui se métamorphosent en chœurs d'ululements lugubres. Le son d'un bâillonnement est suivi par celui de chairs matraquées et d'os écrasés ; de délicats froissements acoustiques sont cousus avec de violentes explosions de vacarme synthétisé. L'oscillation perpétuelle entre des mauvais coups des dessins animés et une malveillance psychotique produit des résultats tout à la fois comiques et inquiétants. Eb.er décrit ainsi ses procédés de monteur sonore : « En Suisse, j'utilisais des bobines ouvertes et des scalpels, de façon quasi chirurgicale. Couper, couper, couper, recoudre. Je creuse un trou et j'y reste avec toutes ces lames, bandes et ciseaux. Je ne voulais pas mélanger les choses, mais placer le couteau dans le son de ce que je faisais et enregistrais, à l'intérieur et à l'extérieur. Tout est vrai dans les sons de Runzelstirn & Gurgelstock. L'action et le corps sur lequel elle se produit. Je me borne à découper les membres, je les recouds à l'envers et je les re-découpe — dans ce laps de temps, 15 années de Runzelstirn & Gurgelstock se trouvent divisées et divisées encore, elles repoussent et repoussent encore. Je fais pousser mes sons biologiquement, comme des cellules qui se divisent pour mieux se multiplier. Couper et laisser pousser. » [10] Cette métastase chirurgicale trouve un écho dans les peintures d'Eb.er : des portraits ironiques d'anomalies inorganiques situées quelque part entre Hans Bellmer et Nigel Cooke. Un Mickey Mouse transsexuel arborant des organes génitaux défigurés se vautre en poses lascives. Une écolière à la tête fissurée et dotée d'un téton unique et proéminent se perd, la bouche ouverte, dans un regard absent, tandis qu'un paysage malade bâille à travers le trou de son visage. Chez des artistes moins talentueux, de tels symptômes de dérangement mental ont depuis longtemps dégénéré en simple affectation. Une trop grande familiarité a rendu banale l'iconographie de l'actionnisme viennois : sang, gore et transgression sont désormais devenus les marques communes du divertissement de supermarché. Mais la judicieuse fermentation que propose Eb.er du monstrueux avec l'esthétique de dessin animé, de même que ses fines transpositions de la détresse psychique en bouffonneries infantiles témoignent d'une suspicion envers le stéréotype qui a permis jusqu'ici à ses expérimentations dérangées d'échapper à toute prédictibilité.

5°) Tandis que l'orthodoxie *noise* substantialise sa négation affichée du genre dans un stéréotype sonore qui reste finalement très facile à digérer (la malheureuse mais néanmoins divertissante distorsion du feedback), To Live and Shave in LA et Runzelstirn & Gurgelstock élaborent le son d'une anomalie générique en fusionnant des catégories sonores jusqu'ici incommensurables : le cut-up dub, le free glam et le punk électro-acoustique dans le cas de To Live and Shave in LA ; la musique concrète de dessin animé et l'art brut bouffon dans celui de Runzelstirn & Gurgelstock. Ils déploient l'un comme l'autre un délire analytique qui refuse obstinément les clichés creux de la « transgression » subculturelle, tout en esquivant les maniérismes guindés du conceptualisme académique. Aucun de ces deux groupes ne sonne comme de la *noise*. Et pourtant, c'est leur refus de substantialiser la négation du genre musical qui les a conduits à produire une musique qui ne ressemble à rien qui ait été fait auparavant. La négation abstraite du genre débouche sur les orthodoxies stériles d'une *noise* devenue pseudonyme de l'avant-gardisme expérimental, avec un résultat qui relève soit de la préciosité suffocante de l'art musical officiellement reconnu, soit (pire encore) des ennuyeuses machinations du *sound art*. Mais en court-circuitant violemment des genres incommensurables, To Live and Shave in LA et Runzelstirn & Gurgelstock engendrent le « noise » de l'anomalie générique. C'est du *noise* qui n'est pas de la « noise » : un *noise sui generis*, qui actualise les potentialités de désorientation que la « noise » appelle de ses vœux depuis longtemps[11].

Traduit de l'anglais par Christophe Degoutin.

(1) Voir l'interview de Smith sur : *www.toliveandshaveinla.com/bio.htm*

(2) Description d'Eb.er par Smith dans une interview (*http://pragueindustrial.org/inter views/ohne*). Eb.er est instructeur certifié d'arts martiaux.

(3) Pour un repérage de la culture industrielle, voir V. Vale et A. Juno (dirs.), *Industrial Culture Handbook*, Re / Search Publications, n°6 / 7, 1983. Le meilleur aperçu de la scène noise émergente du tournant des années 1980 / 90 reste le fanzine de Seymour Glass, *Bananafish*, dont la parution vient de cesser avec le numéro 18, en 2006. Une anthologie regroupant les quatre premiers numéros a paru chez Tedium House Publication, San Francisco, en 1994.

(4) *www.toliveandshaveinla.com/bio.htm*

(5) Smith : « Mes livrets ne sont pas composés au hasard. Ils ne doivent rien à des opérations stochastiques ou aléatoires, et relèvent dans leur spécificité de caractérisations rigides. J'ai une approche strictement cinématique. » *www.toliveandshaveinla.com/bio.htm*

(6) *www.toliveandshaveinla.com/bio.htm*

(7) Il est intéressant d'observer l'émergence des sous-catégories qui ont vu le jour au sein du genre « noise » au cours des dernières années : « harsh », « quiet », « free », « ambient », etc. La noise paraît engagée dans un processus de subdivision comparable à celui qu'a connu le metal dans les années 1980 et 1990 (« thrash », « speed », « black », « glam », « power », « doom », etc.). Quoi qu'il en soit, la prolifération de qualifications internes à un genre existant n'est pas tout à fait la même chose que l'actualisation de genres jusqu'alors inexistants. Il reste à voir si ces sous-catégories parviendront à produire quoi que ce soit de véritablement frappant.

(8) Dans *The Wigmaker in 28th Century Williamsburg* (Menlo Park, 2001), le chef-d'œuvre du groupe, cet impératif donne lieu à l'actualisation d'une musique parfaitement inouïe.

(9) *Noon and Eternity*, Menlo Park, 2006.

(10) Entretien avec Drew Daniel, « Aktion Time Vision », in *The Wire*, n°227 (2003).

(11) On trouvera des informations complémentaires sur les sites des groupes : *www.tolive andshaveinla.com/* et *www.artnotcrime.net/r+g/*

petit traité de savoir-bruire

Alexandre Pierrepont

Jes'Grew: ce Quelque Chose qui a permis à Charlie Parker d'escalader les gammes pour atteindre un Everest. Vole, plonge, glisse, s'élève, puis c'est la divine vitesse; c'est la voix par-delà la voix d'Otis Redding, c'est Jes'Grew qui se glisse du saxophone ténor de John Coltrane et qui inspire Herman le Noir lorsqu'il établit son dictionnaire des rêves (un ouvrage dont Freud aurait été jaloux). Jes'Grew, c'est la voix qui s'emporte, entraîne l'artiste, oublieux de la précision-netteté-lucidité! C'est l'ennemie héréditaire que méprise et jalouse celui qui suit la voie atoniste, celui qui pratique de la main gauche le loa Petro, celui qui se raidit, ne cédera pas, ne bondira pas, aigu, tranchant, emporté; celui qui dit non, ne frétille pas, ne vibre pas, ne glisse pas d'une vibration entière, hanches libres, jusque plus bas, plus bas, les spasmes, le tremblement final, se hisse plus haut, plus haut! [1]

tracées

L'*usage* du bruit dans la musique peut être raisonnablement comparé au dérèglement raisonné de tous les sens (de tous les sons). On n'exerce pas le même contrôle sur un bruit que sur une note; voilà qui suppose d'autres techniques de jeu, et un jeu indéfiniment renouvelé avec les techniques dites « étendues ». Nul musicien n'est censé ignorer comment jouer dans le ton, comment jouer la note juste, selon le système de valeurs qu'il s'est choisi, ou qui lui a été inculqué; mais, par toute une série d'effets individualisants, le musicien qui a l'usage du bruit ne peut que bouleverser l'émission des sons, la hauteur des notes, la qualité des timbres... Être et devenir lui-même, soi-l'autre. En ce sens, les techniques dites « étendues », fondées sur le dynamisme individuel, et quand bien même elles se diffuseraient, excèdent toute technique impersonnelle et unifiée. Et elles se sont diffusées, comme l'atteste un vocabulaire d'usage courant et d'essence rythmique: *slide, slap, scat, sample, scratch, swing, growl, groove, loop, riff, rimshot, cluster, feedback, toast, honk, break, beat, backbeat, afterbeat* et *breakbeat*, jusqu'aux fameuses *blue notes* et *ghost notes*. Ce jeu avec les techniques est aussi vieux que les mondes, si l'on en croit Monique Brandily dans son *Introduction aux musiques africaines*: « des groupes culturels importants choisissent des échelles pentatoniques, cultivent les polyphonies, les polyrythmies, les timbres complexes (...). Dans l'ensemble de l'Afrique subsaharienne, on n'en finit pas d'inventer des moyens de modifier les sons, de les mêler, de les habiller, voire de les travestir. » [2]

Quelles que soient leurs différences, les musiques dites traditionnelles et les musiques dites modernes, principalement issues du champ jazzistique en Occident, partagent une certaine *culture de l'altération*. Rien ne doit rester en l'état, tout est sujet, sujet multiple, changeant d'identité pour être pleinement lui-même, soi-l'autre. On ne dégrade rien : il est dans la nature des sons d'être *altérés* (*pitch bends*), et il est dans la nature des instruments (cordophones, membranophones, idiophones ou aérophones — *selon ce qui vibre dans la matière*) d'être *manipulés*. La dé-formation et la trans-formation sont contemporaines de la formation. Le saxophoniste Joe Maneri a théorisé la microtonalité, l'art délicat de l'imprécision : inflexions et intonations, faux doigtés et fausses erreurs, bruits annexes, parasitaires, sont toujours les bienvenus, sur le corps, l'instrument, la machine, dans le monde. La fortune de ce que les musicologues appellent des « auxiliaires » (bruiteurs, résonateurs et autres accessoires), l'intervention de tous les effets, de tous les ustensiles, de tous les objets, consacre l'*homme approximatif*, celui qui accepte l'intervention du monde physique et / ou matériel (pour certains, immatériel) dans l'élaboration de son savoir-vivre musical. Cela est vrai du blues à la musique improvisée ou à la musique électronique, du *bottleneck* siphonné de Furry Lewis à la guitare usinée à plat de Keith Rowe, de la sourdine bulbeuse de Bubber Miley au trombone-*laptop* de George Lewis, des mixages et doublages du dub à la Lee Scratch Perry ou à la King Tubby aux improvisations électro-acoustiques pointillistes de la scène autrichienne actuelle, autour de Polwechsel ou d'Efzeg par exemple, du postulat d'un groupe comme This Heat au tournant des années 1980 (toute chanson est un poumon pollué par les bruits du monde, *via* les *tapes*) à celui d'un groupe comme Cul de Sac au tournant des années 2000 (toute chanson est un poumon radiographié par les bruits du monde, *via* les *samples*), des bétonneuses et marteaux-piqueurs d'Einstürzende Neubauten aux fausses folk-songs quincaillières et rêveuses de Califone, des couches de voix qu'empilent Björk aux voix mutantes de Maja Ratkje avec les ogresses de Spunk...

L'*usage* du bruit dans la musique fait donc parler le corps, le matériau et le monde à travers lui. La musique qui admet le bruit n'isole pas l'individu de son corps remuant, ni de son milieu : le bruit n'est pas anthropocentriste. Dans la musique qui fait du bruit, le corps est la parole d'un univers où tout parle : on reconnaît un homme à sa sonorité (au bruit qu'il fait) ; il y reconnaît le monde, *dixit* Amiri Baraka : « Alors Lynn a trouvé son riff, le motif rythmique qu'il allait répéter, nous l'avons senti, la note *honk* qui serait son jugement personnel sur le monde. »[3]

L'*usage* du bruit dans la musique suppose une matière sonore malléable, ductile, fluctuante, du silence au vacarme. Dans le *réel sonore brut* — dans l'univers virtuel de tous les sons, ainsi que l'aurait formulé Robert Jaulin — les hommes découpent et organisent une « musicalité », de quoi faire une musique. Toute musique met d'abord en jeu les catégories culturelles de la perception et de la représentation, les dispositifs de réception qui sont comme une *seconde nature* pour les individus. Or, dans les pratiques musicales issues du champ jazzistique, la notion que l'on se fait de ce qui serait audible se montre bien plus large qu'ailleurs — *tous les sons sont potentiellement permis* —, comme s'il ne devait pas y avoir de séparation entre audibilité et musicalité, *comme si la musique tendait à coïncider avec le réel sonore brut.* Présentant son dernier disque d'improvisation collective, le saxophoniste Kidd Jordan s'explique : « pour moi, tous les sons sont musique. Au commencement de tout ça, on a dit que la musique était du son. Puis, on en est arrivé au point où ce qui était plaisant à l'oreille était de la musique, et ce qui n'était pas plaisant était du bruit. Mon approche est d'essayer de réagir aux sons : ce qui fait vraiment le jazz, c'est le timbre. Le côté "accordé / désaccordé". Ce qui rend le jazz différent de la musique classique est qu'il utilise toutes sortes de timbres, tandis que le classique se concentre sur l'intonation pure. Quand je m'apprête à jouer, rien n'est vraiment aligné. J'essaye d'écouter et de confronter les sons. »[4]

Retour au surréel sonore. Souvent les improvisateurs, qui sont les principaux usagers du bruit, s'en réfèrent au corpusculaire dans la musique, au granulaire, au stellaire, à d'autres découpages de la matière et du réel sonores. Le pianiste et chef d'orchestre Muhal Richard Abrams le rappelle, dans un entretien récemment accordé au magazine *Signal to Noise* : « Le son en tant que tel précède ce que nous nous représentons comme la musique. La musique est une organisation plus ou moins formelle du son, organisée dans une perspective ou selon le désir rythmique d'un individu, quelle que soit l'originalité de cette idée. Mais le son en tant que tel est une matière première. Le son de tout ce qui est, le son de l'univers, et même le son des choses qui vibrent et que nous ne pouvons entendre, mais qu'entendent le chat ou le chien. Quand nous en venons à jouer de la musique, nous nous mettons en condition pour traduire une certaine idée sonore. Et après de nombreuses années à approcher le son à travers la musique, on finit par approcher le son en tant que tel. Par écouter ce qui se passe là-bas, qui ne se passe pas ici. Puis l'on décide d'employer certaines choses qui nous ont marqué dans le monde brut du son — et cela devient, à nouveau, ce que l'on appelle la musique. Certains appelleront ça du bruit, mais c'est du son organisé, qui vient de la perspective particulière dans laquelle nous avons voulu nous placer. »[5] Les improvisateurs européens ne cessent quant à eux de puiser dans un champ lexical fait de frottements, de grondements, de bourdonnements, de crépitements, de grésillements, de sifflements, de crissements... Au macroscopique et à la totalisation des uns correspondent le microscopique et la fragmentation des autres. L'*usage* du bruit dans la musique peut servir à dissocier le sens (et non seulement celui des sons) de la structure formelle. Ainsi que le suggère le saxophoniste Marion Brown, l'organisation des sons ne dépend plus seulement de leur *raffinement*, de l'ordre de grandeur hors-la-vie donnée par la composition et par la position en transcendance du compositeur, mais aussi de leur *traitement*, personnel et collectif, de l'interaction entre musiciens qui ne cessent de (se) transformer, dans l'immanence de l'*interplay*, en conjonction avec un lieu et un moment[6]. De plus en plus, on parlera d'installations ou de dispositifs sonores, de *contextures*.

traces

Marion Brown, *Afternoon of a Georgia Faun* (ECM, 1970) : Au commencement était l'ébruitement. Ici, ou là, Marion Brown a voulu transposer le monde des esprits yorubas, tel que décrit et déliré par Amos Tutuola au gré de son livre *Ma vie dans la brousse des fantômes*, dans les paysages sonores de sa Georgie natale (en anglais, on trouve le mot *soundscape*). Du sonore comme éveil, natif et spectral. Repeupler « la forêt imaginaire de l'esprit ». Musiciens professionnels et amateurs se croisent dans le long corridor auroral de « la suite » et jouent d'instruments conventionnels, préparés ou fabriqués ; des voix circulent, gagnées ou hantées par d'autres voix, celles du conteur qu'est chaque être humain, d'après Roger D. Abrahams : « Plus insaisissable encore pour un lecteur reste l'art mimétique du conteur, que l'on jugeait d'après la rapidité et le naturel avec lesquels il passait du mode d'élocution d'un personnage à un autre, et d'après la diversité des voix qu'il avait à sa disposition. Le malin de l'histoire, par exemple, se signale souvent par un zézaiement, et les autres personnages, généralement des animaux, ont également chacun leur élocution caractéristique, si bien qu'un maître conteur devait savoir hurler, rire, crier, grasseyer, murmurer et imiter sur tous ces registres la voix d'un animal, d'un démon, d'une sorcière ou d'un fantôme. »[7]

Faust, *The Wümme Years 1970-73* (ReR Megacorp, 2000) : L'écoute de ce coffret déroule les bandelettes d'une musique incrédule. De 1970 à 1973, le groupe Faust (cinq musiciens, un ingénieur-conseil du son et un producteur-concepteur) vécut en communauté entre Brême et Hambourg, logé et nourri dans une ancienne école retapée en studio faramineux. Wümme fut un studio, une officine, un bazar et un repaire. Qu'y faisait Faust ? Faust y menait une expérience. *Faust faisait de la musique,* la fabriquait, la trafiquait, la coupait et l'accouplait, reprenait les choses à zéro : des hommes et des choses en situation dans un pays de cocagne. Faust moulinait ses propres compositions. L'habituelle hélice de guitares, de basses et de percussions du rock est enrayée par quelque chose comme un saxophone, ou *approchant,* par un usage encyclopédique et railleur des claviers, par des voix qui ânonnent ou braillent des textes écrits selon la méthode du cadavre exquis, par toutes sortes d'*interventions* permettant à chaque joueur de déjouer ce que joue l'autre, de s'ingénier dans son jeu. Faust pratiquait l'imbroglio et le dévergondage, une musique hagarde et licencieuse.

Charles Gayle, *Daily Bread* (Black Saint, 1998) : John Coltrane rêvait de sortir un disque où il n'y aurait absolument aucune note, à l'instar d'Albert Ayler qui voulait passer outre aux notes et ne jouer que des sons. De ce jour, la plus grande confusion règne à propos des saxophonistes de « free jazz », mécaniquement ramenés à leur expressionnisme. Or, chez ceux-là, le « cri » n'a quasiment jamais valeur d'agression. La *puissance* de la sonorité, chez un Charles Gayle par exemple, ne poursuit aucun travail de sape ; Gayle à la gorge de la musique, dans le brasier de la musique, depuis que le monde est fou et que le jazz est jazz, qui macule le monde. Il y a un déchaînement, consubstantiel au fait de vivre, aussi sûr qu'il y a un arbre, une pierre. Il y a un ébranlement, une adjuration, une puissance. D'une manière ou d'une autre, il faut que la musique passe le seuil de la conscience, que passe l'écrasant message d'amour de Gayle. Son saxophone est l'irrésistible instrument de son errance, de sa passion, la nef et la clef, l'ordalie. Car Charles Gayle n'est pas dans l'âme un saxophoniste hurleur. Il nous fait « des cadeaux stridents toujours, enfermés dans le grincement somptueux de la simplicité. » (E. E. Cummings)

Mark Hollis, *Mark Hollis* (Polydor, 1998) : Un seul grincement, *justement,* parmi la masse extasiée des bois et des cordages. Le loup blanc et secourable qui détourne la tête. Une chambre vide, lumineuse, éboulée en plein centre-ville. La voix desserrée de Mark Hollis, abandonnée dans cette enfilade de *pièces,* passe la musique sous silence : « Si je joue et chante à un niveau de plus en plus bas, ce n'est pas pour bouleverser l'histoire de l'art, mais pour essayer d'approcher la musique dans ce qu'elle a de plus secret. Pour moi, l'idéal serait de ne même plus jouer ni chanter les notes, mais de les penser si intensément que l'auditeur pourrait les percevoir. » Intimité ébréchée, intime infinité. Musique qui se retire dès qu'on la surprend et nous fait reculer avec elle, cette pâleur, cette noirceur à s'y méprendre. De petites masses orchestrales, dispensées çà et là, apparaissent et disparaissent, récurrences et transparences à l'intérieur desquelles miroitent des airs fantomatiques. Passages du monde, débâcle de l'écoute, au sens premier : « Dans un cours d'eau gelé, rupture de la couche de glace dont les morceaux sont emportés par le courant. »

My Bloody Valentine, *Loveless* (Creation, 1991) & Sonic Youth, *Washing Machine* (Geffen, 1995) : Le premier disque, qui n'a rien d'*ambient*, est un *environnement* où le chant, la mélodie et les rythmes transparaissent dans un halo électrique, parmi des nuées sonores qui sont les *conditions de vie de la musique*, le milieu naturel dans lequel elle est *enfouie*. Mais si, depuis les années 1960, les guitaristes ont développé toutes les hypothèses de la distorsion, celle et ceux de Sonic Youth ont fait de leurs instruments des champs magnétiques — non des guitares mais des aimants. Leurs chansons, qui sont autant de rappels à l'ordre et au désordre, se couvrent, se chargent, se hérissent d'une limaille de bruits jusqu'à *s'abîmer*, et irradier, comme ici *The Diamond Sea*.

X-ecutioners, *Built From Scratch* (Loud Records, 2002) : Le *scratch* strie la surface du réel sonore et refait du musicien un *opérateur*. Kodwo Eshun a formalisé le *breakbeat* comme une technique permettant d'isoler des mouvements ; le *scratch* comme une technique permettant de créer des textures (plutôt que des mélodies ou des rythmes) ; le *sample* comme une technique permettant de reconfigurer tous les instruments en autant d'« unidentified sonic objects »[8]. Il n'est pas de meilleure manière de s'en rendre compte que de suivre ce collectif de DJs dans leur *Journey into Sound*. Les rythmes sont remplacés par des « texturhythms », les mélodies par des « syntharmonics » (« rhythmatic attack velocities ») et les chorus par des *revirements*... Autant de moyens de déréaliser la limite entre « naturel » et « artificiel » : quel homme ou quelle machine émet quel son, qui fait quoi avec qui, quelle est la source ?

Otomo Yoshihide, *Cathode* (Tzadik, 1999) & *Anode* (Tzadik, 2001) : L'instrument principal d'Otomo Yoshihide est le phénomène d'interférence. Il joue de générateurs de sons — de *machines désirantes* — pour brouiller les transmissions entre ce qui s'émet et ce qui se reçoit. Vers de nouveaux organismes musicaux proliférant de l'audible à l'inaudible et à tous les degrés. Hybrides, la guitare, le koto ou le sho ; hybrides, les « turntables without records and contact microphone », la « sampling composition on hard disk recorder », les « samplers with sine wave generator » ; hybrides, vous-mêmes et vos mouvements contraires que capte la musique d'Otomo Yoshihide.

---

(1) Ishmael Reed, *Mumbo Jumbo* [1972], Éd. de l'Olivier / Le Seuil, 1998, p. 273-274. Gérard H. Durand, traducteur du livre, détaille la notion de « Jes'Grew » dans son avertisse-

ment : « Qui est jes'grew ? C'est littéralement le "juste-poussé", en fait vocable intraduisible, c'est le chant qui "naît-comme-cela", "pousse-comme-cela" dans le peuple noir, l'entraîne, le met en communication avec ses divinités, le lie à la terre fertile, féconde (ou lui permet de retrouver son âme). (...) De toute façon, il est "la musique qui cherche son verbe" pour ensemencer les "têtes" du peuple noir. Cette musique éclate en 1920, comme elle éclatait en 1890, comme elle éclatera plus tard. Jes'Grew est, selon Reed, l'âme de cette musique-danse noire, apparue avec les danses de Congo Square à La Nouvelle-Orléans, avec le ragtime de Joplin, pianiste inspiré, le blues, le jazz, boogie, etc., plus tard le free jazz... » (p. 8).

(2) Monique Brandily, *Introduction aux Musiques africaines*, Cité de la Musique / Actes Sud, 1997, p. 12.

(3) Amiri Baraka, *La Mort d'Horatio Alger* [1967], Calmann-Lévy, 1969, p. 140.

(4) Cité dans le dossier de presse accompagnant la sortie du disque *Palm of Sound* (AUM Fidelity, 2006).

(5) *Signal to Noise*, n°43, 2006, p. 26.

(6) Marion Brown, « Music Is My Mistress : Form and Expression in the Music of Duke Ellington », in *Recollections : Essays, Drawings, Miscellanea*, Jürgen Schmitt, 1984, p. 107-110.

(7) Roger D. Abrahams, *Jack le Noir et Jack le Blanc* [1985], Seuil, 1997, p. 304.

(8) Kodwo Eshun, *More Brillant than the Sun : Adventures in Sonic Fiction*, Quartet Books, 1998.

multiplicité + saturation

Wunderlitzer

qruéepsotnisoen

Comment + Superposition de toutes les plages d'un album + **avez** + logiciel de traitement du son + **vous** + répétition du processus avec plusieurs disques + **généré** + bons disques + **ce** + essai avec beaucoup de genres + **que** + blues funk punk rock disco musique concrète dub voix instrumentations percussions rythmes reggae folk house industrielle solos binaire électronique acoustique identifiables + **l'on** + les meilleurs disques ne donnent pas les meilleures textures + **entend** + sélection + **sur** + échantillonnage + **vos** + classement > bibliothèque de sons bruts > montage de fragments bruts / processus mécanique + **derniers** + actions répétées + **enre-** + infléchissement des plages + **gis-** + oscillations ou prolongements - blancs + **trements** + flux continu + ?

En + Bibliothèques de plages superposées + **quoi** + montage + **consistent** + phases intermédiaires + **vos** + associations + **gestes** + combinaisons + **de** + raccourcissements + **production** + balance + **de** + gravure + **ces** + écoute + **murs** + re-fabrication + **de** + réécoute + **son** + re-fabrication + ?

Comment + Dispositif + **concevez** + multiplier les sources + - + dispositions + **vous** + 10 lecteurs cd + **la** + plein d'autoradios + **réalisation** + surface qui vibre + **de** + public + **ce** + entrée + **type** + espaces + **d'expérience** + 3 personnes pour passer les cd + **sonore** + baffles + **dans** + classement chromatique des sons : rouge vert bleu + **le** + effet - jouer fort + **cadre** + 1 heure + **d'un** + expérimentation + « » + répartition + **concert** + densité + ?

Recette + Fil qui court + **du** + improvisation dans la musique populaire avant les codifications de la musique classique et de l'industrie musicale + **shepherd's** + bakhtine rabelais + **pie** + katzenmusik + **végétarien** + « rough music » ep thompson + : + surnage + **huile** + grumeaux + **oignons** + implications sociales égarées en chemin + **carottes** + quoique + **(émincées)** + encore des traces dans l'ange bleu charivari élèves professeur + **en même temps** + pianola ça va avec et c'est autre chose + **eau** + en même temps bien sûr collage + **lentilles** + bruit > gifle au goût du public celui qui est là qui n'est pas là qui doit venir on l'attend il arrive + **laurier** + à-côtés bas-côtés + **clous** + mavericks en tout genre + **girofle** + un pied dedans un pied dehors + **sel** + les deux fanfares de charles ives censées se rejoindre sur la place du village + **en même temps** + les expériences musicales de jean dubuffet asger jorn + **pommes** + harry smith + **de** + alan lomax + **terre** + harry partch + **(découpées)** + nick tosches country + **eau** + leroi jones blues + **sel** + sun sessions bo diddley is jesus + **mash it all** + la forme du jazz (entre autres) à venir + **beurre** + esp-disk + **en même temps** + freakbeat + **mélanger** + pop goes art + **herbes** + uptight + **de** + free-form freakouts + **Provence** + ann arbor une fois + **tomato** + lafms smegma nihilist spasm band + **paste** + metal machine music + **tomates** + radioaktivität autoroute bien balisée lester bangs + **fraîches** + have you ever heard your mommy scream + **émincées** + tg + **sel** + no new york + **poivre** + 1988 bring the noise + **couche** + posthardcore + **n°** 1 + noise japonaise néo-zélandaise 1990 + = + ann arbor deux fois farce ou pas + **lentilles** + ramifications + **en** + grande échelle + **sauce** + plunderphonics partout partout en même temps + **un** + boucler la boucle + **peu** + faire dérailler + **raffermie** + everybody does it in hawaii + **étaler** + à anvers + **avec** + avant-garde diffuse + **spatule** + nouveau punk ou pas + **couche** + tous les fronts + **n° 2** + diffusion ou pas + = + encore + **mashed** + toujours + **potatoes** + tous les mois + **étaler** + magazines + **avec** + même genre de recherches + **spatule** + *www.myspace.com* + **couche** + dérivés du rock du free jazz de la musique contemporaine de l'electronica / congotronics + **n° 3** + we have the technology + = + c'est pas tout ça compte + **fromage** + dans la poche + **rapé** + drum'n'bass drum'n'bass drum'n'bass + **marquer** + articulations + **sillons** + black album jay-+ **esthétiques** + z + **avec** + white album beatles = gray album danger mouse / white label + **fourchette** + sampladelica presque mainstream + **(propre)** + mash-up + **empiler** + bastard pop + **empiler** + piqueteros + **empiler** + ok + **empiler** + v / vm / chostakovitch = allongé raccourci + **empiler** + american tapes hanson load rrr blossoming noise + **empiler** + costumes + **empiler** + compressions + empiler + raccourcis + **empiler** + fe-mail + **empiler** + hell's angels au barbecue dominical drôle d'idée + **empiler** + version arty autodigest, a compressed history of everything ever recorded part 1 + **goûter** + jamais entendu la part 2 + **(?)** + la première non plus + **goûter** + micropolitique de (d) yellow swans plutôt moins convaincante que leurs disques / psychic secession en particulier + **(?)** + nous là-dedans + **?**

Empan + Étape suivante + **empan / distinction** + aurait été + **indistinction** + chercher à effacer les sons + **distinction / indistinction / oscillation** + faire en sorte qu'ils se neutralisent les uns les autres + ~~composition~~ + en tout cas + <u>superposition</u> + après pas mal de tests + **empan** + illusions sonores + **superposition** + l'oreille accroche sur une ligne méthodique ou rythmique + **composition** + continue à l'entendre pendant quelques secondes + **position** + mirage sonore + ~~comp~~ + fréquences apparaissent disparaissent > toujours aux mêmes endroits + **super** + écoute quelques minutes au préalable + **empan / distinction** + acclimatation + **périposition** + 5 minutes + **distinction / indistinction** + 20 minutes + **distinction / indistinction** + une heure + **distinction / indistinction** + 3 heures + **composition / paraposition** + nuance + **supposition** + caractériser si oui + **nuées** + si oui où / ou pas + **nuance** + pas très long + **proposition** + exprès + **nuance** + ordre des plages précis + **oscillation** + temps d'écoute une demi-heure + **nuances** + bien + **super** + autres essais plus courts plus longs + ~~super~~ + moins bien + **comp** + surprise + **distinction** + plage sonore + **composition** + centaine de morceaux = variations + **superposition** + quand même + **hyperposition** + superposition pas magma + **nuances** + pur et simple + **muances** + grumeaux + **antéposition** + réécoutes + **empan / distinction / nuances** + moins abstraites + **nuances** + moins conceptuelles + **nuances** + qualités physiques + **nuances** + narratives ou pas + **?**

Saturation + **Principe = le multiple** + saturation + **empilement** + saturation + **simultanéité** + saturation + **première impression = saturation** + saturation + **modulation de la saturation ou pas** + saturation + **annulation de la singularité ou pas** + saturation + **peut-être expérience de la perception de la survie du singulier au sein d'un multiple apparemment saturé** + saturation + **ni exhaustivité ni épuisement** + saturation + **processus** + saturation + **compilation centaine de plages** + saturation + **singularités demeurent** + saturation + **chose incompressible - recette - évidence** + saturation + **expérimenter combinaisons** + saturation + **expérimenter empilements** + saturation + **densité très élevée** + saturation + **nuance** + saturation + **singularités persistent** + saturation + **plage qui s'auto-aspire** + saturation + **politique un peu** + ~~comment apprendre à gérer la saturation ? comment se resensibiliser pour percevoir la nuance et la singularité au sein de la pression massifiante et assourdissante du stress (auditif) ? comment vivre dans la surcharge, en son sein, et s'y trouver presque au chaud, presque chez soi ? comment se ménager des vacuoles de solitude et de silence contre les forces qui nous saturent d'expression, mais à l'intérieur même de plein qui nous occupe ? comment apprendre à remarquer, dans le saturé, l'absence d'un inconnu ? comment habiter la saturation, s'accommoder à son excès permanent, s'y ouvrir une voie d'esquive intérieure dans son noyau le~~

~~plus dur, s'y retrouver avec autrui, décoiffé, ébloui, mais toujours là, à~~
~~s'étonner de suspecter que le tout n'est rien, que ce n'est rien, que j'y~~
~~suis, j'y suis toujours, dans les nappes de sons ? qu'est-ce pour nous mon~~
~~cœur ? et les longs cris de tout enfer renversant tout ordre ? industriels,~~
~~princes, sénats, la flamme d'or, tournons dans la morsure ? qui re-~~
~~muerait les tourbillons de feu furieux, que nous et ceux que nous nous~~
~~imaginons frères ? à nous, romanesques amis, ça va nous plaire, jamais~~
~~nous ne travaillerons, ô flots de feu~~ + saturation + **travail de la matière brute pas si brute** + saturation + **détourner le flux** + saturation + **modifier** + saturation + **dépouiller** + saturation + **culture musicale partout** + saturation + **se brancher dessus - copyleft** +
saturation + **dommage** + singularité + **?**

Singe + Blocs sonores + **devant** + pas d'intérêt ici par la déconstruction du son + **machine** + suppression des fins de morceaux + **à**
+ suppression des intros + **écrire** + immersion immédiate + **chatte** +
effet de densité + **se** + basculement + **promène** + tunnel + **langou-
reusement** + linéaire + **sur** + hétérogène + **mon** + variation entre les
plages + **clavier** + *aezdf* + variations dans les plages + *ty* + **qui** + ap-
privoiser les sons + **!** *mo è fre* + **se** + silence + **crispe** + ffffffflllll + 1 seconde entre 2 plages + *<wsdfd* + **?** + fllllllllllluuuuuuu + écoute différente
qui + ^$*jb n g + llllluuuuux + modification de l'équilibre du cd + llluuuxxxxxx
+ **se** + relance la machine + **crispe** + ffflux + *; u zfd fcyg yu ; jk* + titres
provisoires + **?** + ffffffflllll + identification + **qui** + ffllllllo + traçabilité des
sources + *jjjjjjjjjjtpôùùùùùùùùùù* + fffffllllooooo + **laisse** + premières lettres
des disques + fllloot + **être** + noms interminables + ffflllot + gffffffffffffffffffffff
+ **la** + réduits aux seules voyelles + silence + **rencontre** +
eeueouoaaoeaioyoaieouooeaooiyieeoeieouooeaooi + ttiittrreess + **?**

Quoi ? + WWuuuuWW + **Bruit du public** + koa + ~~eom~~ + LASAGNES
+ **Couac ?** + silence + ~~super~~ + MUSICALES + UUuuuuUU + kkooaa +
Quoi ? + kkkoaaa + ~~hyper~~ + inclure tous les sons + LAMELLES + ~~hypo~~
+ **Couac ?** + NNnnnnNN + PÂTES + dodécaphonisme à la puissance 10
+ koooaaa + ~~syn~~ + DDddddDD + EAU + **Quoi ?** + autant faire avec puis-
qu'ils arrivent d'un moment à l'autre + ~~pro~~ + EEeeeeEE + SEL + kkkoaa
+ **Couac ?** + (im)patience + RRrrrrRR + ÉBOUILLANTER + ~~anti~~ +
Quoi ? + kkooooooaaaaaa + BOUILLE + soyons plus nombreux - n'im-
porte comment + LLlllllLL + OUILLE + **Couac ?** + ~~sub~~ + nausée + OUIE
+ **Quoi ?** + kkoa + harsh noise + ~~post~~ + OUÏE + IIiiiiII + **Couac ?** + LA-
SAGNES + kkkoa + un cran en dessous + ~~ante~~ + NOISICALES + ~~pré~~
+ **Quoi ?** + TTttttTT + OUYOUYOUYOUYOUYOUIE + kkkooaaa + en-

jeux plus les mêmes + ~~para~~ + OUÏOUÏOUÏOUÏ + **Couac?** + ᵏᵏᵒᵃ + ᶻᶻᶻᶻᶻᶻᶻᶻ + moduler le flux + ~~peri~~ + OUÏE-OUÏE-OUÏE-OUÏE-OUÏE + ᴱᴱᵉᵉᵉᵉᴱᴱ + ᵏᵏᵒᵒᵒᵒᵃ + **Quoi?** + intervention minimale + **Couac?** + ᵏᵏ⁻ᵏᵒᵒᵒᵒᵃᵃᵃ + ~~cata~~ + OUI + source maximale + ᴿᴿʳʳʳʳᴿᴿ + NON +?

———

Empilé par Wunderlitzer +YC.

———

Quelques pistes de Wunderlitzer peuvent être téléchargées au format mp3 à l'adresse http://wunderlitzermusic.free.fr.

défaire l'image

Éric Alliez & Jean-Claude Bonne

Posons ça avec une certaine brutalité, dans la violence d'un départ[1]. D'entrée de jeu, comme une première règle du jeu, que nous assumons volontiers en termes de méthodologie paradoxale ou de paradoxe méthodologique, puisqu'on ne commence jamais que par un certain milieu non immédiatement justifiable ou « argumentable », et qui, au vrai, ne peut s'autoriser que de ce qu'il ouvre d'un peu singulier eu égard à l'état des choses, des lieux et du « débat » (mot-valise pour dire une réalité en général et en particulier peu réjouissante). Car ce séminaire ne commencera pas avec et par la notion d'image, qu'il lui faudrait, pour la mieux défaire, restituer (dans son essence ou sa pureté iconique) ou, pour radicaliser son altérité esthétique en une sorte de passage à la limite, reconfigurer (dans le supplément du discours) par une manière de forçage imaginaire mettant les images en rapport dialectique les unes avec (ou contre) les autres. Aussi nous accusera-t-on, sans doute, de renoncer à *sauver l'image* de l'apocalypse quotidienne du « tout-à-l'image » sans même examiner les possibles d'une vision autre dont dépendrait l'existence même de l'Art en ces négociations *tendues* entre un réel (démythologisant) et un dicible (défigurant).

Mais non, décidément, nous n'entrerons pas dans ce débat, sauf pour remarquer, comme il en ressort, qu'il y aurait image en un sens proprement esthétique quand une manière de mise en scène paradoxale des formes est chargée de dé-voiler ou dé-couvrir l'invisible qui attesterait, sinon du visible « lui-même », d'un visible consacré par l'art comme son enjeu, ou sa remise en jeu opérationnelle. Renversant cette perspective, nous partirons quant à nous de l'idée que l'art moderne et l'idée moderne de l'art se sont mutuellement instruits d'une problématisation toujours plus exclusive et inclusive des images en circulation, dans leurs échanges « multi-media » et leur pluralité de régimes, jusqu'à mettre en crise la notion même d'image avec la dialectique du visible et de l'invisible sur laquelle elle fondait sa réalité et sa nature de signe. À notre sens, l'art contemporain est issu de la radicalisation de cette crise ouverte par l'art moderne qui a entraîné avec elle une crise de l'identité doublement sensible de l'art puisqu'elle engage d'un même mouvement la forme-image et la forme-esthétique de l'art. Cette crise peut être dite époquale dans la mesure où elle ne concerne plus le refus ou l'acceptation de telle ou telle forme d'image, mais le rejet de la Forme-art de l'image en tant qu'elle lui impose de se définir par la forme dans une manière de phénoménologie (ou de dialectique) du visible et de l'invisible (ou du dicible).

La problématisation moderne de la forme-image et de la forme-esthétique de l'art a été ouverte par ces artistes qui ont nom Manet, Seurat ou Cézanne, en tant que leur œuvre se caractérise par un radical non-impressionnisme. Ni pré- ni néo- ni post-(impressionniste), leur œuvre, en ce qu'elle a de plus novateur, ne se situe ni dans l'annonce ni dans le dépassement de l'impressionnisme qui reste attaché à une trans-cendance phénoménale de la forme-image dans sa forme-esthétique. Leur œuvre travaille déjà ailleurs et autrement. C'est d'une façon assez inaugurale la rupture de Manet avec le « culte des images » baudelai-rien, rupture qui pourrait inscrire la « décrépitude de l'art » diagnosti-qué chez le peintre par le poète-critique dans la dépendance de sa condamnation de la photographie quand celle-ci, comme on a pu le dire, « menace l'humanité même des images » (et l'impressionnisme est précisément volonté de retrouver par la peinture l'humanité de la beauté naturelle du monde à l'âge photographique). Le regard en de-vient le vis-à-vis d'une image-monde *défaite* interdisant toute anima-tion « spirituelle » d'un arrière-fond, fût-ce au moyen d'une perspec-tive pouvant faire sentir l'atmosphère impalpable du plein air... D'où cet effet de « rébus » propre à Manet, qui évide à l'extrême tout ce qui pourrait apparaître comme la traduction visible, comme l'image d'une impression quelconque. Jeff Wall n'évoquera pas pour rien « l'insistance de Manet sur l'image "occidentale" comme ruine » — ruine de l'image, dé-posée dans la bizarre planéité de son éventail insensible. Une image vide à force d'être surchargée et comme saturée d'objets-sujets dont tout principe de relation fait défaut... Défenestration *visuelle* de l'image au *Balcon* (1868-1869) dont les figures s'absentent les unes aux autres comme à toute forme de communauté du voir, soulignée par l'hallu-cinante fixité des grands yeux de Berthe Morisot. Ce sont aussi les images-spectres de Seurat, qui affronte comme nul autre avant lui la condition spectrale menaçant la peinture à l'âge moderne de la pho-tographie, quand, ainsi qu'on a pu le dire, « entre l'imagerie et la chose mentale, le visible ne peut plus exister », *exister comme avant*. Seurat en-treprend de *visionner* et de *synthétiser* ce non-visible (au sens de la per-ception naturelle) sous les espèces d'un Visuel entraînant l'image de la peinture dans sa plus grande artificialité : c'est l'effet *machinique* de gri-saille auquel on associe les toiles de Seurat, qui participent ainsi d'un anti-impressionnisme peu susceptible d'être célébré en termes de « com-mencement de l'autonomie du pictural » dans la « purification » du jeu des couleurs. La peinture ne peut plus être autre que *cosa mentale*, et le sera donc absolument, autrement : au détriment de tout « idéalisme » de la réception et de tout « réalisme » de la perception (l'« absolument moderne » prononcé par Rimbaud, qui ne va pas ici sans l'admiration de Duchamp pour Seurat l'Extra-terrestre). Cézanne, enfin. Il y a bien sûr ces Baigneurs-Baigneuses qui n'offrent qu'un assemblage artificiel de fantômes, sans grâce ni beauté naturelle, anatomiquement équivoques, aux visages mal esquissés (des visages-masques), dont les attitudes distantes et impersonnelles, sans rapport les unes avec les autres, « invraisemblablement groupées dans un paysage inexistant », semblent mimer une grossière peinture de genre, cernée par les lignes insanes d'un dessin difforme. Et c'est alors l'image elle-même qui se trouve ainsi deux fois attaquée. Mais c'est surtout que la lenteur inhumaine, l'inachèvement, l'étrangeté fondamentale de Cézanne sont le signe de cette lutte, toujours à reprendre, de ce travail poussé à la frénésie contre l'image et ce qu'il appelle ses « spéculations intangibles ». Résister à l'image dont on n'est jamais quitte, refuser le « grappin » de ses séductions humaines, trop humaines, quel qu'en soit le prix en termes de « réalisation »... Soit la construction du tableau comme incessante déconstruction de l'image dans l'œuvre qui pourra apparaître comme de moins en moins « faite » quand elle est de plus en plus « réelle ». La déconstruction, la *défaite de l'image* appartient à part entière à l'opaque réalité de l'œuvre selon les modalités toujours singulières d'un procès mené par excès ou par défaut. Soit *la sombre magie des couleurs lancée contre le culte des images,* sachant que l'image est ce qui reste, ainsi que Cézanne l'explique, quand on ne voit plus rien des suggestions de la couleur. *Démotiver l'image — et la couper de toute « littérature » — pour remotiver le tableau en tant que champ de tensions organisant les événements colorés.* Projet au final « matisséen », et comme tel reconnu par Matisse...

Loin de poser ici les bases d'une quelconque téléologie dans une histoire générale de l'art moderne et contemporain, nous nous attacherons bien plutôt à dégager un certain nombre d'*opérations critiques* nous permettant de problématiser, comme tels, les rapports du « contemporain » à cet « extrême moderne ». Car si l'on se propose de revenir sur ces œuvres, ce n'est surtout pas pour faire valoir que la crise de l'image et de l'esthétique dont ils ont été des initiateurs majeurs aurait trouvé son dépassement dans une histoire de l'art moderne finalisée par quelque idéal moderniste dont on aurait pu mal évaluer jusqu'ici la conséquence contemporaine. S'il se réclame de l'abstraction, entendue comme une simple rupture avec la forme figurative de l'art, le formalisme moderniste ne sort pas de la forme-image ni de la forme-esthétique de l'art, puisqu'il en appelle encore au déploiement d'une transcendance dans les voies mêmes d'une immanence esthétique — une immanence du medium invitant à l'exhibition de la processualité dont il est l'objet et dans laquelle l'art révèlerait, en la réalisant, son essence. L'abstraction, toute formelle qu'elle soit, se prête fort bien à un discours sémiologique par la voie d'une métaphorisation qui fait de ses lignes et de ses couleurs des signes et des symboles (comme l'a bien montré Georges Roque dans son ouvrage, *Qu'est-ce que l'art abstrait?*).

La crise de la notion d'image ouverte par l'art moderne ne pouvait conquérir sa portée la plus intempestive que par ce qui se démontre dans la *dis-continuité* de l'art contemporain. C'est cette dis-continuité qui dépend à notre sens de la rupture que Matisse et Duchamp opèrent, chacun pour son propre compte, avec l'*image esthétique*, d'un terme qui tente de ressaisir le point de départ commun de leur rupture. En produisant cette rupture, dont il faudra mesurer la radicalité et préciser les modalités asymétriques, Matisse et Duchamp détermineraient les deux paradigmes fondateurs, en tous points opposés (une polarité « pratique » et « idéale »), de l'art contemporain.

Pour accéder à la contemporanéité refoulée de ce que nous appelons la Pensée-Matisse, et donc à sa rupture avec l'image et l'esthétique que celle-ci implique, il faut commencer par se défaire de l'image en miroir qui entend maintenir de force son œuvre entre Modernisme et Tradition, hédonisme du sujet (le Matisse très-français des Odalisques et de la Joie de vivre) et hédonisme du medium (le plaisir esthétique de la couleur pour la couleur) en lui opposant le fauvisme permanent revendiqué par Matisse. Ce qui l'a conduit à excéder le monde clos de l'image-tableau et à destituer l'Image-Esthétique de l'Art dans une énergétique vitaliste et expansive des couleurs où se joue tout un devenir-signe des forces : ce sont des signes diagrammatiques qui subvertissent la notion commune de signe parce que, opérant hors de toute phénoménologie comme de toute dialectique du visible et de l'invisible, indifférents à la distinction du figuratif et/ou de l'abstrait, ils ne représentent rien qu'ils n'expriment ou signifient en termes de rapports de couleurs-forces — pour en distribuer *au dehors* les singularités. Une « esthésique » donc, plutôt qu'une esthétique, dont Matisse expérimentera l'expansivité et la vitalité au fil d'un *constructivisme décoratif* à vocation toujours plus « environnementale » (à partir de la prolifération « rhizomatique » des papiers découpés sur les murs de son appartement-atelier-laboratoire). C'est cette machine-couleur, cette machine « abstraite » autant que « vivante » qu'il faut donc restituer, pour faire jeu égal avec elle, face à la « machine célibataire », à la machinerie grise de Duchamp mettant en œuvre un *constructivisme du signifiant* qui commence par réduire la Forme-Art aux jeux de langage sur l'art (la « couleur invisible » des mots-titres) afin de subvertir, de *couper* le régime imaginal/imaginaire des arts dits plastiques. La coupure-Duchamp, la coupure nominaliste de Duchamp signifie ici l'évidement de l'image par une machinerie auto-signifiante qui abolit tout faire-signe du monde dans une « indifférence visuelle » visant, *littéralement*, à « brûler toute esthétique ». *Étant donné tel objet ready-made*, il y a aplatissement, sur le circuit le plus court du vu et du dit, de toute espèce de dialectique supérieure entre le visible et le dicible — en sorte que le jeu du signifiant fait passer au passé tout effet-d'être de l'image-signe. C'est la place unique de Duchamp dans la pensée contemporaine : traduire l'impossibilité réelle du romantisme (l'Image-Monde) dans l'ironie nihiliste qui s'empare de la « présentation de l'imprésentable » traditionnellement dévolue à l'esthétique : non plus l'Invisible de / dans l'Image, et pas plus l'Intersubjectivité de / dans la Forme (avec sa trans-formation par les regardeurs qui « font » l'œuvre), mais le flottement de l'Image abstraite du Signifiant dont les « expressions » ne symbolisent plus que la « Tautologie en actes » de la construction « sans aucune résonance du monde physique ». Soit l'évidement proliférant de l'Image-objet de / hors l'art comme fondation in-esthétique de la postmodernité *que l'on démontre et démonte pour la première fois comme telle dans l'art-antiart.*

Jouer l'archéologie du contemporain sur la polarité Matisse / Duchamp sera donc ici une façon de relancer, dans ce qui a nom Post / moderne, le conflit sur la *question du sensible* et sur le rapport de l'art à ses dehors.

Un dernier mot pour préciser la nature de notre entreprise. S'il est question ici d'archéologie, c'est au sens où Foucault peut la distinguer de la généalogie quand il écrit : « La dimension archéologique permet d'analyser les formes mêmes de la problématisation ; sa dimension généalogique, leur formation à partir des pratiques et de leurs modifications. » Il ne faut donc en aucune façon attendre de l'archéologie du contemporain que nous tentons ici une histoire récapitulative ou totalisante de sa genèse, non plus qu'une quelconque classification des pratiques foisonnantes de l'art contemporain à partir de la double réception de Matisse et de Duchamp.

―――

(1) Ce texte n'est pas un « article » mais un « document de travail » qui avait été rédigé pour servir d'ouverture à la séance inaugurale du séminaire du Jeu de Paume 2006-2007 (à l'invitation de Marie Muracciole) qui porte le même intitulé : « Défaire l'image ». Il est publié ici sans modification majeure à l'instigation du comité de rédaction pour servir d'amorce, avec l'article de Jacques Rancière, à une réflexion et un travail plus collectifs sur la notion d'*image* qui devraient se prolonger dans la création d'un site web lié à la prochaine *Documenta* (juin 2007).

le travail de l'image

Jacques Rancière

MenschenDinge[1], l'aspect humain des choses : sur les murs du musée de Buchenwald, au cœur des cinq vidéos disposées au centre de la salle, il y a des choses représentées : gamelles ou gourmettes, peignes, chaussons ou bague. Ces choses sont là pour parler de ceux qui y ont vécu et y sont morts, entre 1937 et 1945 ; elles sont là à leur place, pour représenter, semble-t-il, leur histoire. D'emblée, donc, Esther Shalev-Gerz déplace les questions d'usage. Peut-on, doit-on représenter l'horreur concentrationnaire, continuent à demander d'innombrables voix ? À vrai dire, la question est là pour la forme. Ceux qui la posent possèdent déjà la réponse qui se déploie en fait sur un triple niveau : représenter, c'est donner à voir, et l'on ne doit pas offrir au plaisir des yeux une entreprise d'humiliation et de déshumanisation, sauf à s'en rendre complice ; représenter, c'est construire une histoire, et l'on ne doit pas donner la rationalité d'une histoire construite à l'extermination, sauf à la rendre acceptable. Représenter, enfin, c'est choisir le parti des idolâtres ; c'est, encore une fois, prolonger le crime contre le peuple dont le Dieu a interdit les images. C'est aussi, ajoutent certains, trahir la modernité artistique qui a également, pour la cause même de l'art, aboli le plaisir futile des images.

Toutes ces raisons relèvent du même principe. Elles assimilent la représentation à la supercherie qui tient lieu d'une chose en son absence : vision de corps maltraités et humiliés qui ne sont plus là pour répondre de leur fermeté maintenue, fiction inappropriée à la singularité de l'événement, idole qui prend la place de la voix de l'Autre. Représenter, c'est être à la place d'autre chose, c'est donc mentir à la vérité de la chose : tel est le présupposé commun à toutes ces critiques. Or, Esther Shalev-Gerz le réfute doublement : d'un côté, la chose même n'est jamais là : il n'y a que de la représentation : des mots portés par des corps, des images qui nous présentent non pas ce que les mots disent mais ce que font ces corps ; d'un autre côté, il n'y a jamais de représentation : on n'a jamais affaire qu'à de la présence : des choses, des mains qui les touchent, des bouches qui en parlent, des oreilles qui écoutent, des images qui circulent, des yeux dans lesquels se marque l'attention à ce qui est dit ou vu, des projecteurs qui adressent ces signes des corps à d'autres yeux et d'autres oreilles.

Il faut tenir les deux affirmations solidaires. La chose n'est jamais là en personne, et pourtant il n'y a jamais que de la présence. Nous ne devons donc pas nous tromper sur la signification du « monument contre le fascisme », conçu avec Jochen Gerz et aujourd'hui enfoncé sous le sol à Hambourg. Puisque ce monument était destiné à disparaître, on a voulu le verser au compte de la politique de l'irreprésentable selon laquelle l'absolument autre — le Dieu invisible mais aussi le crime contre son peuple — ne peut pas se représenter et doit seulement se symboliser par les marques de l'absence, dont la plus sûre est la disparition effective. Mais le monument invisible n'est pas un monument à l'absence. Tout au contraire. Il signifie que la mémoire de l'horreur et la résolution d'en empêcher le retour n'ont leur monument que dans les volontés de ceux qui sont ici et maintenant. Ce sont les signatures de ces volontés qui, en couvrant peu à peu les parties de la colonne, ont décidé de son enfouissement progressif. Le monument est enfoui par ceux qui prennent sur eux la tâche qu'il symbolise. Il ne faut pas non plus se tromper sur cet « irréparable » auquel Esther Shalev-Gerz a consacré un autre travail. L'irréparable n'est pas pour elle le crime absolu ou le trauma irréductible qui casse l'histoire en deux et nous voue à l'immémorial. Il engage au contraire une manière positive de passer à la suite, au présent. Cette autre manière de régler le rapport à la faute ou à la dette peut être symbolisée par l'histoire que nous raconte dans *White Out* Asa, la Lapone. Son grand-père avait été, pendant des années, volé par le facteur qui touchait en leur absence les pensions des éleveurs nomades et s'était fait construire avec ses larcins une belle maison. Un jour, pris de remords, le facteur voulut rendre l'argent, mais le grand-père refusa la restitution. L'argent avait été pris, la maison construite. Ce qui a été fait ne se répare pas. Cela veut dire qu'il faut faire autre chose. La non-réparation est un point de départ. Toute la question est de savoir ce que l'on fait après, ce que l'on fait maintenant. Isabelle, la juive polonaise, arrachée *in extremis* à Bergen-Belsen à la machine de mort qui avait tué son père et sa mère, a passé une moitié de sa vie à n'en plus parler pour pouvoir vivre elle-même et l'autre moitié à en parler pour que ceux qui vivent aujourd'hui sachent. L'irréparable n'interdit pas la parole, il la module différemment. Il n'interdit pas les images. Il les oblige bien plutôt à bouger, à explorer des possibles nouveaux. Le caractère irréparable de ce qui a eu lieu n'oblige en rien à élever des monuments à l'absence et au silence. L'absence et le silence sont là, de toute façon, dans toute situation donnés. La question est de savoir ce que les présents en font, ce qu'ils font des mots qui contiennent une expérience, des choses qui en retiennent le souvenir, des images qui la transmettent.

Les dénonciateurs de l'image dressent toujours la même scène : ils font de l'image quelque chose devant quoi l'on se tient, passif et déjà vaincu par sa ruse : simulacre qu'on prend pour la réalité ; idole qu'on prend pour le vrai Dieu ; spectacle où l'on s'aliène ; marchandise à laquelle on vend son âme. En somme, ils prennent simplement les gens pour des imbéciles. Cette croyance donne à ceux qui la partagent bonne opinion d'eux-mêmes : nous sommes intelligents puisque les autres sont bêtes. Esther Shalev-Gerz sait que c'est l'inverse qui est vrai : on n'est jamais intelligent que de l'intelligence que l'on accorde aux autres : ceux à qui on parle, ceux dont on parle. Et pour commencer, il faut contester la disposition du jeu. Car c'est déjà avoir gagné que d'imposer le scénario qui nous suppose plantés inertes devant les images. Nous ne sommes pas devant les images ; nous sommes au milieu d'elles, comme elles sont au milieu de nous. La question est de savoir comment on circule parmi elles, comment on les fait circuler. Ceux qui les déclarent impossibles ou interdites depuis Auschwitz opposent à son impiété ou à ses leurres la puissance de la voix qui instruit. Mais derrière celle-ci il y a toujours la voix qui commande, celle qui sait quand et pour qui il faut parler ou se taire. Proscrire l'image au nom de la mémoire, c'est d'abord affirmer son désir de faire taire, de faire obéir. C'est méconnaître que l'image et la mémoire sont d'abord également du travail. Esther Shalev-Gerz récuse donc la trop simple opposition de la voix fidèle à l'image idolâtre. Il n'y a pas la parole d'un côté et l'image de l'autre. La voix est toujours celle d'un corps voyant et visible qui s'adresse à un autre corps voyant et visible. Et le silence qui l'interrompt, la précède ou l'écoute n'est pas le retrait de la pensée toute-puissante qui se dérobe aux ignorants et aux voyeurs. Il est au contraire la marque de son travail difficile pour convertir un sensible en un autre sensible. Le silence, dans les films d'Esther Shalev-Gerz, n'est jamais une plage noire. C'est toujours un paysage accidenté. Dans les pages de *Bonjour cinéma* qui ont inspiré Deleuze et quelques autres, Jean Epstein faisait l'éloge du gros plan qui transforme le visage en un paysage plein de creux et de bosses, de végétations et de ruissellements. Les gros plans d'Esther Shalev Gerz radicalisent cette topographie du visage / paysage jusqu'à provoquer chez le spectateur un certain malaise : n'y a-t-il pas un suspect parti pris esthétique à nous offrir le visage de l'autre sous la forme de ces épaisseurs, rougeurs ou pilosités qui les animalisent afin de montrer la puissance de l'œil mécanique et de ramener l'expression qui se veut personnelle à la grande impersonnalité des choses. Et n'y a-t-il pour les spectateurs de l'indécence à fixer ces morceaux de visage offerts au passant dans la vitrine de *First Generation* (*Première Génération*) comme des poissons d'aquarium ? C'est pourtant un tout autre parti pris qui anime ces gros plans : dans cet œil parfois exorbité, souvent clignotant, dans ces plis et rougeurs de la peau, dans ces mains qui pincent une joue ou ces doigts qui passent sur des lèvres, il y a d'abord de la pensée au travail dans les corps, de la pensée qui cherche à dire, qui cherche à comprendre et nous oblige aussi nous-mêmes au détour de la réflexion.

Pas d'absence représentée, pas d'immédiateté de la présence non plus. On n'est pas devant, on n'est pas à la place de. On est toujours *entre*. La chose est à entendre en deux sens : *être entre*, c'est appartenir à un certain type de communauté, une communauté construite, précaire, qui ne se définit pas en termes d'identité commune, mais en termes de partage possible. Mais ce qui est à partager est lui-même pris dans un partage, lui-même en voyage entre deux êtres, deux lieux, deux actes. Ce qu'on peut appeler image, c'est proprement le mouvement de cette translation. Il y a des gens qui viennent d'ailleurs : d'un autre lieu, d'un passé que les vivants d'aujourd'hui n'ont pas vécu. Ce peut être l'enfer d'Auschwitz, ce peut être le Chili de la contre-révolution sanglante. Ce peut être simplement la neige de Laponie. Ceux-là parlent. Mais ils ne parlent jamais simplement de ce qu'ils ont vécu « là-bas », ailleurs, en un autre temps. Car la valorisation de la parole du témoin, et tout particulièrement du témoin de la souffrance, c'est toujours assigner à « l'autre » une place bien définie, la place de celui qui n'est bon qu'à transmettre la particularité de l'information et sa teneur sensible immédiate à ceux qui ont la prérogative du jugement et de l'universel. Esther Shalev-Gerz fait parler non des témoins du passé ou de l'ailleurs, mais des chercheurs au travail ici et maintenant. Ceux donc qui viennent d'ailleurs, elle les fait parler du présent comme du passé, d'ici comme de là-bas. Elle les fait parler de la manière dont ils ont pensé et aménagé le rapport entre un lieu et un autre, un temps et un autre. Mais aussi les dispositifs qu'elle construit sont eux-mêmes des dispositifs qui distendent leur parole, qui la soumettent à la représentation des conditions de leur énonciation et de leur écoute.

Entre l'écoute et la parole : Esther Shalev-Gerz a utilisé ce titre au moins deux fois. Elle l'a fait pour l'installation destinée à présenter à l'Hôtel de ville de Paris la mémoire des survivants des camps. Ce qu'il y a entre la parole et l'écoute, c'est l'image. Mais l'image n'est pas simplement le visible. C'est le dispositif dans lequel ce visible est pris. Or ce dispositif fait jouer au visible deux rôles différents. D'un côté, les visiteurs de l'exposition parisienne voyaient sur les moniteurs mis à leur disposition les DVD contenant les témoignages des survivants. Le visible assure alors une fonction de transmission du récit. Mais la salle était aussi dominée par trois projections qui leur faisaient voir la même chose et autre chose en même temps : les mêmes témoins, en silence, saisis dans cette concentration ou cette hésitation qui précèdent la prise de parole — un silence qui est lui-même peuplé d'une multiplicité de signes — soupirs, sourires, regards, clignements d'yeux — qui mettent en scène la parole comme le produit d'un travail. Au plus loin donc de l'ahurissement ou de l'idolâtrie, l'image visible est alors l'élément d'une histoire. Mais cette histoire est elle-même faite du renvoi entre plusieurs instances. Entre la parole qui raconte et l'oreille qui se renseigne, elle fait voir sur les visages le travail d'une pensée attentive qui requiert l'attention. Elle n'est pas le simple véhicule de transmission d'un témoignage. Elle est le « portrait d'une histoire ». L'expression choisie pour une exposition à Aubervilliers, dans la banlieue parisienne, est étrange. De fait l'écart entre les deux termes définit ce qu'on peut appeler un dissensus, c'est-à-dire une confrontation entre des modes du sensible. Cette confrontation nous éloigne de l'épiphanie de l'absence ou du choc de l'irreprésentable sous le signe desquels on met volontiers les œuvres qui nous parlent de l'extermination. Parler de portrait d'une histoire, c'est soustraire chacun des deux termes à son évidence. Le portrait ne livre pas l'immédiateté de la présence, il la distend en une histoire, c'est-à-dire en un certain assemblage d'actions. Inversement, l'histoire ne se donne pas telle quelle, elle n'est perçue qu'à travers des corps qui la pensent, la disent ou l'entendent. Il n'y a jamais que des corps pensants au travail avec leur expérience ou avec celle que transmettent les autres corps pensants.

La forme d'égalité ainsi définie récuse l'idée qu'il y aurait un dispositif artistique spécifique pour parler de l'extermination et d'elle seule. Le dispositif de l'intervalle entre la parole et l'écoute n'est pas adapté à la seule histoire des grands événements ou des grands traumatismes d'un siècle. Ce qui vaut pour la mémoire d'Auschwitz ou pour celle des immigrants que la répression politique ou l'espoir d'une vie meilleure a fait venir en Suède du Chili, de Turquie ou d'ailleurs, vaut aussi pour l'histoire moins tragique d'Asa, la Lapone. « Entre l'écoute et la parole », c'était déjà le titre du dispositif vidéo qui racontait son voyage entre deux identités, entre la fille d'éleveurs de rennes parlant le sami et la Suédoise bien intégrée de Stockholm. Tout se jouait là entre Asa et elle-même : entre la pièce sobre à Stockholm où la citadine dynamique bien assise revendiquait avec des gestes éloquents sa double culture et le pays lapon où le visage de la même Asa, coupé au premier plan et comme rendu à une authenticité native par les joues roses et par l'exubérance du décor végétal, écoutait sa propre parole comme une étrangère attentive et surprise. Et il faut encore rappeler que sa parole elle-même était déjà une écoute. Car elle ne racontait pas simplement son expérience. Elle réagissait à un choix de citations, de ces voyageurs habitués à projeter sur les populations reculées les stéréotypes du bon sauvage et les rêves du communisme primitif.

Ce rapport de soi à soi est le degré zéro du dispositif. Ceci est à bien entendre. Le rapport d'Asa parlant à Asa écoutant nous dit ceci : le *deux* est originel. Certains opposent à la circulation indifférente, égalitaire, des images l'arrêt sur le visage qui témoigne de l'irréductible altérité. Esther Shalev-Gerz, elle, fait bouger ce visage ; elle le met en situation d'interrogation, d'écart avec lui-même. Il n'y a pas seulement le fait que le parleur ou la parleuse s'écoute. Dans son immédiateté même, le visage est toujours double : le regard réfléchit une vision, les pincements des lèvres retiennent une pensée. C'est à partir de ce noyau d'altérité premier que la circulation des images fait communauté par cercles élargis. À Hanovre, à quelques lieues du camp de la mort de Bergen-Belsen, où les traces du passé se sont effacées, ce sont deux visages qui sont mis en rapport : Isabelle Choko, la juive qui a connu, enfant, le ghetto de Lodz avant d'échouer à Bergen-Belsen, parle ; Charlotte Fuchs, l'ancienne actrice, porteuse de la culture de gauche allemande de l'entre-deux guerres, écoute ; elle parle elle-même devant des murs que couvrent les figures énigmatiques d'Oscar Schlemmer, emblèmes de cette Allemagne progressiste vaincue par la folie nazie ; quelquefois la figure de l'auditrice, l'une tendue par l'attention, l'autre marmoréenne, vient masquer celle qui parle. *Est-ce que ton image me regarde ?* demande l'installation. À Botyrka, dans les faubourgs de Stockholm, le cercle est encore élargi pour l'exposition *First Generation* : ce sont quelques dizaines d'immigrés qui ont répondu à la question de savoir ce qu'ils ont perdu et gagné en venant ici, ce qu'ils ont donné et ce qu'ils ont reçu. Et ce sont eux qui s'écoutent et offrent au regard des visiteurs leur visage ou plutôt un fragment du paysage que son attention tend ou plisse. Les visages sont entre le dehors où l'on passe et le dedans où l'on prend connaissance des récits. Entre ceux qui passent et ceux qui entrent, entre ceux dont les voix et les visages sont exposés là et ceux qui viennent à leur tour faire le parcours du regard à l'écoute — et peut-être à une parole nouvelle — c'est toujours la même communauté qui se tisse : une communauté de gens qui sont entre ici et un autre lieu, entre maintenant et un autre temps, entre les gestes complémentaires et disjoints de la parole, de l'écoute et du regard. L'air du temps nous invite volontiers à la considération des cultures autres et voit dans l'art un moyen de nous y introduire. Mais les choses seraient simples — et pas très intéressantes pour un artiste — s'il ne s'agissait que d'apprendre à connaître et à respecter la différence. Il s'agit d'une chose plus sérieuse, où le travail de l'art aujourd'hui est en revanche directement intéressé : il s'agit de creuser le rapport même du semblable et du différent, de montrer comment l'autre est semblable, porteur des mêmes capacités de parole et d'écoute, mais aussi, à l'inverse, comment le même est lui-même autre, lui-même pris dans l'obligation de la distance et de l'intervalle.

Dans *MenschenDinge*, la règle du jeu est différente, mais son principe ultime est identique. Aucun ancien détenu de Buchenwald ne raconte ici ses souvenirs de vie dans le camp. Les cinq personnes qui parlent sont fonctionnaires du musée ou associées à son travail. Nous les voyons parler, mais elles-mêmes ne s'écoutent pas parler ni ne sont écoutées par les autres. Tout se joue entre leur parole et ces choses dont ils parlent, qu'ils montrent sur la table ou qu'ils prennent dans leurs mains. C'est aux choses d'abord qu'est remise la puissance de l'intervalle, celle de la circulation et de la transformation. Ces choses, ce sont des objets, vingt ou trente parmi tous ceux qui ont été trouvés en creusant le site du camp. Ce sont des objets qui ont appartenu aux détenus. Certains portent des signatures ou des marques d'identité. Mais aussi ce sont des objets singuliers, qu'un travail clandestin a récupérés, transformés, détournés de l'usage qui leur était dévolu par l'organisation du camp. Le fil de fer ramassé a été tordu pour faire une bague ; la règle, destinée au travail des ouvriers, a été soigneusement entaillée par un instrument de fortune pour être transformée en peigne ; ou bien son morceau a été transformé en manche de couteau. Une gourde a été creusée pour servir d'assiette ou de bol ; un morceau d'aluminium soigneusement recourbé a servi à faire un miroir ; une manche métallique de fortune a été ajustée à une brosse à dents cassée ; une gamelle de l'armée française a été privée de sa partie supérieure, une brique y a été introduite et une poignée ajustée pour la transformer en fer à repasser. Une broche en forme d'araignée a été incrustée de bouts de verroterie ; des gobelets ont été ciselés ; sur l'un, une inscription en russe affirme un droit de propriété : « Cherche ton bol, ne touche pas au mien, Tzigane. » Sur un autre ont été gravés un fer à cheval signe de chance, un cœur percé symbole d'amour et une ancre, emblème de liberté. Et l'instrument et l'emblème par excellence de l'enfermement, le fer barbelé, a lui-même été utilisé à contre-emploi, enroulé autour d'un fil de cuivre raccordé à une prise de récupération pour faire un thermoplongeur permettant de faire chauffer un peu d'eau.

Nous sommes loin donc de ces tas de chaussures dont les photographies parfois se sont voulues une métonymie de la machine de mort. Il n'est pas question ici d'attester la souffrance et la mort de masse. Sans doute ne convient-il pas d'oublier que, même si Buchenwald n'avait pas de chambres à gaz et n'avait pas été programmé pour la « solution finale », c'était aussi un camp de la mort. Cinquante-six mille personnes sont mortes à Buchenwald ou dans le réseau de camps qui en dépendait. Mais ce n'est pas de mémoire des morts que nous parle ici Esther Shalev-Gerz. Il s'agit de la mémoire des vivants. Comme dans les dispositifs de parole et d'écoute, cette mémoire passe par un travail. Il s'agit de faire parler ces objets muets. Mais ici une distinction s'impose. Les historiens nous ont appris à valoriser ces objets qui sont les « témoins muets » de la vie des hommes, à opposer leur véridicité à la parole des discours apprêtés. Mais l'artiste retourne le jeu : les objets ne témoignent pas ici d'une condition ; ils nous renseignent non pas sur ce qu'ils ont vécu, mais sur ce qu'ils ont fait. Ils attestent donc une capacité qui est justement du même ordre que celle qu'atteste, dans d'autres installations, la parole appliquée ou le visage attentif des anonymes. L'ingéniosité déployée par les artisans de ces objets évoquera sans doute à certains le bricolage célébré par Lévi-Strauss ou les « arts de faire » chers à Michel de Certeau. C'est bien, de fait, de la capacité de ceux qui forgèrent ces objets que nous parle Esther Shalev-Gerz. Mais ces objets ne sont pas seulement des résultats de la capacité inventive des anonymes. Ils sont aussi les affirmations à la fois pratiques et emblématiques de cette capacité face à la machine de déshumanisation et de mort. En ce sens le bricolage du peigne ne se sépare pas de celui du bracelet incrusté, ou celui du fil électrique en fer barbelé de celui du miroir. Il n'y a pas, d'un côté, les nécessités de la vie, de l'autre, le soin de la parure par quoi on s'affirme au-dessus de la simple vie biologique. L'art de faire ne se sépare pas de l'affirmation d'une manière d'être ou d'un art de vivre au sens le plus fort.

On comprend alors que Harry, l'historien, puisse s'exalter en nous montrant quelque chose de « sensationnel » : une brosse à dents cassée qu'une main experte et appliquée a réparée en y ajustant par des rivets une manche d'aluminium récupéré. Celui qui a fait cela pouvait être mort le lendemain matin, et pourtant il se souciait encore de se laver les dents avec un instrument approprié. On peut penser que cet artiste avait mis dans son travail la pensée résumée dans l'*Espèce humaine* par Robert Antelme, passé lui-même par Buchenwald avant d'être expédié à l'usine de Gandersheim : quand l'ennemi a programmé en même temps votre mort physique et votre dégradation morale, l'un et l'autre ne peuvent plus se séparer. Se donner les moyens de continuer à vivre et affirmer un rapport nécessaire à son image vont de pair. C'est pourquoi l'on faisait la queue pour le moment de rencontre avec le « morceau de solitude éclatant » renvoyé par ce miroir, pour regarder encore ce visage, que l'ennemi voulait rendre repoussant pour chacun comme pour tous les autres[2]. Certains, il est vrai, s'en effrayaient et ne voulaient plus voir ce visage où s'inscrivait l'effet de l'entreprise de déshumanisation. Mais d'autres pratiquaient à son égard l'art de le voir comme le voyaient ceux qui pensaient aux absents, ceux qui les attendaient chez eux. Et quant à ce fer à repasser de fortune, il a d'abord suscité la perplexité des chercheurs, mais ils ont fini, grâce à un autre livre, par en comprendre l'usage : il n'était certes pas destiné à donner un pli élégant aux tenues rayées. Il servait à tuer les parasites causes d'épidémies. La vie ne se réduit jamais à la « vie nue », à la seule nécessité biologique. Elle ne se laisse pas non plus séparer entre le nécessaire et l'accessoire. C'est ce dont témoignent aussi ces calendriers de métal où les mois seuls sont marqués. Les jours pouvaient être tous semblables, cela n'empêchait pas le soin pris à garder une maîtrise du temps et le souci d'utiliser pour cela une calligraphie élégante.

Les objets parlent donc de la même façon que les écrivains. Ils parlent de l'art qui les a produits : un art de faire ingénieux indissociable d'un art de vivre. En ce sens donc, il n'y a pas de solution de continuité entre l'artiste qui a fait pour son usage la cuillère, le peigne ou le fer à repasser et ces « vrais » artistes qui ont utilisé leur science du dessin pour nous laisser des témoignages de la vie du camp : Paul Goyard, dont les dessins sont conservés à Buchenwald, Boris Taslitzky, dont les dessins, publiés en 1945 par Aragon, sont exposés cet été à Paris, Walter Spitzer, Léon Delarbre, Henri Pieck, Karl Schulz et un certain nombre d'autres dont le récent film de Christophe Cognet fait revivre le travail[3]. Ceux-là aussi ont dû se procurer clandestinement les moyens de leur art : papier récupéré sur les circulaires des usines, chiffons usagés, enveloppes jetées ou, comme le rapporte Léon Delarbre, papier entourant l'amiante isolant les tuyaux. Et s'ils ont dessiné les rassemblements sinistres sur la Place d'Appel, l'entassement des corps voués à la mort du « petit camp » les pendus, les charrettes de cadavres menés au crématoire ou les morts vivants du *Revier,* ils se sont aussi attachés à peindre des portraits des amis ou des inconnus comme ils auraient pu les peindre ailleurs : tels ces portraits faits par Boris Taslitzky qui nous représentent des intellectuels, des journalistes, des artistes au regard habité par leur pensée et leur art et non des détenus portant les stigmates de l'épuisement, de la faim et de la maladie.

C'est pourquoi a été vite résolue la question initiale des responsables du musée : fallait-il recueillir pieusement et exposer tous ces détritus, ces collections de boutons, de pièces de monnaie, de gamelles ou de cuillères rouillées sorties de la décharge où tous ces objets avaient été versés à la fermeture du camp ? Assurément un musée n'est pas une poubelle. Mais ce n'est pas de poubelle qu'il s'agit mais de productions d'un art de faire et de vivre. Seulement, une fois cette question réglée, revient la question inverse : est-il légitime de faire aujourd'hui de l'art « avec » les camps de la mort, avec les histoires de ceux qui y sont morts ou en sont revenus et avec les traces qui nous en restent ? Qui dit art dirait artifice voué au plaisir, et des voix nombreuses affirment que l'un et l'autre seraient ici indécents. On salue certes les artistes enfermés qui ont mis leur art du trait et de la composition dans leurs dessins du camp. On veut même bien admettre qu'ils aient parfois ressenti une affinité secrète entre la désincarnation de masse des corps suppliciés et la naissance même de la forme artistique comme Music à Dachau « aveuglé par la grandeur hallucinante de ces champs de cadavres semblables à des plaques de neige blanche, des reflets d'argent sur les montagnes ou encore pareils à tout vol de mouettes blanches posées sur la lagune » ou comme Boris Taslitzky saisi par le kaléidoscope d'aspects mouvants présenté par la géhenne du « petit camp ». Mais que l'on veuille aujourd'hui faire œuvre avec les peignes, les bols et les cuillères des détenus récupérés dans la décharge, on l'admet plus difficilement. Ceux-là même qui recueillent ces objets, les nettoient, les archivent, les exposent ou organisent l'exposition qui leur est ici consacrée s'interrogent, comme le directeur du musée, Volkhard Knigge, devant la caméra d'Esther Shalev-Gerz : l'aura même de ces objets, la manière dont, selon la définition benjaminienne, ils nous rendent comme pour la première fois présent un absolument lointain ne les met-elle pas hors de l'art ?

La réponse est prise en fait dans une dialectique singulière. Car vouloir les tenir à l'écart de l'art, c'est en faire des reliques ou des fétiches : objets sacrés pétrifiés dans leur rapport à l'entreprise de mort. Et la marchandise est toujours proche du fétiche : dès lors que la présence de ces objets est nécessaire aux lieux de mémoire, ceux qui n'en ont pas doivent en acheter, et les cuillères rouillées des morts deviennent elles aussi des objets qui ont un prix. Pour leur éviter ce statut d'objets balancés entre la relique et la marchandise, il faut les rendre lisibles. Mais les rendre lisibles, ce n'est pas seulement les identifier. Ou plutôt l'identification elle-même ne se sépare pas d'un travail d'artiste : un travail de recherche et d'imagination conjoints qui fasse parler cette inscription russe sur le bol dont la propriété est affirmée mais aussi qui laisse son ambiguïté à ce « Tzigane » qui peut être aussi bien le signataire de l'inscription que son destinataire, réel ou imaginaire ; une histoire de destins parallèles qui se dessine autour de ce bol qui porte deux noms de « propriétaire » : le nom français d'un détenu qui a survécu, le nom tchèque d'un autre, venu de l'Est et mort à Bergen-Belsen.

206 · **MULTITUDES 28** · PRINTEMPS 2007

Refuser ces objets à la simple jouissance esthétique comme à la dévotion devant les victimes du crime irréparable, c'est les confier à l'imagination historienne. Mais aussi les rendre lisibles, c'est les faire voir comme le produit de l'art de faire et de l'art de vivre de ceux qui les ont détournés, ornés, signés. C'est à cet art d'abord qu'il convient de rendre hommage. Et c'est pourquoi il est légitime de les confier *entre autres* à une artiste d'aujourd'hui.

Entre autres : une artiste parmi d'autres artistes : ceux qui ont fait ces objets, ceux qui se soucient aujourd'hui de les archiver et de les exposer, ceux qui porteront un regard ou une oreille neuve à l'assemblage proposé. Mais aussi une artiste dont tout le travail est de tirer les objets, les images, les voix de leur solitude, de multiplier par la circulation le potentiel qu'ils recèlent. La loi du deux, celle de l'intervalle et du déplacement gouverne le dispositif inventé ici par Esther Shalev-Gerz aussi rigoureusement que ses précédentes installations. C'est d'abord pourquoi elle expose non les objets mais leurs images multipliées. Vingt-cinq images d'objets, dont chacune est une image double : le même fer à repasser vu de l'intérieur ou de l'extérieur, le même bol selon deux angles différents, le même chausson à l'endroit et à l'envers. L'artiste ici semble exactement contrevenir au commandement de Robert Bresson au cinéaste : « Ne pas montrer tous les côtés des choses. » [4] C'est au prix de tenir écartés les « morceaux de nature » captés par la caméra que le metteur en scène entend faire du cinéma un langage. Esther Shalev-Gerz veut aussi que les images obéissent à la loi du langage, celle de l'intervalle. Et c'est pourquoi elle en met toujours deux pour une. Mais aussi elle entend autrement le rapport de l'art et du langage. De même qu'on fait image avec d'autres images, on fait art avec un autre art en dégageant dans un matériau donné — parole humaine ou objet inanimé — ce qui en lui est déjà de l'art, déjà le produit d'une recherche. S'il est nécessaire de montrer un côté puis l'autre, c'est que le « montage » n'est pas l'art réservé du cinéaste. Montrer les « deux côtés » de l'objet, c'est rendre sensible le montage déjà mis en œuvre par l'artiste du camp pour détourner le matériau ou l'objet de sa destination : le chausson dérobé à la couverture et le carton qui lui sert de semelle, la cuillère rouillée et son manche transformé en couteau, etc. Mais ce n'est pas simple affaire de pédagogie. Montrer ce montage, c'est montrer qu'un objet, une image, une parole sont toujours en mouvement, tendus entre un passé et un futur, entre une invention et l'invention nouvelle qu'elle demande à celui ou celle qui les tient dans sa main, à celui ou celle qui en regarde l'image. Ou plutôt l'image de l'art, l'image active n'est pas la forme visible qui reproduit un objet.

Elle est toujours entre deux formes. Elle est le travail qui se crée dans leur intervalle.

L'image ne va jamais seule, l'objet non plus. Ce ne sont pas des choses que nous montrent les photographies sur les murs : ce sont des présentations de choses, des mains qui les tiennent et qui les manipulent. L'éclat un peu trop « artistique » au premier abord de ce bol ciselé qui semble quelque pièce rare exhumée d'une sépulture étrusque, de cet autre bol tenu dans la paume d'une main presque comme un calice, c'est celui d'un lien affirmé entre le présent et le passé, entre le geste attentif d'aujourd'hui et celui d'hier, un lien affirmé comme toujours dans l'écart, sensible ici entre la brillance de l'éclat métallique et la matité rose et rugueuse des doigts. Les choses ne parlent que montrées, transformées par un nouveau montage, par un nouveau travail de la pensée et un nouveau risque des corps. Les cinq interviews vidéo disposées sur le fer à cheval au centre de la pièce font parler ces mains, elles leur donnent un corps pensant qui fait parler les choses. Les mains de l'historien Harry miment la fragilité de l'objet longtemps énigmatique qu'il tient dans sa main — une charnière métallique qui s'est révélée être une partie séparée d'une pochette métallique destinée à garder des papiers d'identité. À un autre moment, elles s'animent pour faire danser devant nos yeux le fragment de peigne dont la fabrication était assimilable à un acte de sabotage ou pour démontrer ce qu'a de « sensationnel » le manche d'aluminium riveté à la brosse à dents cassée. Entre l'art des détenus et celui de l'artiste, il y a cet art de la « leçon de choses » de l'historien ou de l'archéologue. Mais cette leçon de choses n'hésite pas à mettre elle-même en doute son opportunité : au terme de la gymnastique passionnée par laquelle ses mains ont « fait parler » les objets, l'historien se demande s'il ne faudrait pas séparer les mots des choses, mettre une loupe à côté des objets et renvoyer les explications à un autre étage.

Une raison de séparer toujours se contrebalance d'une raison de relier : il y a peu à voir ici, dit Ronald, l'archéologue, sur le terrain du champ de fouilles. Il faut donc imaginer pour rendre les objets lisibles. Et c'est ce qu'il fait, dans son bureau, en tournant et retournant ce bol aux deux noms et en reconstituant l'histoire vraie de ces deux possesseurs qui ne se sont peut-être jamais rencontrés que par leurs inscriptions sur le métal. Pas trop d'art, dit Knigge. Il ne s'agit pas de susciter l'admiration pieuse devant des objets, mais de lutter contre la seconde négation, celle de la négligence, en raccordant notre présent à cet autre présent. C'est pourquoi il parle, lui, sans objets dans les mains, mais dans l'ancienne salle des machines qui est tout ce qui reste des bâtiments concentrationnaires. Lier et délier, ce sont les deux opérations complémentaires et contradictoires que résument les attitudes de Rosemarie, la restauratrice et de Naomi, la photographe. Ici on peut toucher l'histoire, dit la première, manipulant les objets, au sein de son laboratoire. Et nous la croyons d'autant plus que pendant un assez long temps la caméra ne nous montre que ses mains qui nous démontrent l'art investi dans la fabrication de la cuillère, du chausson ou de la bague araignée avant de remonter un instant sur son visage qu'elle quitte bientôt pour se concentrer sur un peigne. Et son discours s'inscrit tout entier dans le travail d'art que représente la sauvegarde et l'archivage des objets. Celui-ci donne en effet lieu à une autre procédure de transmission. Les élèves des écoles viennent y travailler : nettoyer, étiqueter, décrire sur le registre où tout est noté de ce qu'on sait sur les objets. C'est encore, à sa manière, une œuvre d'art que ce registre, bien divisé en cases et où se trouve dessiné, avec indication de ses dimensions, chaque objet, jusqu'à la pièce d'un Pfennig, semblable à tout autre, ou au bouton quelconque. L'élève qui a ainsi adopté son objet a pu même inscrire son nom sur le registre, y ajouter sa signature d'artiste de la mémoire. Ce n'est pas à titre de simple document que les photos ou la vidéo nous font admirer l'ordonnance des pages. L'on a le sentiment que la disposition à la fois individualisée et double des photos, comme le renvoi entre l'image et la parole pratiqué par l'installation d'Esther Shalev-Gerz s'inscrit elle aussi dans la continuité de cet art méticuleux du registre.

Mais elle reprend tout autant à son compte l'interrogation suspensive de Naomi, la photographe qui est aussi l'Israélienne. C'est en Israël en effet que celle-ci avait commencé à archiver, à Yad Vashem, les objets provenant des camps et à les photographier selon un principe bressonien de séparation. Elle voulait en effet les arracher à leur univers de nuit et de brouillard en même temps qu'à leur statut de reliques sacrées. Aussi avait-elle imaginé de les photographier d'une manière neutre sur un fond blanc, comme pour des photos d'identité judiciaire. La vidéo nous la présente devant les séries ainsi obtenues : lunettes cassées ou blaireaux. Mais elle nous dit aussitôt son trouble à filmer ainsi les objets qui touchent au corps. Elle nous le dit par ses paroles mais aussi avec ses mains qui miment bizarrement le contact du blaireau avec une peau barbue. Mais à ce rapprochement succède le souci de rendre aux objets leur distance et leur énigme. Ils sont comme ces coquillages au milieu desquels on marche sur le sable. Ils ne donnent pas de réponse. Comme pour le monument invisible, la réponse est en nous. Il faut inventer une manière d'être avec eux qui est aussi une manière de les mettre entre nous, de constituer une communauté d'intervalles. Parler des objets de Buchenwald engage le même art que pour parler du passage du Chili ou de Turquie dans les faubourgs de Stockholm, de Ceylan ou de Mauritanie dans ceux de Paris. Il s'agit toujours de savoir comment on se comporte avec les objets, comment on se comporte avec les images et les voix, comment on traite le fait d'être entre. Naomi nous explique comment le rapport avec ces objets a développé en elle le sens de la tolérance. Il ne faut pas entendre cela simplement comme le bienfait moral apporté par un travail artistique. Précisément l'un et l'autre ne se séparent pas. Certains souhaitent que l'art inscrive sous une forme indélébile la mémoire des horreurs du siècle. D'autres veulent qu'il aide les hommes d'aujourd'hui à se comprendre dans la diversité de leurs cultures. D'autres encore nous expliquent que l'art aujourd'hui produit — ou doit produire — non plus des œuvres pour des amateurs mais des nouvelles formes de relations sociales pour tous. Mais l'art ne travaille pas *pour* rendre les contemporains responsables à l'égard du passé ou *pour* construire des rapports meilleurs entre les différentes communautés. Il est un exercice de cette responsabilité ou de cette construction. Il l'est dans la mesure où il prend dans son égalité propre les diverses sortes d'arts qui produisent des objets et des images, de la résistance et de la mémoire. Il ne se dissout pas en relations sociales. Il construit des formes effectives de communauté : des communautés entre objets et images, entre images et voix, entre visages et paroles qui tissent des rapports entre des passés et un présent, entre des espaces lointains et un lieu d'exposition. Ces communautés n'assemblent qu'au prix de séparer, ne rapprochent qu'au prix de créer de la distance. Mais séparer, créer de la distance, c'est aussi mettre les mots, les images et les choses dans une communauté plus large des actes de pensée et de création, de parole et d'écoute qui s'appellent et se répondent. Ce n'est pas développer des bons sentiments chez les spectateurs, c'est les convier à entrer dans le processus continué de création de ces communautés sensibles. Ce n'est pas proclamer que tous sont artistes. C'est dire que toujours l'art vit de l'art qu'il transforme et de celui qu'il suscite à son tour.

« Séparés, on est ensemble. » La formule est de Mallarmé, dans le poème en prose intitulé « Le Nénuphar blanc ». On la croit parfois propre à un art enfermé dans la solitude glaciale de l'œuvre traitant des sensations raffinées des esthètes à l'usage des mêmes esthètes. Les installations d'Esther Shalev-Gerz montrent au contraire qu'elle trouve sa pleine application dans le cas d'un art qui s'attache à faire vivre aujourd'hui la mémoire des histoires et des tragédies collectives. La solitude de l'œuvre est toujours la construction d'une communauté sensible qui se prolonge au-delà d'elle-même en créant des formes plus larges de communauté. Mais la réciproque est tout autant vraie. Ensemble, on est séparés. Il n'y a pas d'œuvre d'art vivante ou totale qui s'identifierait à la grande communauté unie par un même souffle ou une même vision. Les seules communautés qui valent sont les communautés partielles et toujours aléatoires qui se construisent dans l'attention qu'une oreille prête à une voix, qu'un regard porte sur une image, une pensée sur un objet, dans le croisement des paroles et des écoutes attentives aux histoires des uns et des autres, dans la multiplication des petites inventions, toujours menacées de se perdre dans la banalité des objets ou des images si des inventions nouvelles ne réveillent pas le potentiel qui est en elles. Ce n'est pas affaire de bons sentiments. C'est affaire d'art, c'est-à-dire de travail et de recherche pour donner une forme singulière à la capacité de faire et de dire qui appartient à tous.

------

(1) Ce texte a été rédigé pour le catalogue de l'exposition d'Esther Shalev-Gerz, qui s'est tenue à Berlin en 2006, *MenschenDinge / The Human Aspect of Objects*, Weimar, 2006.

(2) Robert Antelme, *L'Espèce humaine*, Gallimard, 1957, p. 61.

(3) Christophe Cognet, « Quand nos yeux sont fermés. L'art clandestin à Buchenwald », La Huit Production, 2005.

(4) Robert Bresson, *Notes sur le cinématographe*, Folio / Gallimard, 1995, p. 104.

torture à Abou Ghraib : les médias et leur dehors

Abigail Solomon-Godeau

Lorsqu'on entreprendra d'écrire l'histoire de la guerre illégale et ca-
tastrophique en Irak, un élément ressortira du tableau général : la très
large dissémination des photographies de torture prises par les tortionnaires eux-mêmes [1]. Des guerres antérieures, à commencer par la
Guerre de Sécession, ont certes suscité leurs propres archives photographiques mais celles que la guerre américaine en Irak a produites est
très singulière. Je pense bien entendu aux photographies et vidéos réalisées dans la prison d'Abou Ghraib qui ont été publiées dans les médias le 27 avril 2004.

Abou Ghraib, le film

La torture n'a rien de nouveau, mais sa représentation photographique
détaillée présente un caractère de nouveauté à la fois étonnant et cho-
quant. Qui aurait pu imaginer, avant la publication des photographies
de soldats américains torturant leurs prisonniers, qu'un grand nombre
d'entre elles ressembleraient avant tout à de la pornographie amateur ? [2] L'érotisation de la domination et de la soumission, ingrédient
de base du pornographique a rarement, pour ne pas dire jamais, été
donnée à voir de façon aussi explicite. Les archives visuelles d'Abou
Ghraib sont, entre autres choses, un portrait de groupe, celui de réservistes, de membres de la police militaire, d'hommes de troupe, de
membres du personnel de la C.I.A. et de civils américains qui se sont
retrouvés du jour au lendemain en charge de prisonniers irakiens. En
l'espace de quelques mois, un groupe d'hommes et de femmes (pour
la plupart) blancs et (pour la plupart) d'origine populaire, se sont vu
confier un pouvoir de vie et de mort sur des étrangers à la peau sombre,
de sexe masculin pour la plupart, dont la majorité, faut-il le préciser ?
ne parlait pas anglais et dont la culture était globalement étrangère à
celle des occupants américains [3]. La nouveauté de ce phénomène — j'entends l'acte des participants consistant à donner d'eux-mêmes une représentation collective tandis qu'ils torturaient leurs prisonniers — ne
doit pas être négligée.

Il n'est certainement pas anodin, malgré la grande disponibilité de
l'appareil photographique, que les formes de torture pratiquées de manière routinière, comme la simulation de noyade, les coups ou les élec-
trochocs, aient rarement, sinon jamais, été si bien montrées par la photographie, la photographie devenant un élément du processus de torture
lui-même. Même si elle a été officiellement autorisée, comme dans les
guerres sales au Chili, en Argentine, au Guatemala et au Salvador, ou,
auparavant, pendant la guerre d'Algérie, ni les tortionnaires ni les obser-
vateurs n'avaient, à ma connaissance, songé à en conserver une trace

visuelle, à la diffuser et, qui plus est, à rendre publiques leurs activités.
Les défenseurs de la torture objectent que les formes atroces et fréquemment meurtrières pratiquées en dehors des États-Unis doivent être
distinguées des soi-disant « maltraitances » systématiquement admi-
nistrées à Abou Ghraib ou dans la prison de Guantanamo [4]. Les définitions de la torture, pourtant, telles que les formulent des accords internationaux, des organisations de défense des droits de l'homme ou
même des règles de conduite militaires, ne distinguent pas la torture
conduisant à la mort ou à l'invalidité d'autres formes, telles que les élec-
trochocs, qui sont susceptibles de ne pas laisser de traces physiques.
L'un des objectifs de la politique de l'administration Bush a consisté
néanmoins en une redéfinition de la torture qui ôtait tout leur sens tant
aux conventions existantes qu'aux définitions plus neutres [5].

Le Président Bush a beau marteler que les Américains ne torturent
pas, un grand nombre de commentateurs de droite a beau apporter toute
sorte de démentis [6], il ne fait aucun doute que les Américains, civils et
militaires, *pratiquent* la torture ; et le document que constitue la publication des photographies et vidéos d'Abou Ghraib a donc une portée
immense, politique autant qu'éthique [7]. Bien que les organisations de
défense des droits de l'homme aient produit un ensemble de données
qui a conduit à la mise en accusation de 600 militaires et officiers de
renseignements, soupçonnés d'implication dans la torture ou le meurtre
de détenus, dix d'entre eux seulement ont fait l'objet pour l'instant d'une
peine de prison d'une année ou plus [8]. Dans cet article, j'essaie pourtant de m'attacher aux implications des archives visuelles elles-mêmes ;
non seulement ce qui a façonné les formes de « maltraitance » qu'elles
représentent, mais aussi la façon dont ces archives fonctionnent une
fois que leur contenu est disséminé et qu'il devient disponible à des usages variés, et à des usages critiques en particulier.

Comme je l'ai indiqué, il y a certainement, parmi les traits spécifiques
des archives d'Abou Ghraib, le désir des participants de garder une trace
visuelle de leurs activités. Divers auteurs ont établi des liens avec un
certain nombre de précédents dans l'histoire de la photographie (par
exemple les photographies de lynchage récemment publiées et exposées à la New York Historical Society en 2004) [9] ou avec les photographies de camps de concentration, qui constituent généralement le point
de repère en ce qui concerne les images d'atrocités. D'autres auteurs
sont remontés plus loin dans le temps, à la représentation de la torture
dans l'histoire de l'art, telle qu'elle apparaît notamment dans les estam-
pes de Jacques Callot, chez Francisco Goya, ainsi que dans certaines
toiles de Leon Golub [10].

Cette tentative de rattachement à l'histoire de l'art, si c'est bien de cela qu'il s'agit, rate pourtant l'un des principaux aspects des archives d'Abou Ghraib : leur atmosphère carnavalesque, leur érotisme, leurs signes extérieurs et leur mise en scène S/M. En ce sens, l'enregistrement photographique s'apparente moins au « documentaire » qu'au « divertissement », au spectacle, à une sorte de film collectif dont les participants font office à la fois de réalisateurs et d'acteurs, jouant leur propre rôle à la fois pour eux-mêmes et pour un spectateur implicite. Ces images impliquent certaines formes de regard et elles supposent des circuits de transmission et de réception qui distinguent une bonne partie d'entre elles des images, disons, des viols, mutilations et carnages cauchemardesques que Goya a représentés dans ses *Désastres de la guerre*, mais aussi, et pour les mêmes raisons, des photographies de lynchage que l'on avait pu envisager comme autant de précédents. Les exemples empruntés aux arts visuels posent pourtant problème, parce qu'ils éludent la distinction entre la traduction imaginative de la torture dans des formes graphiques ou picturales et les propriétés indicielles de l'enregistrement photographique — fût-il numérique.

À mettre ainsi en avant la singularité des photographies d'Abou Ghraib, on peut se demander si des activités de cette nature auraient pu se dérouler ailleurs, ou si les photographies auraient pu être prises dans d'autres prisons. Ce qui frappe par-dessus tout, dans les photographies d'Abou Ghraib, c'est le fait indéniable que ces activités aient été par bien des aspects orchestrées et mises en scène pour l'appareil photographique. La pyramide de corps dénudés, où les fesses apparaissent dirigées vers l'objectif, était spécialement disposée pour être photographiée, comme une bonne part de ce qui s'est produit dans le Niveau 1 de la prison d'Abou Ghraib. C'est pourquoi les « rôles » joués par des réservistes, des membres de la police militaire et des officiers des renseignements, posant tout souriant devant les photographes, ainsi que les différentes manières dont la torture des détenus était mise en scène, rapprochent davantage les images des conventions de la pornographie que de celles qui régissent la documentation photographique. De même, certaines photographies prises en Irak par des Américains relèvent quant à elles d'autres genres photographiques, tels que la photographie de vacances.

On pourrait à bon droit supposer que la présence des femmes, et principalement de jeunes femmes, en tant que geôlières, membres de la police militaire et femmes soldats, a compté parmi les facteurs qui ont pu inciter les types particuliers de torture pratiqués à Abou Ghraib. Il y a ici des circuits psychosexuels assez complexes, si l'on en croit les théoriciennes féministes et queer qui ont noté depuis longtemps la manière dont les femmes fonctionnent, parfois, « entre » les hommes, comme des circuits (ou des court-circuits) du désir qui circule entre les hommes, et *particulièrement* quand le désir homosexuel est proscrit, quand règne un environnement psychosocial homophobe[11]. À cet égard, le fait qu'une part considérable de la torture mise en scène dans la prison ait impliqué des tableaux « homosexuels » (masturbations et fellations collectives, par exemple) incite fortement à penser qu'il y a chez les tortionnaires (masculins) eux-mêmes des désirs inavoués. Si la violence sexuelle, et le viol est exemplaire à cet égard, est un acte de pouvoir et de domination, alors la présence de femmes dans ce théâtre de tortures ajoutait à l'évidence ses déterminations spécifiques, elle y apportait ses propres *frissons* et ses propres chocs, elle fonctionnait comme un ingrédient narratif dans ce que j'appelle « Abou Ghraib, le film »[12].

Ainsi de la femme soldat Lynndie R. England, qui avait posé avec un prisonnier tenu en laisse et rampant au sol, qui s'inscrit, au théâtre de la torture, dans le répertoire de la dominatrice : lubrique, puissante et dangereuse. Mais ce pouvoir ne s'exerce que dans la relation avec les détenus, et pas nécessairement dans la relation avec ses homologues masculins qui avaient pris part, avec elle, à l'organisation du spectacle. Le fait que la torture ait été explicitement sexualisée, comme dans cette série d'images tristement célèbre, n'en fait pas pour autant de la « non-torture », et pas davantage du « non sexuel ». Comme dans tout viol, l'un ne va pas sans l'autre.

Lorsque les photographies d'Abou Ghraib se sont disséminées, à partir de l'année 2004, de nombreux commentateurs ont cru trouver des précédents dans d'autres archives photographiques. Certaines d'entre eux, comme Dora Appel, Hazel Carby et Susan Sontag, se sont référées notamment aux photographies de lynchage dans l'Amérique des petites villes, qui représentent pour la plupart des foules enjouées, composées de Blancs, attroupées au pied d'hommes et de garçons lynchés[13]. Éclairées à la flamme de magnésium (parce qu'elles étaient généralement prises de nuit), ces photographies jouent aussi un rôle dans la représentation collective d'une communauté particulière. C'est l'aspect *autoreprésentatif* de ces images, tout autant que leur mode de diffusion, qui les rapproche le plus (en une ressemblance structurelle) des archives visuelles d'Abou Ghraib. Il est un fait que ces communautés (celles de chrétiens blancs assistant à un lynchage ou celles de jeunes réservistes dans une prison militaire perdue), soudées par la torture et la mise à mort de leurs victimes, nous apprennent des choses effrayantes sur le visage de Janus de l'identification collective. Quoi qu'il en soit, les photographies d'Abou Ghraib nous touchent pourtant d'une manière très différente de ces abominables photographies de lynchage. Elles ont une façon nouvelle et perturbante, inédite, de nous affecter. Il y a tout d'abord les diverses manières dont ces photographies, indépendamment de la condition critique dans laquelle se trouvent les victimes, paraissent proclamer que le travail de nuit à Abou Ghraib était aussi un moment de divertissement. En second lieu, dans la mesure où un si grand nombre d'images représente des actes à caractère ouvertement sexuel et des corps masculins dénudés omniprésents, les photographies font mécaniquement et invariablement du spectateur un voyeur — elles sont particulièrement chargées à cet égard. Parce qu'elles provoquent de manière tellement insistante la fixité du regard « pornographique » (nudité, actes sexuels, pénétration des corps, etc.), le regard du spectateur, quels que puissent être sa position, ses valeurs ou ses principes, n'échappe pas à une forme de complicité. Le spectateur se trouve, structurellement, dans la position de récepteur des plaisirs des tortionnaires, autant que de l'abjection et de la souffrance des détenus. Le « point de vue », dans ce cas précis, mais c'est une caractéristique de l'image photographique en général, est prédéterminé par le photographe ; le spectateur *en tant que* spectateur prend la place du photographe et il regarde à travers ses yeux.

Comme l'a observé, parmi d'autres, Susan Sontag, ces images renvoient au shoot de l'imaginaire pornographique, aussi bien qu'à la révélation de la dynamique sexuelle à l'œuvre dans les relations de domination et de soumission, qu'elles apparaissent dans les prisons, les associations étudiantes ou les guerres. Cela ne veut pas dire que les formes de sévices sexuels ici dévoilées ne relèvent pas du continuum de la torture lui-même [14]. Mais l'accent sur la dimension sexuelle est tellement évident, dans le traitement des prisonniers d'Abou Ghraib, qu'il semble bien avoir été à la fois programmé et improvisé. Autrement dit, alors que nous avons appris depuis que l'imposition de la cagoule, l'asphyxie par eau, la privation de vêtements et de sommeil et le « jeu sur les phobies » figuraient tous au nombre des pratiques approuvées au plus haut niveau du gouvernement, rien ne prouve que ceux qui ont mis au point ces techniques aient inclus, ou visé, des activités telles que l'imposition de masturbations, fellations, ou aucun des actes à caractère manifestement sexuel qu'ont eu à subir les prisonniers.

Les concepteurs des procédures d'interrogatoire employées à Abou Ghraib avaient bien conscience en tout cas de la pudeur recommandée par les préceptes de l'islam, et ils avaient certainement conscience des injonctions religieuses relatives à la souillure. La souillure n'est pas tant une violence infligée au corps qu'une violence infligée à l'identité, à l'estime de soi et à la personne, et en particulier dans les formes qui peuvent être ressenties précisément *en tant que* souillures. Des actes consistant par exemple à enfiler des sous-vêtements féminins sur la tête des prisonniers ; à forcer un détenu à s'insérer une banane dans l'anus ; à couvrir l'un des prisonniers, au moins, de matières fécales ; à verser des sécrétions sur les corps des prisonniers en prétendant qu'il s'agit de sang menstruel, ne s'apparentent pas moins à de la torture que l'asphyxie par eau ou la menace d'une électrocution imminente. Par conséquent, si du désir intervenait bien dans l'acte consistant à déshabiller des prisonniers, parce que cela produisait de la honte chez la victime, cela pouvait constituer un aboutissement logique que de photographier ceux qui étaient de manières si variées livrés à la honte, et cela intensifiait encore leur indignité. Si, d'un côté, ceux qui torturaient les prisonniers à Abou Ghraib faisaient appel à leur imagination, il s'agissait aussi d'actes purement improvisés, reposant sur l'accord tacite selon lequel susciter la honte faisait partie de la procédure d'interrogatoire légitime.

« Abou Ghraib, le film collectif », ou plutôt, peut-être, le « film amateur collectif », révèle ainsi une sorte de scénario d'ensemble, une distribution des rôles, bien qu'il n'y ait pas eu, bien sûr, de narration chronologique. On y trouve trois types de protagonistes : les soldats américains, les membres de la police militaire et les civils masculins ; les femmes soldats, les réservistes et membres de la police militaire féminins ; enfin les détenus irakiens. Dans le cadre que s'est donné le film, les Américains, s'ils n'en sont pas à proprement parler les héros, jouent tout de même le rôle des êtres humains, des individus, des sujets. Les Irakiens apparaissent comme des sous-humains voués à l'abjection, objets de la volonté du maître. Ils ne sont pas simplement désignés comme ennemis, selon le statut officiellement et internationalement reconnu aux prisonniers de guerre, mais comme une forme de vie échappant aux règles formelles de combat, d'interrogatoire et d'incarcération [15]. Définis a priori comme membres d'une collectivité diabolisée (en tant que « terroristes », « rebelles », « combattants illégaux », djihadistes, etc.), en négligeant qui plus est, entre 2002 et 2004, la simple distinction entre criminels, combattants ou civils malchanceux tombés dans les filets d'arrestations de masse, ils sont soustraits à toutes les conventions internationales. La complicité des tortionnaires sert à renforcer l'« homosocialité », elle sert aussi, et dans le même temps, à proclamer l'hétérosexualité présumée des hommes comme des femmes, par contraste avec la « déviance » de leurs prisonniers, alors même que cette « déviance » leur est imposée.

Le film amateur insoutenable tourné à Abou Ghraib est par conséquent un film amateur comme un autre, dans la mesure où il répond à des objectifs d'autoreprésentation, où il resserre les rangs de la famille, des amis ou de la communauté, et où il confère aux acteurs un semblant de prise sur le déroulement de leur vie. En tant que tel, le film Abou Ghraib ne nous dit rien des victimes, qui en sont manifestement le sujet, mais il nous en apprend beaucoup sur les composantes psychosexuelles de la torture, de l'occupation militaire d'un territoire, sur le sadisme qui s'exerce dans un environnement carcéral et, cela va presque sans dire, sur les dessous sordides et vicieux des valeurs américaines que la guerre en Irak est censée réaffirmer et propager.

les archives

Les photographies et vidéos réalisées à Abou Ghraib ont constitué, dès l'instant de leur enregistrement, un répertoire d'images, des archives. *En tant* qu'archives, la représentation collective de la torture à Abou Ghraib acquiert un sens et une portée croissants, à mesure qu'elle circule à travers le monde. Il est intéressant de noter que ces images ont été réalisées avec des appareils numériques et que leur authenticité n'a pourtant jamais été mise en cause. Parce qu'il s'agit d'archives numériques, elles sont désormais disponibles à quiconque a accès à Internet. Ces archives sont par ailleurs en expansion permanente, accrues non seulement par la publication en mars 2006 de centaines d'images et de vidéos censurées au préalable, mais aussi par l'ensemble des appropriations et usages auxquels elles se prêtent tous les jours. Ceux-ci comprennent, sans s'y limiter : l'utilisation des photographies dans les médias internationaux, la reprise des images en affiches politiques, œuvres d'art, théâtre de rue, caricatures politiques, manifestations et autres usages conflictuels.

Une utilisation des archives a suscité en particulier une controverse aux États-Unis : l'exposition d'un certain nombre de ces images dans des centres d'art, téléchargées depuis différents sites web [16]. La présentation de photographies manifestement non artistiques, dont la portée réside exclusivement dans ce qu'elles représentent (autant que la forme du médium numérique lui-même et ses modes de dissémination), a pu faire craindre un danger d'« esthétisation » des images, comme elle a pu susciter des réactions inverses, qui soulignaient que ces images n'avaient rien à faire dans l'espace du musée (*a priori* esthétique, par définition). Les mêmes arguments avaient été avancés autour de l'expositions des archives de photographies de lynchage du collectionneur James Allen, mais il s'agissait alors de la Société historique de New York, et non d'un musée consacré à l'art. Quels que soient les mérites de l'un et l'autre argument, l'élément important est ici de voir comment les archives se prêtent à des traitements multiples, visant des publics différents. Les archives acquièrent une signification différente au cas par cas, et donnent naissance à de nouveaux discours.

Le phénomène de l'« iconisation » est un autre élément qui tient à la capacité des archives à engendrer des discours. J'entends par là le processus au cours duquel certaines images acquièrent, pour tout un ensemble de raisons, une portée symbolique générale qui va au-delà de l'événement particulier qu'elles représentent. Autrement dit, l'image « iconique », comme celle du détenu la tête encagoulée, maintenu en équilibre instable sur une caisse, relié par les membres à des fils électriques, devient le symbole de tous les maux de la guerre. À cet égard, dès l'instant, ou presque, où les photographies d'Abou Ghraib ont commencé à circuler dans les médias américains, cette photographie consternante est devenue une icône de ce type. On l'a reproduite comme affiche politique à Bagdad et Téhéran quelques jours après sa diffusion, et elle est devenue omniprésente dans la condamnation de la guerre et des politiques qui l'accompagnent.

Dans ses appropriations diverses, le sens originel du détenu encagoulé a été redéfini, transformé en signe de défiance, un appel à la vengeance, un point de ralliement pour l'opposition. Et parce que les images, même si elles sont abstraites, proviennent des archives photographiques, l'homme encagoulé de l'affiche mentionnée plus haut conserve l'impact de sa présence réelle ; un corps vivant, terrorisé, chancelant à jamais sur sa caisse. L'une des raisons de l'impact des silhouettes spectrales sur l'affiche iPod est le choc qui naît du discernement, dans l'acte routinier de la consommation d'images de publicité, de la réalité macabre qui perce sous la fantasmagorie de la marchandise.

L'histoire de la couverture médiatique de ces archives, parce qu'il s'agit bel et bien d'une histoire, commence lorsqu'un soldat décide, de sa propre initiative, de faire suivre quelques photographies à ses supérieurs. De ces archives, une sélection de photographies transpire dans les mois qui suivent. Elles se retrouvent entre les mains de Seymour Hirsch, rédacteur au *New Yorker*, et de la rédaction de CNN en 2004. Suite à la tentative de la Maison Blanche et de l'armée d'empêcher la diffusion des images, l'American Civil Liberties Union et le Center for Constitutional Rights intentent en 2003 une série de procès, qui aboutissent [17]. Au mois de mars de cette même année, 700 images et vidéos, qui avaient été censurées, fuient à leur tour en direction de l'émission de télévision australienne Dateline, et Salon.com les acquiert et les reproduit presque immédiatement. Ces images n'ont pas déclenché de scandale ou d'émoi un tant soit peu comparable à la publication de la première série. Il y a eu pourtant davantage d'images publiées en 2006, et certaines surpassaient encore dans l'horreur celles qui avaient été montrées au préalable. Mais il faut croire qu'en 2006 les Américains avaient accepté, d'une manière ou d'une autre, que les pratiques qu'ils avaient pu constater à Abou Ghraib relevaient d'une sorte de *fait accompli*, ou qu'ils avaient simplement préféré ne pas trop y penser, alors même que George Bush s'était efforcé entre-temps de transformer l'autorisation qu'il avait accordée dans un premier temps en une légalisation de la torture en bonne et due forme. La faiblesse de l'indignation laisse à penser, comme le soupçonnait Susan Sontag, que l'exposition répétée à des images traumatiques tend à amoindrir les capacités à formuler une réaction éthique, et tout particulièrement lorsqu'on pressent que l'opposition n'aura pas d'effets.

Les photographies d'Abou Ghraib ne s'effaceront pas comme ça, une fois la guerre terminée. On peut détruire les tirages « originaux » des photographies, le médium électronique est éternel. À la suite d'autres témoignages visuels des atrocités commises par les Américains, les éléments qu'elles fournissent quant à la nature véritable de cette guerre commencent à produire leurs effets : elles forment des métastases à l'échelle du monde, elles permettent à un mouvement d'opposition de se cristalliser, elles alimentent la haine à l'égard des États-Unis et de leur politique extérieure et elles trahissent enfin les histoires que les Américains aiment à se raconter à propos de leur « exceptionnalisme » (éthique).

Les archives d'Abou Ghraib touchent, fondamentalement, à quelque chose d'indicible, mais elles suffisent à révéler ce qui, sans elles, aurait bien pu être nié. C'est particulièrement évident si l'on pense à des guerres récentes dont les images ont été censurées ou qui ont fait l'objet d'une manipulation gouvernementale sans précédent. De fait, même si les sombres perspectives de Susan Sontag à propos des photographies de souffrance venaient à se vérifier, ces archives vaudraient toujours mieux que rien. Dans une même logique, on peut contester les proclamations du gouvernement américain quant à la vertu, aux valeurs morales et à l'attachement à la famille des citoyens les plus patriotes mais l'auto-représentation élaborée si complaisamment à Abou Ghraib lui apporte en images son propre démenti.

Cet article a été achevé début juin 2006. Hier, jeudi 18 octobre 2006, le Président George Bush a signé la loi qui autorise à poursuivre et interroger les personnes suspectées de terrorisme (autrement dit les rebelles, terroristes et combattants illégaux). Le projet de loi, soutenu par les deux partis, interdit à ces personnes le recours en *habeas corpus* et confie leur jugement à des tribunaux militaires. Les cours fédérales ne sont plus habilitées à recevoir les requêtes en *habeas corpus* pour les ressortissants étrangers. Sous la juridiction de ces tribunaux, enfin, les témoignages relatifs à leurs audiences pourraient être reportées pour des raisons de « sécurité ». Selon le *New York Times*, « plus de 500 procès sous le régime de l'*habeas corpus* se déroulent actuellement dans les cours fédérales, et des responsables du département de la Justice disaient ce mardi qu'ils agiraient au plus vite pour les renvoyer sous la nouvelle loi » [18]. Tout reste incertain en ce qui concerne l'application aux prisons en Irak, en Afghanistan, ou à Guantanamo, du statut de la convention de Genève et des autres traités et accords, à l'heure où l'administration prépare un projet de loi « clarifiant les règles » d'interrogatoire des suspects. Étant donné que des formes plus « conventionnelles » de torture ont été autorisées par le passé au plus haut niveau du gouvernement, il est difficile d'imaginer que la prochaine législation applique à la lettre les traités internationaux relatifs au traitement des prisonniers. Il n'est pas excessif de dire que le gouvernement des États-Unis a donné une tournure légale à l'abrogation des droits de l'homme et des droits des prisonniers, qui plus est avec l'assentiment et la coopération des deux principaux partis politiques.

Traduit de l'anglais par Christophe Degoutin.

___

(1) J'emploie dans cet article le terme « torture » pour caractériser la plupart de la violence — physique et psychologique — exercée envers les prisonniers d'Abou Ghraib. Pourtant, le terme employé dans la langue officielle du gouvernement, depuis la Maison blanche jusqu'à l'armée, ainsi que dans la presse américaine (*New York Times, Washington Post*, etc.) est celui de « maltraitance ». Cela obéit de toute évidence à des motifs politiques, et non éthiques. La politique du langage n'apparaît nulle part aussi clairement que dans les discussions relatives à la pertinence du mot « torture » pour décrire ce qui s'est produit à Abou Ghraib, Bagram et Guantanamo (la « torture » serait une violation des accords relatifs aux droits de l'homme signés par les États-Unis). Voir à ce propos Giles Hewitt, « Treading a Torturous Path around the "T" Word », Agence France Presse, 30 mai 2004. Le gouvernement et l'armée américains ont pris soin, cependant, depuis 2001, de redéfinir ce qu'ils entendaient par le terme « torture ». Voir les annexes « Torture and Truth in Words and Pictures », in Mark Danner, « Torture and Truth : America, Abu Ghraib and the Word of Terror », *New York Review of Books*, 10 juin 2004.

(2) Les aspects pornographiques de la torture ont été largement commentés, la gauche et la droite offrant (comme on pouvait s'y attendre) des conclusions très différentes. Frank Rich rapporte que Charles Colson, impliqué dans le Watergate, prêcheur chrétien *born again*, attribue la torture à un « régime sévère d'MTV et de pornographie ». Voir Frank Rich, « It Was the Porn that Made Them Do It », *New York Times*, 30 mai 2004.

(3) Il existe sur la psychologie et la sociologie de la torture une bibliographie substantielle, mais en ce qui concerne le caractère « ordinaire » de ceux qui ont maltraité et torturé les détenus dans la prison d'Abou Ghraib, voir en particulier John Conroy, *Unspeakable Acts,*

Ordinary People : The Dynamics of Torture, Knopf, 2000.

(4) Voir les rapports annuels de Human Rights Watch, *www.hrw.org*. Le 2 décembre 2002, le secrétaire de la Défense, Donald Rumsfeld, a approuvé l'utilisation de la cagoule, l'« exploitation des phobies », les « stress positions », l'isolation sensorielle et autres techniques de contrainte habituellement interdites par l'Army Field Manual. Voir à ce propos, pour d'autres aspects des raisonnements juridiques de la Maison blanche et du département de la Défense, Jane Mayer, « Annals of the Pentagon : the Memo », *The New Yorker*, 27 février 2006.

(5) Voir par exemple « Memorandum for Alberto Gonzales », 1er août 2002 : « Pour relever de la torture la douleur physique doit être d'une intensité équivalente à la douleur qui accompagne une blessure physique importante, telle que la blessure d'un organe, l'altération d'une fonction corporelle, voire la mort. », Danner, *op. cit.*, p. 115.

(6) Rush Limbaugh comparait, par exemple, la torture à Abou Ghraib à une tranche de rigolade entre étudiants. Dans son émission de radio du 4 mai 2004, il ajoutait : « Je ne vois pas la différence avec une initiation chez les Skull and Bones... Ils prennent leur pied. Ils... — se détendre un bon coup, vous avez entendu parler ? Évacuer la pression, ça vous dit quelque chose ? » Maureen Dowd, « Shocking and Awful », *The New York Times*, 6 mai 2004, p. A35.

(7) Les sources primaires qui m'ont servi pour cet article en ce qui concerne les faits, les enquêtes, etc. : Danner, *op. cit.* ; Steven Strasser (dir.), *The Abu Ghraib Investigations : The Official Reports of the Independent Panel and the Pentagon on the Shocking Prisoner Abuse in Iraq*, Public Affairs, 2004.

(8) Tom Wright, « U.S. Defends Itself on Inmate Abuse », *The New York Times*, 9 mai 2006.

(9) Les photographies exposées à la New York Historical Society provenaient de la collection de James Allen. Elles furent publiées par la suite in James Allen, *Without Sanctuary : Lynching Photography on America*, Santa Fe, New Mexico, Twin Palms, 2000. Voir par exemple Dora Appel, « Torture Culture — Lynching Photographs and the Images of Abu Ghraib », *Art Journal*, n°54, 2005.

(10) Stephen F. Eisenman, « Parapraxis on Olympios : Abu Ghraib in the History of Art », manuscrit inédit.

(11) Voir à cet égard Eve Kosofsky Sedgwick, *Between Men : English Literature and Male Homosocial Desire*, Columbia University Press, coll. Gender and Culture, 1985.

(12) L'idée que le viol est un acte de pouvoir, qu'il n'est pas sexuel en tant que tel, constituait le cœur du livre révolutionnaire de Susan Brownmiller, *Against Our Will : Men, Women, and Rape*, New York, Simon and Schuster, 1975. L'un des aspects les plus choquants des archives visuelles d'Abou Ghraib paraît avoir été le rôle qu'y ont tenu les femmes. Le rôle des femmes en tant que tortionnaires a été exploré par les plus grands auteurs « pornographiques », sans doute pour sa charge subversive à l'égard des mythes traditionnels de la féminité. Voir à ce propos Kathryn Norberg, « The Libertine Whore : Prostitution in French Pornography from Margot to Juliette », in Lynn Hunt (dir.), *The Invention of Pornography : Obscenity and the Origins of Modernity, 1500-1800*, Zone Books, 1993. De la même manière, le remaniement de l'érotique de Georges Bataille et Angela Carter passent par des approches « dé-sublimatoires » de la représentation tant de la sexualité que de la sensibilité féminines.

(13) Voir à cet égard Appel, *op. cit.* ; Hazel Carby, *A Strange and Bitter Crop : The Spectacle of Torture*, 2004, source électronique, 11 octobre 2004 ; Susan Sontag, « Regarding the Torture of Others », *The New York Times Magazine*, 23 mai 2004.

(14) Mark Denner a étudié les stratégies de défense des soldats d'Abou Ghraib ; Danner, *op. cit.*, p.40.

(15) Un(e) prisonnier(ère) de guerre n'est tenu(e) de décliner que son nom, son rang et son matricule. Il va sans dire que c'est un élément essentiel de la « guerre contre le terrorisme » de l'administration Bush que de refuser aux rebelles afghans et irakiens le statut de prisonniers de guerre. Ils devaient bien entendu relever de la convention de Genève. D'où la catégorie de « combattant illégal », Cf. Danner, *op. cit.*

(16) Une sélection des photographies d'Abou Ghraib a été montrée au Centre international de la photographic de New York, 17 septembre — 28 novembre 2004. Cf. la critique avisée d'Eleanor Heartney, « A War and Its Images », *Art in America*, n°14, 2004.

(17) Ces actions en justice au nom du Freedom on Information Act ont commencé en octobre 2003, soit sept mois avant la publication des premières images de la prison, dans le but de documenter les maltraitances infligées aux détenus aux mains des Américains à l'étranger. Les procès ont abouti à la publication de plus de 90 000 pages portant sur le traitement des détenus en Irak, en Afghanistan, et dans la prison militaire américaine de la baie de Guantanamo, à Cuba.

(18) Sheryl Gay Stoilberg, « President Signs New Rules to Prosecute Terror Suspects », *The New York Times*, mercredi 18 octobre 2006, p. A14.

biolines

Éric Alliez. Philosophe. Senior Research Fellow à l'université de Middlesex (Londres). A notamment publié : *Les Temps capitaux* (préface de G. Deleuze), *T.I* et *II*, Cerf, 1991 / 1999 ; *La Signature du monde, ou Qu'est-ce que la philosophie de Deleuze et Guattari ?*, Cerf, 1993 ; *De l'impossibilité de la phénoménologie. Sur la philosophie française contemporaine*, Vrin, 1995 ; (dir.) *Gilles Deleuze. Une vie philosophique*, Synthélabo, 1998 ; (dir., en collaboration avec E. Samsonow) *Chroma Drama et Biografie der Organlosen Körpers*, Vienne, Turia + Kant, 2002 / 2003 et (avec J.C. Bonne) *La Pensée-Matisse*, Le Passage, 2005. Co-auteur (avec J.C. Martin) de *L'Œil-Cerveau. Nouvelles Histoires de la peinture*, Vrin, 2007. Membre du comité de rédaction de *Multitudes*.

———

Ursula Biemann. Artiste, théoricienne, commissaire d'exposition, auteure d'un corpus important sur la migration, la mobilité, la technologie et le genre. Professeure à l'ESBA, Genève. Elle a publié : *Been There and Back to Nowhere* (2000), *Geography and the Politics of Mobility* (2003), *Stuff It — The Video Essay in the Digital Age* (2003), *The Maghreb Connection* (2006). Vidéos récentes : *The Agadez Chronicles* (2006), *Contained Mobility* (2004), *World Sex Work Archive* (2003). *www.geobodies.org*

———

Jean-Claude Bonne. Directeur d'études à l'Ehess (Paris) où il a enseigné l'histoire et la théorie de l'art médiéval en privilégiant la question de l'ornementalité et de la décorativité. C'est cet engagement décoratif de l'art dans un lieu et un milieu qui l'a conduit à s'intéresser à la décorativité hautement revendiquée par Matisse et à s'associer avec Éric Alliez pour écrire *La Pensée-Matisse* (Le Passage, 2005). A notamment publié *L'Art roman de face et de profil. Le tympan de Conques* (Le Sycomore, 1984) et, en collaboration avec Jacques Le Goff, Éric Palazzo, Marie-Noël Collette, *Le Sacre royal à l'époque de saint Louis* (Gallimard, 2001).

———

Ray Brassier. Travaille au Centre de recherche sur la philosophie européenne moderne à l'université de Middlesex, Londres. Ses recherches actuelles appliquent la démarche non philosophique de François Laruelle à la thématique philosophique du nihilisme. Il prépare un livre dont le titre provisoire est *Nihil Unbound. Philosophy in the Light of Extinction*.

———

Yves Citton. Professeur de littérature française du XVIIIᵉ siècle à l'université de Grenoble 3, membre de l'umr LIRE. Il est l'auteur de *Impuissances* (Aubier, 1994), *Portrait de l'économiste en physiocrate* (L'Harmattan, 2001), *L'Envers de la liberté. L'invention d'un imaginaire spinoziste dans la France des Lumières* (éd. Amsterdam, 2006), et de nombreux articles sur Rousseau, Diderot, Potocki et Tiphaigne de la Roche. Anime l'émission *Zazirocratie* sur Radio Campus Grenoble 90.8. Membre du comité de rédaction de *Multitudes*.

———

Brian Holmes. Essayiste, auteur d'articles sur l'art, les mouvements sociaux et la critique de la culture. Travaille actuellement sur le projet Dérive continentale. Tous ses textes sont disponible à l'adresse : *www.u-tangente.org.* Membre du comité de rédaction de *Multitudes.*

Yoshihiko Ichida. Philosophe, professeur à l'Université de Kobé, a publié notamment *Penser la lutte* (en japonais *Heibon-sha*, 1992) et traduit *Louis Althusser, Écrits philosophiques et politiques*, 2 tomes (Stock / Imec, 1994-1995). Il est membre du comité de rédaction de *Multitudes.*

Boyan Manchev. Philosophe, directeur du programme « Métamorphoses de la communauté. Vers une ontologie modale » au Collège international de philosophie et maître de conférences à l'Université Nouvelle de Bulgarie à Sofia. Il travaille sur les notions de désorganisation de la vie, de la métamorphose comme concept ontologique et de la crise du politique. Il est l'auteur de *L'Inimaginable : essais en philosophie de l'image* (2003, en bulgare), *Le Corps-métamorphose* (2007, à paraître en bulgare), ainsi que de nombreux chapitres et articles en bulgare, allemand, français, anglais, italien et russe.

Angela Melitopoulos. Artiste travaillant avec les médias du temps (bandes vidéo expérimentales, installations et essais vidéo, documentaires, pièces sonores). A étudié avec Nam June Paik, collabore avec des réseaux politiques en Europe et en Turquie, enseigne au Département des médias européens à Potsdam. Auteure d'articles théoriques, notamment avec Maurizio Lazzarato, elle a exposé dans de nombreux musées depuis 1985 et co-fondé, à Cologne, le label APRIL. *www.videophilosophy.de*

Frédéric Neyrat. Docteur en philosophie, directeur de programme au Collège international de philosophie, dirige un séminaire intitulé « L'Image du capital ». Publications : *Fantasme de la communauté*

absolue (L'Harmattan, 2002) ; *L'Image hors-l'image* (Léo Scheer, 2003) ; *Surexposés* (Lignes / Manifeste, 2005) ; en collaboration avec J. Maucourant, « Dernières nouvelles du capital », in *Rue Descartes* n° 49 (PUF, 2005). Membre du comité de rédaction de *Multitudes.*

Stefan Nowotny. Philosophe, membre du comité de l'eipcp (institut européen pour des politiques culturelles en devenir). Travaille actuellement sur les projets de recherche transnationaux *transform* (*http://transform.eipcp.net*) et *translate* (*http://translate.eipcp.net*) ; membre du comité éditorial la revue en ligne *transversal* (*http://transversal.eipcp.net*). Auteur de nombreux articles sur des thèmes philosophiques et politiques. Codirecteur de plusieurs ouvrages collectifs, dont, en collaboration avec M. Staudigl, *Grenzen des Kulturkonzepts. Meta-Genealogien* (Turia + Kant, 2003).

Alice Pechriggl. Philosophe et chercheuse en sciences sociales, elle a co-fondé le Centre d'études avancées sur le genre à l'Université de Vienne. Elle est, depuis 2003, professeure au département de philosophie à l'Université de Klagenfurt. Depuis les années 1980, elle s'est engagée dans le mouvement féministe autonome (Autonome Frauenbewegung), puis gay et lesbien.

Claire Pentecost. Artiste et écrivain, utilise divers supports pour interroger les structures imaginaires et institutionnelles qui divisent et organisent le savoir. Une réflexion au long cours sur les distinctions conceptuelles entre l'artifice et la nature a donné lieu récemment à plusieurs projets consacrés à l'agriculture industrielle ou transgénique, ainsi qu'à ses alternatives. Elle est professeure associée au département de photographie, School of the Art Institute of Chicago. *www.clairepentecost.org*

Alexandre Pierrepont. Ethnologue enseignant à Paris-VII et à Sciences Po Paris, travaille sur les altérités internes et contradictoires aux sociétés occidentales, participe à de nombreuses revues et manifestations consacrées au jazz et aux musiques improvisées. Auteur de *Le Champ jazzistique*, Parenthèses, 2002. Traducteur de William Parker, *Sound Journal*, Jalan / Sons d'hiver, 2004.

———

Jacques Rancière. Professeur émérite au département de philosophie de l'Université de Paris-VIII. Il a animé la revue *Les Révoltes logiques* de 1975 à 1985. Il a publié notamment *La Nuit des prolétaires* (Fayard, 1981) ; *Le Philosophe et ses pauvres* (Fayard, 1983) ; *La Mésentente. Politique et philosophie* (Galilée, 1995) ; *Aux bords du politique* (La Fabrique, 1998) ; *Le Partage du sensible. Esthétique et politique* (La Fabrique, 2000) ; *La Fable cinématographique* (Seuil, 2001) ; *Malaise dans l'esthétique* (Galilée, 2004) ; *La Haine de la démocratie* (La Fabrique, 2005).

———

Gerald Raunig. Philosophe, travaille à l'eipcp (institut européen pour des politiques culturelles en devenir), Vienne ; coordonnateur des projets de recherche transnationaux *republicart* (*http://republicart.net*, 2002-2005) et *transform* (*http://transform.eipcp.net*, 2005-2008) ; membre du comité éditorial de la revue en ligne *transversal* (*http://transversal.eipcp.net* ; auteur de nombreuses publications dans les domaines de la philosophie, de la théorie de l'art, de l'esthétique politique et de la politique culturelle. Il a publié récemment *Kunst und Revolution. Künstlerischer Aktivismus im langen 20. Jahrhundert* (Turia+Kant 2005), *Art and Revolution. Transversal Activism, Monsters, and Machines* (Semiotext(e) / MIT Press, à paraître en 2007).

———

Suely Rolnik. Critique de la culture, psychanalyste et professeure à Universidade Católica de Sao Paulo. Coauteure avec Félix Guattari de *Micropolítica : Cartografias do desejo* (1986 ; à paraître en français).

Auteur d'un projet de recherche sur Lygia Clark, pour lequel elle a filmé 66 entretiens qui ont font l'objet de l'exposition qu'elle a organisée au Musée des Beaux-Arts de Nantes (2005) et à la Pinacoteca do Estado de Sao Paulo (2006). Parmi ses traductions en portugais : *Mille Plateaux* de Deleuze et Guattari (vol. III / IV). Auteure de nombreux articles dans des livres, revues et catalogues d'art.

———

Abigail Solomon-Godeau. Professeure d'histoire de l'art à University of California, Santa Barbara. Elle travaille sur la théorie et la critique féministe, la photographie et la culture visuelle en France au XIXe siècle. Elle a publié : *Photography at the Dock : Essays on Photographic History, Institutions, and Practices* (University of Minnesota Press, 1991) ; *Male Trouble. A Crisis in Representation* (Thames & Hudson, 1997) ; *The Face of Difference. Gender, Race and the Politics of Self-Representation* (à paraître chez Duke University Press). Elle travaille actuellement à un nouveau livre intitulé *Genre, Gender and the Nude in French Art*. Elle a publié des articles dans *Art in America, Artforum, Afterimage, The Art Journal, Camera Obscura, October, Screen*.

———

Eyal Weizman. Architecte, a fait ses études à l'Architectural Association à Londres et son doctorat au London Consortium, Birkbeck College. Il dirige le Centre for Research Architecture à Goldsmiths College, Université de Londres. Co-commissaire de l'exposition « Une occupation civile. La politique de l'architecture israélienne » et codirecteur du livre du même nom (disponible en français). Ces différents projets émergent de ses recherches dans le domaine des droits de l'homme. Rejetés par l'Association des architectes israéliens, ils ont été montrés dans le cadre de l'exposition « Territories » à New York, Berlin, Rotterdam, San Francisco, Malmö, Tel-Aviv et Ramallah.

ANGELA MELITOPOULOS, **CORRIDOR X**, VIDÉO SUR 2 ÉCRANS, 2005.
DEUXIÈME DE COUVERTURE : "CARTE DU MONDE" DESSINÉE PAR "LE COLONEL",
UN HOMME REVÊTU DE L'UNIFORME TURC QUI VIT DANS LES RUES
D'ANKARA. **TROISIÈME ET QUATRIÈME DE COUVERTURE :** FILM SUPER-8,
ROUTE DES VACANCES VERS LA GRÈCE. **PAGE 116 :** CARTE DU CHEMIN DE FER
RELIANT BERLIN À BAGDAD. **PAGE 119 :** FILM SUPER-8, ROUTE DES VACANCES VERS
LA GRÈCE. **PAGE 120 :** TÉLÉSIÈGES DANS LES ALPES BAVAROISES.
PAGE 121 : VILLAGE KURDE ÉVACUÉ À HAKKARI, TURQUIE (COLLECTIF VIDEA).
PAGE 122 : MUR ANTI-SON LE LONG DE L'AUTOBAHN, PRÈS DE LA FRONTIÈRE
ALLEMAGNE / AUTRICHE. **PAGE 123 :** INGÉNIEURS ALLEMANDS, DOCUMENTAIRE SUR
LE CHEMIN DE FER BERLIN-BAGDAD (KOMPLETT-VIDEO-VERLAG).
PAGE 124 : VOITURE AUX ENVIRONS DE LA FRONTIÈRE CROATIE / SERBIE.
PAGE 125 : AUTOROUTE DE LA FRATERNITÉ ET DE L'UNITÉ (RADIO-TÉLÉVISION SERBE).
PAGE 126 : CENTRE DES MÉDIAS LORS DU SOMMET EUROPÉEN DE
THESSALONIQUE, JUIN 2003. **PAGE 127 :** MANIFESTATION LORS DU SOMMET
EUROPÉEN DE THESSALONIQUE (HITO STEYERL). **PAGE 128 :** POSTE FRONTALIER
SLOVÈNE VERS LA CROATIE. **PAGE 129 :** MONUMENT AUX PRISONNIERS DU
CAMP DE MAUTHAUSEN, CONDAMNÉS À CREUSER LE TUNNEL DE LOIBL
PENDANT LA SECONDE GUERRE MONDIALE. **PAGE 130 :** DRAGANA ZAREVAC DEVANT
L'ANCIEN BÂTIMENT DU PARTI COMMUNISTE À BELGRADE, DEVENU LE SIÈGE DE LA
CHAÎNE DE TÉLÉVISION DE LA FEMME DE MILOSEVIC ET BOMBARDÉ PAR L'OTAN.
PAGE 131 : MAISON SERBE ÉVACUÉE À OKUCANI, CROATIE. **PAGE 132 :** RÉFUGIÉS
IRAKIENS SUR LA PLACE MONASTIRAKI, ATHÈNES (FREDDY VIANELLIS).
PAGE 133 : KURDES DÉLOGÉS PAR LA MUNICIPALITÉ DU TERRAIN VAGUE
OÙ ILS RECYCLENT DES DÉCHETS ANKARA (COLLECTIF VIDEA / URSULA BIEMANN).
PAGE 134 : « LA PATRIE NE SERA PAS SÉPARÉE. GENDARME » (COLLECTIF
VIDEA). **PAGE 135 :** SANS-LOGIS À SREMSKA MITROVICA, SERBIE.
PAGE 136 : « AUTOPORTRAIT » DESSINÉ PAR « LE COLONEL », UN HOMME
REVÊTU DE L'UNIFORME TURC QUI VIT DANS LES RUES D'ANKARA.

———————

URSULA BIEMANN, **BLACK SEA FILES**, VIDÉO SUR 2 ÉCRANS, 2005.
PAGE 1 : FLAMME DE CHEMINÉE DANS UNE RAFFINERIE DE PÉTROLE, IMAGE TÉLÉVISÉE.
PAGE 4 : BÂTIMENT OFFICIEL, BAKOU AZERBAÏDJAN. **PAGE 10 :** CHANTIER DU
PIPELINE BTC, SUD-EST DE LA TURQUIE. **PAGE 18 :** ADOLESCENT À BIBI-HEIBAT, DANS
LA RÉGION DE BAKOU, AZERBAÏDJAN. **PAGE 56 :** TRAIN AVEC CITERNES DE PÉTROLE,
AZERBAÏDJAN. **PAGE 82 :** KAZAKH MUSULMAN RÉFUGIÉ EN TURQUIE, MUNI DU
TITRE DE PROPRIÉTÉ DES TERRES DONT IL VIENT D'ÊTRE CHASSÉ, DANS LE TURKESTAN
ORIENTAL (ACTUELLE PROVINCE CHINOISE DU XINJIANG). **PAGE 94 :** RÉFUGIÉ KURDE
À ANKARA, AU MOMENT OÙ SA COMMUNAUTÉ EST DÉLOGÉE DU TERRAIN VAGUE OÙ ELLE
RECYCLE DES DÉCHETS. **PAGE 106 :** BOMBES LACRYMOGÈNES SUR LE TERRAIN
VAGUE DES RÉFUGIÉS KURDES À ANKARA. **PAGE 166 :** FAMILLE DE PAYSANS DONT LA
TERRE EST TRAVERSÉE PAR LE PIPELINE BTC, AZERBAÏDJAN. **PAGE 174 :** JULA
ET NARA, PROSTITUÉES. TRABZON, EN TURQUIE, SUR LA CÔTE DE LA MER NOIRE.
PAGE 224 : RÉFUGIÉS AU CAMPEMENT KURDE DE DEMIRTAS, PRÈS DU
CAMPEMENT DE TRAVAIL POUR L'ACHEMINEMENT DU PIPELINE BTC À CEYHAN, TURQUIE.
PAGE 238 : PÉTROLIER DANS LE BOSPHORE, AVEC DES INFORMATIONS QUI
PROVIENNENT DU SYSTÈME INFORMATISÉ DE SURVEILLANCE DU TRAFIC MARITIME.

résumés

CLAIRE PENTECOST. **QUAND L'ART C'EST LA VIE. ARTISTES-CHERCHEURS ET BIOTECH.**
— En 2000, Eduardo Kac déclare à la télévision qu'il a commandité la « création » d'un lapin transgénique. En 2004, l'artiste Steve Kurtz est détenu par le FBI, soupçonné de « bioterrorisme » en raison du matériel scientifique qu'il utilise dans des installations conçues pour démystifier la biotechnologie. Ce contraste entre un artiste-publicitaire qui travaille à la gloire de la biotech et un artiste-chercheur qui la critique, sert de point de départ à l'examen des fonctions de la science et de l'art dans une société néolibérale. Face au secret commercial, à la privatisation du savoir et au contrôle toujours plus strict des laboratoires, l'artiste-chercheur peut intervenir afin de rendre publics les processus de recherche et les enjeux de la commercialisation des découvertes, au moyen d'installations où le participant manipule directement l'outillage et les concepts scientifiques. Mais, pour ce faire, l'artiste doit également interrompre le fonctionnement normal du monde de l'art néolibéral, où des institutions soutenues par le mécénat privé s'assurent des droits exclusifs sur des produits-fétiches, destinés à alimenter la spéculation financière. L'article se termine sur un aperçu du travail de Brandon Ballangée, artiste et chercheur en écologie.
— *In the year 2000 the artist Eduardo Kac made TV news by declaring he had ordered the « creation » of a genetically modified bunny. In 2004 the artist Steve Kurtz was detained by the FBI on the suspiscion of bioterrorism, because of the laboratory equipment he uses in installations that demistify biotechnology. The contrast between an artist-publicist who lends a showy allure to biotech and an artist-researcher who critiques its effects serves as the departure point for an examination of the functions of science and art in a neoliberal society. Faced with trade secrets, the privatization of knowledge and ever-tightening control of laboratories, the artist-researcher can intervene to make public the research process and the consequences of commercializing a given discovery, particularly by using installations that allow the participant to manipulate both lab equipment and scientific concepts. But to do so, the artist must also interrupt the normal functioning of the neoliberal art world, where institutions supported by private sponsorship retain exclusive rights over fetishized products, destined to feed financial speculation. The article closes with a look at the work of Brandon Ballangée, an artist-researcher working in the field of ecology.*

EYAL WEIZMAN.
PASSER À TRAVERS LES MURS.
— La manœuvre conduite par l'armée israélienne à Naplouse en avril 2002 repose sur l'interprétation de la maison privée comme une voie de passage, elle revient à « passer à travers les murs ». Elle implique une conception de la ville en tant que médium de la guerre : une matière flexible, quasi liquide, constamment contingente. Un vaste champ intellectuel s'est mis en place depuis la fin de la guerre froide afin de repenser les opérations militaires. Les

soldats suivent des cours intensifs pour maîtriser des matières telles que l'infrastructure urbaine ou l'analyse des systèmes complexes, et ils recourent dans ce cadre à une grande variété de théories élaborées dans les sphères universitaires civiles. L'appropriation militaire de ces théories est étudiée ici par le biais d'entretiens avec des officiers, et elle laisse entrevoir que, dans la société intégrée décrite par Marcuse, « la contradiction et la critique » sont susceptibles de devenir des instruments au service du pouvoir hégémonique. La subversion du mur devient la prérogative de l'armée israélienne dans les camps de réfugiés palestiniens.

— *The maneuvre carried out by the Israeli army at Nablus in April of 2002 consisted of interpreting the private house as an open passageway, and « walking through walls. » It involved a conception of the city as not just the site, but as the very medium of warfare — a flexible, almost liquid matter that is forever contingent and in flux. Since the end of the cold war a vast intellectual field has been established in order to rethink military operations on urban terrain. Soldiers take crash courses to master topics such as urban infrastructure or complex system analysis, and appeal as well to a variety of theories developed within contemporary civilian academia. The military appropriation of these theories is studied here by way of interviews with officers, in order to turn our attention to the possibility that, as Herbert Marcuse suggested, with the growing integration between the various aspects of society, « contradiction and criticism » could be equally subsumed and made operative as an instrumental tool by the hegemony of power. The subversion of the wall becomes the prerogative of the Israeli military in the Palestinian refugee camps.*

BRIAN HOLMES. **LA PERFORMANCE SPÉCULATIVE. ART ET ÉCONOMIE FINANCIÈRE. QUEL EST L'IMAGINAIRE DE LA FINANCE?**

— Comment s'est-il autonomisé de la fonctionnalité sociale pour devenir l'institution dominante du capitalisme contemporain ? Cet article examine deux performances. La première est celle de l'artiste australien Michael Goldberg : installé dans une galerie de Sydney pendant trois semaines, il spécule artistiquement sur des produits dérivés de News Corp., l'empire médiatique de Rupert Murdoch. La deuxième est un projet du collectif *ephemera — theory & politics in organization* : après avoir identifié le « pouvoir arbitraire » du capitalisme financier, environ quarante participants tentent de créer collectivement un autre imaginaire, *via* une conférence / événement artistique organisée dans le Transsibérien. L'article emprunte à la sociologie lacanienne de Karin Knorr Cetina pour décrire le « rapport postsocial » des courtiers de bourse aux « objets en cours de déroulement » qui prennent forme sur leurs écrans. Il fait ensuite appel aux *Cartographies schizoanalytiques* de Guattari pour cerner la manière dont les éléments matériels et discursifs d'un imaginaire extériorisé peuvent se recombiner pour créer le miroir déroulant, à multiples facettes, où une subjectivité se réfléchit en mouvement.

— *What is the imaginary of finance ? How did it separate off from any social functionality, to become the dominant institution of contemporary capitalism ? This article examines two performances. The first is by the Australian artist Michael Goldberg : installed for three weeks at a Sydney gallery, he speculated artistically on derivatives of News Corp., the media empire of Richard Murdoch. The second is a project by the* ephemera *collective, who work on « theory & politics in organization ». Having identified the « arbitrary power » of finance capitalism, some forty participants attempted the creation of another imaginary, through a conference and art event on the rails of the trans-Siberian train. The article borrows from the Lacanian sociology of Karin Knorr Cetina to describe the « post-social relation » between traders and the « unfolding objects » that coa-*

lesce into form on their screens. *It then calls upon Guattari's* Schizoanalytic Cartographies *to find out how the material and discursive elements of an externalized imaginary can be recombined to form the multiply facetted unfolding mirror where a subjectivty in movement can be reflected.*

GERALD RAUNIG. LA CRITIQUE INSTITUTIONNELLE, LE POUVOIR CONSTITUANT ET LE LONG SOUFFLE DE LA PRATIQUE INSTITUANTE.

— Le concept de pratique instituante devrait permettre d'explorer de nouvelles voies de la critique institutionnelle. Cette démarche s'appuie d'une part sur le lien qui existe entre les réflexions de Félix Guattari contre la structuralisation et la fermeture de (dans) l'institution, et les thèses de l'anarchiste individualiste Max Stirner, auteur en 1844 de *L'Unique et sa propriété*, que l'on peut considérer comme un concurrent de Marx et un critique de l'institution aussi radical que précoce. D'autre part, nous établissons un rapport entre la généalogie conceptuelle de la pratique instituante et le concept de pouvoir constituant tel que l'a particulièrement bien développé Antonio Negri. La modalité de l'institution, et en particulier la participation au processus institutionnel, détermine la formation du pouvoir constituant. Cette problématique issue de réflexions sur la théorie constitutionnelle s'applique aussi à l'analyse de certaines pratiques artistiques qui ont traité du problème de l'institution : la théorie brechtienne du théâtre didactique, la création des situations dans la pratique de l'Internationale situationniste, et enfin le processus permanent des pratiques instituantes de *Park Fiction*, un projet hambourgeois mêlant l'art et la politique, qui depuis une dizaine d'années n'a cessé de déclencher de nouvelles vagues de production collective de désir.

— *The concept of instituent practice should allow us to explore new pathways for institutional critique. This approach rests in part on the link between Félix Guattari's reflections against structuralization and the closure of (or within) the institution, and the ideas of the anarchist individualist Max Stirner, the author of* The Ego and its Own *(1844), who can be considered both a rival of Marx and a radical and precocious critic of the institution. I additionally establish a relation between the conceptual genealogy of instituent practice and the concept of constituent power, particularly as developed by Antonio Negri. The modality of institution, and in particular, of participation in the institutional process, determines the formation of constituent power. This problematic, issuing from reflections on constitutional theory, is applied to the analysis of certain artistic practices dealing with the problem of the institution: the Brechtian theory of pedagogical theater, the creation of situations in the practice of the Situationist International, and finally, the ongoing process of the instituent practices of Park Fiction in Hamburg, a project mingling art and politics, which for the last ten years has continually unleashed new waves of the collective production of desire.*

SUELY ROLNIK. LA MÉMOIRE DU CORPS CONTAMINE LE MUSÉE.

— L'œuvre de l'artiste brésilienne Lygia Clark occupe une position singulière dans le mouvement de critique institutionnelle qui débute dans les années 1960-70. Le foyer de sa recherche consiste en une mobilisation des deux capacités de perception et de sensation qui nous permettent d'appréhender l'altérité du monde, respectivement comme une carte de formes sur lesquelles nous projetons des représentations ou comme un diagramme de forces qui affectent les sens en leur vibratilité. À partir de 1976, avec la *Structuration du Self*, Lygia a abandonné le champ de l'art et opté pour celui de la clinique. Les formes de critique qu'elle met en œuvre dans la décennie suivante ne rencontreront de résonance que bien des années après sa mort, chez une génération qui s'affirme à partir de la seconde moitié des années 1990. En 2002, Suely Rolnik a décidé de développer un projet de réactivation de mémoire autour de son œuvre. L'idée était d'utiliser des entretiens filmés pour produire un enregistrement vivant des effets du corps constitué par Clark lors de son exil de l'art, dans son environnement culturel et politique au Brésil comme en France. Avec l'exposition, la pulsation de ce corps trouvait une chance de contaminer le musée.

— *The work of the Brazilian artist Lygia Clark occupies a singular position in the movement of institutional critique that began in the 1960s and 70s. The center of her research consists in a mobilization of the two capacities of perception and sensation that alllow us to grasp the otherness of the world, respectively as a map of forms on which we project representations or as a diagram of forces that affect the senses in their capacity for resonance. In 1976, with the* Structuring of the Self, *she abandoned the field of art and opted for therapy. The forms of critique that she brought into play over the following decade only found a resonance among the generation that began to assert itself in the mid-1990s. Noting this resonance, Suely Rolnik decided to develop a project for the reactivation of memory around the work of Lygia Clark. The idea was to use filmed interviews to produce a living recording of the effects of the body constituted by Lygia during her exile from art, in her cultural and political environment in Brazil and in France. With the exhibition, the pulsation of this body had a chance of contaminating the territory of art.*

STEFAN NOWOTNY. **LE DOUBLE SENS DE LA DESTITUTION**
— En partant des textes du Colectivo Situaciones sur les mouvements d'insurrection de décembre 2001 en Argentine, cet article cherche à reposer la question de la critique institutionnelle à partir d'une réflexion sur des pratiques destituantes. Loin de se laisser réduire à la visée d'une réinstitution, c'est-à-dire d'un remplissage des fonctions classiques du pouvoir politique, ces pratiques renvoient plutôt à un « non positif », à l'actualisation auto-transformatrice des potentiels de l'agir social en deçà et au-delà des figures de la représentation institutionnelle. Ainsi, ce qui fait apparition au sein même de la destitution n'est pas un « travail de la négation », mais bien plutôt les contours d'une activité instituante qui engendre de nouvelles formes de coexistence et de coaction, même si cette activité est en partie hantée par la mise en scène des conflits du passé. Pour mieux comprendre cette activité instituante, il convient cependant de considérer un deuxième sens du mot « destitution » : à savoir la désubjectivation en tant que destruction de la faculté de subjectivation, telle que l'a décrite Agamben dans *Ce qui reste d'Auschwitz*. Ce n'est qu'à partir du double sens de la destitution que la coimplication complexe de l'institution et de la destitution peut être mise en lumière — et que le privilège accordé depuis si longtemps à la « constitution », tant au niveau de la théorie des subjectivités qu'à celui de la théorie politique, peut être remis en cause.

— *Beginning from the texts of Colectivo Situaciones on the insurrectional movements of December 2001 in Argentina, this article raises the question of institutional critique on the basis of a reflection on destituent practices. Far from being reducible to the aim of a reinstitution — that is, the aim of accomplishing the classical functions of political power — these practices refer instead to a « positive no », to the self-transforming actualization of the potentials of social action before and beyond the figures of institutional representation. Thus, what appears amidst destitution is not a « labor of negation », but rather the contours of an instituting activity that engenders new forms of coexistence and coaction, even if this activity is partially haunted by the staging of past* conflicts. *To better understand this instituent activity, we must consider a second meaning of the word « destitution », which is desubjectivation as the destruction of the faculty of subjectivation, as Agamben describes it in* Remnants of Auschwitz. *It is only on the basis of the double meaning of destitution that the complex co-involvement of institution and destitution can be brought to light and that the privilege long accorded to « constitution » can be questioned, on the level of the theory of subjecticity as well as that of politics.*

ALICE PECHRIGGL.
DESTITUTION, INSTITUTION, CONSTITUTION... ET LA PUISSANCE (DÉ)FORMATRICE DE L'INVESTISSEMENT AFFECTIF.

— Le texte tente, à partir d'une esquisse de la triade destitution-institution-constitution, de reprendre et de développer certains aspects révélés par les concepts de « pouvoir instituant » (Negri) et d'« imaginaire instituant » (Castoriadis). À partir d'un bref examen de l'apport de ce dernier, cette approche conceptuelle a la tâche d'esquisser, et en partie d'élucider, le rôle des affects effectifs dans leur double rapport au sein du champ politique : une fois dans leur rapport aux représentations et aux désirs (plaisirs, dé / plaisirs), une autre fois dans leur rapports aux sédimentations collectives des affects passés, véritables revenants au sein des processus d'institution, de destitution et de constitution. S'il s'agit d'une approche philosophique réfléchissant sur la et le politique *via* une dimension qui a longtemps été délaissée, l'analyse du rôle du *pathos* et de l'*aisthésis* comme l'un des noyaux des rapports de pouvoir et de domination se fait entre autres à partir d'une perspective de psychanalyse de groupe. L'approche proposée se situe ainsi à cheval entre le registre somatophysique, le registre intrapsychique et le registre interpsychique et politique.
— *After sketching out the triad of destitution — institution — constitution, the text attempts to develop certain aspects revealed by the concepts of « instituent power » (Negri) and of « instituent imagination » (Castoriadis). On the basis of a brief examination of the latter's contribution, this conceptual approach aims to adumbrate and partially elucidate the role of the affects in their double relation within the political field : their relation to representations and desires (pleasures, un / pleasures), and their relations to the collective sedimentations of past affects, veritable ghosts in the processes of institution, destitution and constitution. This is a philosophical text reflecting on politics and the political via a dimension that has long been discounted ; but nonetheless, the analysis of the roles of* pathos *and of* aisthesis *as core elements of the relations of power and domination is carried out from the perspective of group psychoanalysis. The approach proposed here is situated between the somatico-physical, intrapsychic, and interpsychic and political registers.*

BRIAN HOLMES. **GÉOGRAPHIE DIFFÉRENTIELLE.** « B-ZONE : DEVENIR-EUROPE ET AU-DELÀ ».

— *Black Sea Files*, d'Ursula Biemann, et *Corridor X*, d'Angela Melitopoulos, sont des vidéos projetées sur double écran qui explorent la construction d'infrastructures : le pipeline BTC (Bakou-Tbilissi-Ceyhan) et le corridor paneuropéen de transport allant de Salzbourg et Budapest à Sofia et Thessalonique. Chacune se confronte au caractère abstrait des espaces produits par les processus de planification capitaliste contemporains ; mais chacune se détourne dans le même temps vers « une myriade de trajectoires humains qui se déroulent au niveau du sol ». Elles y découvrent la production d'un milieu existentiel vécu et façonné par ses habitants, un espace vital ouvert aux devenirs les plus inattendus, et en même temps intérieurement contradictoire de par sa multiplicité même. C'est ce que Lefebvre appelait « l'espace différentiel ».

Mais entre l'époque de Lefebvre et la nôtre, il y a eu une floraison d'enquêtes féministes et d'historiographies postcoloniales, qui ont prêté une attention particulière aux interactions entre la *positionnalité* des sujets et les *savoirs situés* (y compris les savoirs d'expression). Ces réflexions induisent un nouveau traitement du récit, une démultiplication de sa texture gestuelle et narrative, qui élargit la production de l'espace à travers le montage vidéographique lui-même. La recherche artistique donne forme à une *géographie différentielle*, c'est-à-dire à un mode de connaissance (de reconnaissance, d'auto-connaissance) qui permet aux sujets d'inscrire dans la trame gestuelle du récit leur propre positionnalité, tout en exposant ses déterminations socioéconomiques au flux du temps intersubjectif et à la fluctuation électronique de l'image vidéo.

— Black Sea Files, *by Ursula Biemann, and* Corridor X, *by Angela Melitopoulos, are double-screen video projects which explore the construction of massive infrastructures: the Baku-Tbilisi-Ceyhan oil pipeline and the Paneuropean Transport Corridor running from Salzburg and Budapest to Sofia and Thessalonica. Each of them deals with the abstract character of the spaces produced by contemporary capitalist planning processes; but at the same time, each looks away, to a « myriad of human trajectories on the ground ». There they discover the production of an environment lived and shaped by its inhabitants, a vital space open to the most unexpected becomings, yet one which is internally contradictory because of its very multiplicity. This is what Henri Lefebvre called « differential space ». But between Lefebvre's time and our own there has been a flowering of feminist inquiries and postcolonial historiographies, which lay particular attention on the interactions between positionality and situated knowledge (including expressive knowledge). These reflections lead to a new treatment of documentary, a multiplication of its gestural and narrative texture, enlarging the production of space to videographic montage itself. In this way, artistic research gives rise to a differential geography: a mode of knowledge (both of self-knowledge and recognition) which allows subjects to inscribe their positionality into the narrative of space, exposing sociocultural determinisms to the flux of intersubjective time and to the fluctuation of the video image.*

YVES CITTON. LE PERCEPT NOISE COMME REGISTRE DU SENSIBLE.

— En partant de la convergence graphique entre l'anglais « noise » (bruit) et le français « noise » (querelle), cet article tente d'identifier un percept qui traverse différents genres musicaux (rock, jazz) et de comprendre ce qui a rendu possible de faire du bruit (soit de l'anti-musique) une source de plaisir esthétique propre. Il convoque pour ce faire l'histoire des technologies de la reproduction sonore, avant de proposer une hypothèse philosophique sur le type d'affect, propre à notre période historique, sur lequel s'articule le percept noise : une exploration ontologico-politique du laisser-être.

— *On the basis of the graphic convergence between the English « noise » and the French word « la noise » (quarrel, disturbance), this article attempts to identify a* percept *that would be specific to the transgeneric reality of noise music. In order to understand how noise (i.e., the opposite of « music ») has become a source of aesthetic enjoyment, it revisits the history of recording devices, and proposes a philosophical hypothesis on the type of* affect *that is nurtured and fostered by those who expose themselves to the noise experience: an ontological-political exploration of « letting-be ».*

YOSHIHIKO ICHIDA. LE BLUES, CETTE CHANSON SI BRUYANTE.

— De Captain Beefheart à Stockhausen, en passant par le Velvet Underground et La Monte Young, cet article problématise le continuum noise non seulement comme une réalité transgénérique, mais surtout, de façon plus surprenante, comme l'émanation d'une ritournelle rauque qui puise sa force dans les *work songs* de la communauté noire américaine. Léger décalage dans une progression d'accords, note tenue au-delà de la durée attendue, bégaiements individuants : la noise est à chercher dans les bas-côtés des routes musicales construites par les *bluesmen*.

— *From Captain Beefheart to Stockhausen, through the Velvet Underground and La MonteYoung, this article redefines the « noise continuum » not so much as a transgeneric reality than, more surprisingly, as the emanation of a raucous « ritournelle » anchored in the work songs of the African-American community. Minor shifts in a chord progression, notes held beyond their expected duration, smoking blabbers : the source of noise music is to be located in the gutters of the musical roads built by the bluesmen.*

BOYAN MANCHEV. NOISE : L'ORGANOLOGIE DÉSORGANISÉE.

— Si l'instrument musical relève bien d'une organologie anthropotechnique, la musique noise peut se penser comme une force de désorganisation, ainsi qu'un principe de recyclage et une chirurgie de la chair sonore. Comment penser dans ce cadre la dés-instrumentalisation qui accompagne si souvent le noise (clouage de pianos, cassage de guitares) ? Une analyse de la vidéo de Christian Marclay, *Guitar Drag*, permet d'esquisser quelques pistes de réflexion, qui en arrivent à repérer dans le noise l'art de l'impensé contemporain du politique.

— *If musical instruments belong to the organology of anthropotechnics, noise music can be seen as a disorganizing force, as well as a principle of recycling and as a surgery of the sonic flesh. Why is noise so intimately linked to a gesture dis-instrumentation (mistreating pianos, smashing guitars on stage) ? An analysis of Christian Marclay's video* Guitar Drag *paves the way for a reflection that invites us to consider noise as the place of emergence of what contemporary politics can only leave unthought.*

RAY BRASSIER. LE GENRE EST OBSOLÈTE.

— L'étiquette « noise » désigne moins un no man's land dans le paysage des genres musicaux qu'un lieu d'interférences multiples et multidirectionnelles. Quoique souvent menacées de tomber dans la complaisance facile et le stéréotype, les pratiques relevant du noise conduisent, chez leurs meilleurs adeptes, à une pulvérisation systématique, joyeuse et libératrice des clichés ressassés par les encroûtements génériques. Deux exemples paradigmatiques, To Live and Shave in LA et Runzelstirn & Gurgelstock, permettent d'illustrer ces procédures d'évasion, qui prennent à rebours à la fois les routines transgressives de la *subculture* et les maniérismes guindés de l'académisme conceptuel.

— *« Noise » has become a generic label for anything deemed to subvert established genre. Where noise orthodoxy substantializes its putative negation of genre into an easily digestible sonic stereotype-the hapless but nevertheless entertaining roar of feedback-, two extraordinary bands, To Live and Shave in LA and Runzelstirn & Gurgelstock, forcefully short-circuit incommensurable genres, and manage to engender the noise of generic anomaly. It is the noise that is not « noise », the noise of the sui generis, that actualizes the disorientating potencies long claimed for « noise ».*

ALEXANDRE PIERREPONT. PETIT TRAITÉ DE SAVOIR-BRUIRE.

— On esquisse, à grands traits, quelques tracées conceptuelles transversales dans cette culture de l'altération dont vivent tant de musiques, et que le label « noise » aurait tort de limiter à un genre particulier. On se dissémine bientôt en suivant les traces de quelques découvreurs qui aiment à brouiller les cartes (Marion Brown,

Faust, Charles Gayle, Mark Hollis, My Bloody Valentine, Sonic Youth, X-ecutioners, Otomo Yoshihide).

— *The first half of this article is devoted to sketching a few conceptual paths into the culture of alterations that so many musical genres have practices throughout the ages, and for which « noise » sounds like too narrow a label. The second half of the article follows a few explorers who specialized in disorienting our commonly accepted musical maps (Marion Brown, Faust, Charles Gayle, Mark Hollis, My Bloody Valentine, Sonic Youth, X-ecutioners, Otomo Yoshihide).*

WUNDERLITZER.

DENSITÉ + SATURATION

— *Multitudes* mêle ses questions aux multiples couches de réponses émanant du groupe Wunderlitzer sur le dispositif d'empilement de plages sonores dont il se sert pour produire les murs de sons qui caractérisent sa production. À partir de quand le multiple verse-t-il dans le registre de la saturation ? Comment moduler cette saturation ? Que peut-il y rester de distinctif, de nuancé et de singulier ? Plusieurs pistes de Wunderlitzer peuvent etre téléchargées à l'adresse : *http://wunderlitzermusic.free.fr*
— Multitudes *intertwines its questions within the multi-layered responses provided by the band Wunderlitzer, about the piling up of sound layers that characterizes its sonic explorations. From which point does multiplicity collapse into saturation ? How can one modulate saturation ? What can be left within it, in terms of distinctiveness, singularity and nuance ? A few tracks by Wunderlitzer can be downloaded from :* http://wunderlitzermusic.free.fr

ERIC ALLIEZ & JEAN-CLAUDE BONNE. **DÉFAIRE L'IMAGE.**
— L'art contemporain est issu de la radicalisation d'une crise ouverte par l'art moderne (Manet, Seurat, Cézanne) concernant la double identité sensible de l'art puisqu'elle engage d'un même mouvement sa forme-image et sa forme-esthé-

tique. Cette crise a conduit Matisse et Duchamp à « défaire l'Image » en tant qu'elle se définit par la Forme dans une manière de phénoménologie (ou de dialectique) du visible et de l'invisible (ou du dicible). Matisse lui oppose une énergétique vitaliste induisant un constructivisme expansif (à visée environnementale) des couleurs-forces qui substitue à l'esthétique une *esthésique*. Duchamp met en œuvre un constructivisme du signifiant, dont le nominalisme et le machinisme célibataire abolissent tout effet d'être de l'image-signe et donc tout faire-signe esthétique du monde (l'Inesthétique duchampienne).

— *Contemporary art was born out of the radicalization of a crisis begun by modern art (Manet, Seurat, Cézanne), concerning the twofold sensible identity of art, which involves both its image-form and its aesthetic-form. This crisis led Matisse and Duchamp to « undo the image » inasmuch as it is defined by Form, in a kind of phenomenology (or dialectics) of the visible and the invisible (or the sayable). Matisse responds to this with a vitalist energeticism which brings about an expansive constructivism (with an environmental aim) of color-forces which replaces aesthetics with an aesthesis. Duchamp enacts a constructivism of the signifier, in which nominalism and bachelor machinism abolish all effects of being of the sign-image and thus all aesthetic sign-making of the world (Duchampian inaesthetics).*

JACQUES RANCIÈRE. **LE TRAVAIL DE L'IMAGE**
— Représenter, c'est être à la place d'autre chose, c'est donc mentir à la vérité de la chose. Esther Shalev-Gerz réfute doublement ce présupposé : d'un côté, la chose même n'est jamais là : il n'y a que de la représentation : des mots portés par des corps, des images qui nous présentent non pas ce que les mots disent mais ce que font ces corps ; d'un autre côté, il n'y a jamais de représentation : on n'a jamais affaire

qu'à de la présence : des choses, des mains qui les touchent, des bouches qui en parlent, des oreilles qui écoutent, des images qui circulent, des yeux dans lesquels se marque l'attention à ce qui est dit ou vu, des projecteurs qui adressent ces signes des corps à d'autres yeux et d'autres oreilles.

— *To represent is to stand for something else, it is thus to lie about the truth of thing. The work of Esther Shalev-Gerz doubly refutes this presupposition : on the one hand, the thing itself is never there, there is only representation : words borne by bodies, images which present to us, not what words say but what these bodies do ; on the other hand, there is never any representation, one is always confronted with presence : things, the hands that touch them, mouths that speak of them, ears that listen, images in circulation, eyes in which one can see the attention to what is spoken or seen, and projectors which convey these signs of bodies to other eyes and ears.*

ABIGAIL SOLOMON-GODEAU.
TORTURE À ABOU GHRAIB. LES MÉDIAS ET LEUR DEHORS.

— Cet article traite des photographies de tortures réalisées dans la prison d'Abou Ghraib en Irak par les soldats américains et analyse la nouveauté de ce phénomène — l'acte des participants consistant à donner d'eux-mêmes une représentation collective tandis qu'ils torturent leurs prisonniers. Si l'on considère que les activités ont été par bien des aspects orchestrées et mises en scène pour l'appareil photographique, on peut rattacher ces images d'atrocités à la pratique de la photographie amateur, et pornographique en particulier. La publication de ces documents a une portée immense à la fois éthique et politique parce qu'ils montrent la face cachée des valeurs américaines exportées en Irak. Bien que les archives d'Abou Ghraib représentent quelque chose de fondamentalement indicible, les images suffisent à révéler ce qui, autrement, aurait été nié. Cela paraît d'autant plus évident que les guerres que nous avons connues récemment ont fait l'objet d'une censure de l'image et d'une manipulation gouvernementale sans précédent.

— *This article discusses the photographs of torture conducted by American soldiers in Iraq, at Abu Ghraib prison, with a focus on the novelty of the phenomenon in which the participants seek to produce a collective representation of themselves performing the act of torturing prisoners. If one considers that these activities were, in many respects, staged for the camera, it is possible to interpret these images of atrocities as belonging to the tradition of amateur photography, particularly pornography. The publication of this material is of immense ethical and political significance, as it shows the hidden side of American values as exported to Iraq. Although the Abu Ghraib archives represent something which is inherently unspeakable, ineffable, the images are enough to reveal what otherwise would have been denied. This seems especially evident in light of the fact that recent wars have been conducted with an unprecedented degree of visual censorship and government manipulation.*

Achevé d'imprimer en février 2007 par Europe Still & Euroteh. Imprimé en Slovénie.

Multitudes Web

http://multitudes.samizdat.net

Multitudes Web est consulté par plus de 4 000 personnes par jour

sur Multitudes Web vous trouverez :

une rubrique actualité
| les principaux événements de l'actualité | des infos sur le séminaire de Toni Negri |
| des infos sur les « événements-Multitudes » | les initiatives autour de la revue |
| des notes de lecture | des éditoriaux | des tribunes sur les débats d'actualité | ···

6 ans d'archives de la revue
| Avec un décalage d'un an, accédez gratuitement
| aux articles publiés dans *Multitudes* | plus de 24 numéros en ligne |

une extension virtuelle, des compléments de la revue
| des articles originaux en PDF déclinant les thèmes de la Majeure ou de la Mineure |
| les versions longues des textes publiés | leurs traductions dans d'autres langues |
| les débats préparatoires aux numéros | ···

un index des auteurs
| comprenant les biographies de plus de 900 auteurs | ···

les sommaires des prochains numéros
| les thèmes | les auteurs | ···

les archives des revues Futur Antérieur et Alice
| deux revues qui ont précédé la publication de *Multitudes*. |

les archives du site et une "bibliothèque diffuse"
| les principaux textes de | : | le courant opéraïste | Toni Negri |
| les philosophes de la différence | ···

la fiche d'identité de la revue
| ses éditeurs | son comité de rédaction et son comité de lecture |
| ses correspondants dans les principales métropoles | ···

la liste des libraires où trouver la revue
| + | toutes les informations utiles pour pouvoir s'abonner | ···

des informations sur Multitudes-infos
| découvrez la liste électronique transnationale des lecteurs |

des informations sur les ouvrages édités
en collaboration avec les éditions Amsterdam
| les essais de « Multitudes-Idées » | les pamphlets de « Multitudes-Interventions » |
| les readers de « Multitudes-Florilège » | ···

des liens avec plus de 110 sites
| qui partagent avec *Multitudes* une communauté d'inspiration et d'engagement |

abonnement

**pour tout nouvel abonnement,
un ancien numéro offert**

France et pays de l'Union européenne :

☐ **étudiants / chômeurs*** — abonnement d'un an (5 numéros) — **50 euros**
☐ **particuliers** — abonnement d'un an (5 numéros) — **60 euros**
☐ **institutions** — abonnement d'un an (5 numéros) — **80 euros**

☐ Prélèvement automatique de 15 euros trimestriel

étranger hors Union européenne :

☐ **étudiants / chômeurs*** — abonnement d'un an (5 numéros) — **65 euros**
☐ **particuliers** — abonnement d'un an (5 numéros) — **76 euros**
☐ **institutions** — abonnement d'un an (5 numéros) — **95 euros**

---

chèques à l'ordre de Multitudes à retourner à :
Multitudes-Dif'Pop' / 21 ter, rue Voltaire / 75011 Paris / tél. 01.40.24.21.31

---

nom   prénom

adresse

                                             code postal

ville   pays

téléphone   e-mail

ancien numéro demandé (n°12 épuisé)

---

* Joindre un justificatif à votre demande d'abonnement à prix réduit.

---

modalités d'abonnement par carte de crédit et commandes au numéro
(notamment les anciens numéros) sur le site de Dif'Pop' (*www.difpop.com*) : entrer
dans la rubrique revues (en haut à gauche) et dérouler la liste des revues.
**Pour la commande au numéro, frais d'expédition postale en sus selon le
pays de résidence.**